Urlaub im Kloster

Miriam Kauko

Zu Gast in den **100** schönsten Klöstern
in Deutschland, Österreich und in der Schweiz

Besinnung · Ruhe · Inspiration

Inhalt

Aktiv

1 Benediktinerkloster Nütschau
5 Benediktinerabtei Gerleve
8 Kloster Gerode
12 Zisterzienserinnenkloster St. Marienstern
20 Salvatorianerkloster
21 Franziskanerinnen der Allerheiligsten Jungfrau Maria
22 Kloster Triefenstein
25 Kloster Arenberg
26 Kommunität Gnadenthal
28 Christusbruderschaft Selbitz
32 Benediktinerabtei Münsterschwarzach
33 Communität Casteller Ring
37 Dominikanerinnenkloster Strahlfeld
46 Kloster Kirchberg
47 Zisterzienserinnenabtei Oberschönenfeld
48 Bildungshaus der Barmherzigen Schwestern
49 Erzabtei St. Ottilien
56 Benediktinerinnenabtei Frauenwörth
60 Kloster Benediktbeuern
62 Dominikanerinnenkloster Schlehdorf
63 Prämonstratenser-Chorherrenstift Geras
69 Kardinal König Haus der Jesuiten
70 Augustiner Chorherrenstift Reichersberg
91 Lassalle Haus Bad Schönbrunn

Architektur & Baukunst

3 Kloster Loccum
11 Benediktinerabtei Königsmünster
29 Zisterzienserabtei Himmerod
35 Benediktinerabtei St. Mauritius
42 Benediktinerabtei Niederaltaich
52 Benediktinerabtei Schäftlarn
64 Benediktinerstift Altenburg
67 Benediktinerstift Göttweig
68 Schottenstift Wien
71 Stift Melk
74 Zisterzienserstift Lilienfeld
76 Stift Kremsmünster
80 Benediktinerstift St. Blasius
83 Zisterzienserstift Rein
86 Servitenkloster Maria Luggau
93 Benediktinerabtei Einsiedeln
100 Benediktinerinnenpriorat Müstair

Kulinarisch

10 Kloster Bursfelde
13 Kloster Knechtsteden der Spiritaner
14 Zisterzienserinnenabtei St. Marienthal
31 Benediktinerinnenabtei St. Hildegard
38 Benediktinerabtei Plankstetten
45 Benediktinerabtei zum Heiligen Kreuz
53 Benediktinerkloster Andechs
65 Zisterzienserstift Zwettl
66 Prämonstratenserstift Schlägl
72 Stift Heiligenkreuz
78 Benediktinerabtei Michaelbeuern
79 Zisterzienserstift Schlierbach
82 Benediktinerabtei Seckau
85 Benediktinerstift St. Paul im Lavanttal

Stille & Rückzug

2 Kloster St. Teresa
4 Kommunität Kloster Barsinghausen

6 Benediktinerinnenabtei vom Hl. Kreuz
7 Benediktinerinnenabtei Unserer Lieben Frau
9 Benediktinerinnenabtei Mariendonk
15 Benediktinerkloster Wechselburg
16 Benediktinerabtei Kornelimünster
17 Trappistenabtei Mariawald
18 Priorat St. Wigberti
27 Benediktinerinnenabtei Engelthal
30 Karmelitenkloster Springiersbach
34 Kloster Schwarzenberg
36 Benediktinerabtei Neuburg
40 Zisterzienserinnenabtei St. Josef
41 Benediktinerabtei Braunau
43 Zisterzienserinnenabtei Lichtenthal
50 Claretiner Missionshaus
54 Benediktinerinnenkloster Habsthal
55 Benediktinerabtei Ottobeuren
58 Kapuzinerkloster Stühlingen
77 Franziskanerinnen Vöcklabruck
87 Retraitenhaus Sonnenhof
88 Benediktinerkloster Mariastein
94 Franziskanerkloster Mariaburg
96 Allerheiligenkloster der Kapuziner
98 Benediktinerinnenabtei Disentis
99 Dominikanerinnenkloster Cazis

Toplage

19 Kloster St. Clemens
23 Hans-Asmussen-Haus
24 Benediktinerabtei Maria Laach
39 Benediktinerabtei Weltenburg
44 Benediktinerabtei Schweiklberg
51 Benediktinerabtei Beuron
57 Bildungshaus St. Martin
59 Provinzhaus Hegne
61 Benediktinerabtei Ettal
73 Benediktinerstift Lambach
75 Benediktinerstift Seitenstetten
81 Exerzitienhaus Maria Hilf
84 Benediktinerabtei St. Lambrecht
89 Benediktinerkloster Fischingen
90 Benediktinerabtei St. Otmarsberg
92 Kloster Baldegg
95 Haus Bethanien der Dominikanerinnen
97 Dominikanerinnenkloster Ilanz

Extratipp

Klöster mit besonders schönen Gärten und Parks

12 Zisterzienserinnenstift St. Marienstern
14 Zisterzienserinnenabtei St. Marienthal
21 Franziskanerinnen der Allerheiligsten Jungfrau Maria
62 Dominikanerinnenkloster Schlehdorf
63 Prämonstratenser-Chorherrenstift Geras
69 Kardinal König Haus
71 Stift Melk
75 Benediktinerstift Seitenstetten
83 Zisterzienserstift Rein
91 Lassalle Haus Bad Schönbrunn

Simplify your Life!

Freiwillig eine Woche schweigend wandern. Morgens um fünf Uhr zum gesungenen Gebet. In spartanischen Zimmern wohnen. Ein Traumurlaub? Ein Urlaub der anderen Art. Weg vom Zeitdruck hin zu mehr Lebensqualität. Sein Leben entrümpeln und vielleicht auch den Kopf. Das Verlangen, auf die Bremse zu treten, entwickelt sich als Gegenreaktion auf Leistungsdruck im Job, hohen Anforderungen in der Familie, Unsicherheit in Entscheidungssituationen. Wer sich mit 100 verschiedenen Sorten Müsli im Ladenregal konfrontiert sieht, wird nur schwer eine Wahl treffen können. Auch das Internetsyndrom kennen viele: Die explodierende Vielfalt an Möglichkeiten führt erwiesenermaßen zu Frustration und Unzufriedenheit. Das Bedürfnis nach fundamentalen Werten, nach Sinnfindung und einer neuen Schlichtheit führt mehr und mehr Menschen ins Kloster. Denn dort gibt es nicht nur eine jahrhundertealte Tradition der Kontemplation, sondern auch der größtmöglichen Beschränkung, um den Blick auf das Wesentliche zu konzentrieren. Beschauliche Oasen des Minimalismus. Dem Burnout-Syndrom wird hier mit alter neuer Einfachheit begegnet, auf die sich der überspannte Geist oft erst nach Tagen einlassen kann. Hinter den sprichwörtlichen dicken Klostermauern wird in bescheiden ausgestatteten Räumen gefastet und geschwiegen, draußen geht man ursprünglichen Beschäftigungen nach: Äpfel ernten, Unkraut jäten, Fische fangen. Während nur die Hände beschäftigt sind, gibt es ausreichend Gelegenheit zum Loslassen, Nachdenken und Neudenken.

Zu Gast im Kloster

Die hier ausgewählten Klöster nehmen bis auf wenige Ausnahmen im Einklang mit dem Gebot der Gastfreundschaft gerne Einzelgäste auf, die nicht an einem bestimmten Kursprogramm teilnehmen möchten, sondern Ruhe und Sammlung suchen. Je nach Orden werden Besucher mehr oder weniger intensiv in das Leben der Ordensleute integriert; es besteht immer die Möglichkeit zu einem geistlichen Gespräch. Ein solcher Aufenthalt setzt voraus, dass der Gast mit sich selbst gut zurechtkommt und das Alleinsein verkraften kann, denn den größten Teil des Tages muss er vielfach selbstständig gestalten. Etliche Klöster bieten ihren Gästen ein spezielles Programm an, das nicht immer einen geistlichen Hintergrund hat. Häufig konzentriert es sich auf Schwerpunkte wie Selbstfindung, Kreativität, Körpererfahrung oder Persönlichkeitsentwicklung. Die begeisterte Resonanz hat inzwischen eine unvergleichliche Angebotsvielfalt hervorgebracht, wie etwa auf die Region (Dirndlnähen) oder örtliche Gegebenheiten (Larvenbestimmungskurse im klösterlichen Feuchtbiotop, Weinseminare beim Kellermeister-Mönch) bezogene Kurse. In den »Garten-Klöstern« können Gäste mitunter Kurse rund um das Rosenbeet oder die Streuobstwiese belegen und bei der Apfelernte helfen. Insgesamt ist die Palette von Schweigeexerzitien bis Managementseminaren so abwechslungsreich, dass für jeden Interessierten etwas dabei ist. Das Seminarprogramm wechselt in der Regel jährlich, daher sollte man vor der Anreise immer ein aktuelles Verzeichnis anfordern oder im Internet abrufen.

Ein Spaziergang durch die Klostergalerie

Jedes Klosterporträt beginnt mit der genauen Adresse und einer Anfahrtsbeschreibung; dann folgt unter der Überschrift »Das Kloster« eine Charakteristik, in der man kurz etwas über Lage, Bauart, Geschichte und Ausrichtung des Klosters erfährt, z.B. welchen speziellen Aufgaben die Nonnen und Mönche nachgehen, ob es architektonische Sehenswürdigkeiten oder einen schönen Garten gibt. Ferner wird erläutert, wie und wo Gäste im jeweiligen Kloster wohnen und essen und aus welchem Angebot sie wählen können. »Als Gast im Kloster« fasst einen Eindruck von der Atmosphäre zusammen, die den Gast erwartet. »Rund um das Kloster« gibt zahlreiche Hinweise zu Sehenswürdigkeiten sowie zu kulturellen, sportlichen und gastronomischen Ausflügen in die nähere Umgebung. Abgeschlossen wird jedes Klosterporträt mit einer komprimierten Aufstellung, die auf einen Blick alle wichtigen Informationen zum jeweiligen Haus und seinem speziellen Gästeangebot sowie Preise für Unterkunft und Verpflegung enthält.

Warum in die Ferne schweifen...

Wer einen Aufenthalt im Kloster plant, erwartet weder einen Wellness-Tempel, noch denkt er an einen Abenteuerurlaub, noch befindet er sich auf einer Feinschmeckerreise. Im Mittelpunkt steht für jeden Einzelnen zweifelsohne das klösterliche Ambiente mit seinen Denkanstößen, seinen bisweilen jahrhundertealten Traditionen, seiner ganz speziellen Atmosphäre. Da sich

etliche Klöster jedoch an zauberhaften, attraktiven Orten befinden – etwa im Hochgebirge, am Seeufer oder mitten in der Hauptstadt –, gibt es vielfach auch jenseits der Klostermauern wahre Schätze zu entdecken. Eine ausgedehnte Wanderung in der Umgebung könnte etwa als Ergänzung zum vormittäglichen Meditationsseminar im Sitzen dienen oder die Besichtigung einer Ritterburg mitreisende Kinder unterhalten. Vielleicht möchten Sie sich am letzten Abend ein fürstliches Abendessen mit regionalen Spezialitäten im örtlichen Gasthof schmecken lassen oder nach dem Ikonenmalkurs eine Bootstour auf dem nahe gelegenen See unternehmen? Stellen Sie sich Ihr eigenes anregendes und/oder entspannendes Programm rund um und im Kloster zusammen.

Die fünf Kategorien

Um den Lesern die Suche nach einem für sie geeigneten Kloster zu erleichtern, wurden fünf Kategorien entworfen, welche die Klöster schwerpunktmäßig charakterisieren. Häuser der Kategorie »Aktiv« bieten ein besonders ausgewähltes oder umfangreiches Seminarprogramm an. In der Sparte »Architektur & Baukunst« zeichnet sich die Klosteranlage durch bedeutende, entweder sehr alte oder prächtige Bauwerke oder durch sehenswerte Architektur aus. Besitzen die Klöster eine eigene Landwirtschaft, Weingüter oder eine traditionsreiche Bierbrauerei, deren Produkte in einer Klostergaststätte mit erlesener Speisekarte probiert werden können, findet man sie in der Kategorie »Kulinarisch«. Die Rubrik »Stille & Rückzug« kennzeichnet

kontemplative Klöster für Gäste, die sich ernsthaft zurückziehen möchten. Die Bezeichnung »Toplage« weist entweder auf eine besonders schöne Lage des Klosters hin, z.B. auf einen Berggipfel oder eine Rheininsel, oder es bietet einen empfehlenswerten Ausgangspunkt für lohnende Ausflüge. »Garten & Park-Klöster« verfügen auf dem Klostergelände über einen eigenen Garten, z. T. mit Labyrinth, Themengärten wie Bibelgärten oder einen Park mit exotischen Gewächsen oder so genannten Lehrpfaden.

Innerhalb der Mauern

Manche Klöster bieten ein professionelles Ferienprogramm an, andere – vorwiegend kleinere Konvente – verstehen sich als streng zurückgezogene Orte der Besinnung und des religiösen Suchens. Hier ist der Gästebereich entsprechend reduziert, die Anforderungen an den aufgenommenen Gast sind hinsichtlich der Integration in den Klosteralltag vergleichsweise hoch. Hier erfährt man möglicherweise, warum Menschen ins Kloster gehen und womit sie sich dort beschäftigen. Tradition und Struktur des Ordens werden nachvollziehbar, wenn man am Stundengebet teilnimmt, im Refektorium mit den Mönchen oder Nonnen speist, gemeinsam den Garten bestellt. Da Klöster dieser Art kaum Seminare anbieten und sich Interessenten für diese sensibelste Form des Klosteraufenthaltes überwiegend innerhalb der Klausur bewegen, werden diese Inseln der Kontemplation hier in geringerem Umfang präsentiert als jene, die ihre Gäste mit vielfältigen Kursen, eigenen

Museen, Konzerten, Hofläden und organisierten Ausflügen in die Umgebung erwarten.

Wenn Engel reisen, lacht der Himmel

»Vergesst die Gastfreundschaft nicht, denn durch sie haben einige, ohne es zu ahnen, Engel beherbergt« (Hebräerbrief 13,2). Gäste, die sich interessiert, aufgeschlossen und rücksichtsvoll in das Klosterleben einfügen, können für die Ordensleute mehr sein als eine finanzielle Bereicherung in wirtschaftlich schwierigen Zeiten, die auch die Klöster spüren. Lassen Sie sich also ein auf den beschaulichen Rhythmus des Stundengebetes. Vereinfachen Sie Ihr Leben für einige Tage, und nehmen Sie sich für Ihren Aufenthalt im Kloster nicht zu viel vor. Stress, Termindruck, hohe Erwartungen und Zwänge sollten außerhalb der Klostermauer deponiert werden. Es lohnt sich, das Angebot des anvisierten Klosters genau zu prüfen und im Vorgespräch mit dem Gastpater bzw. der Gastschwester Wünsche und Vorstellungen möglichst genau zu formulieren. So wird die regenerierende Auszeit im Kloster garantiert ein Erfolg. Sie flanieren entspannt durch den Klostergarten und essen hausgemachten Kuchen aus Äpfeln, die Sie zuvor selbst gepflückt haben. In erhabenen Gemäuern atmen Sie Geschichte, Tradition und frische Luft, lauschen gregorianischen Gesängen und kehren aus Ihrem »Inselurlaub« an Körper und Seele erholt, mit neuen Impulsen und Erfahrungen, nach Hause zurück. Dort angekommen kann man dem Alltag wieder positiv und gelassen gegenüberstehen.

Topklöster in Deutschland, Österreich und in der Schweiz

Aktiv

Architektur & Baukunst

Kulinarisch

13 Kloster Knechtsteden der Spiritaner
31 Benediktinerinnenabtei St. Hildegard
38 Benediktinerabtei Plankstetten
45 Benediktinerabtei zum Hl. Kreuz
53 Benediktinerkloster Andechs
65 Zisterzienserstift Zwettl
66 Prämonstratenserstift Schlägl
72 Stift Heiligenkreuz
78 Benediktinerabtei Michaelbeuern
82 Benediktinerabtei Seckau

Stille & Rückzug

2 Kloster St. Teresa
7 Benediktinerinnenabtei Varensell
16 Benediktinerabtei Kornelimünster
17 Trappistenabtei Mariawald
27 Benediktinerinnenabtei Engelthal
43 Zisterzienserinnenabtei Lichtenthal
54 Benediktinerinnenkloster Habsthal
58 Kapuzinerkloster Stühlingen
96 Allerheiligenkloster der Kapuziner
99 Dominikanerinnenkloster Cazis

Toplage

19 Kloster St. Clemens
24 Benediktinerabtei Maria Laach
51 Benediktinerabtei Beuron
57 Bildungshaus St. Martin
59 Provinzhaus Hegne
61 Benediktinerabtei Ettal
73 Benediktinerstift Lambach
81 Exerzitienhaus Maria Hilf
89 Benediktinergemeinschaft Fischingen
92 Kloster Baldegg

Die schönsten Klöster in Deutschland

Spätsommer im Obstgarten von Kloster Himmerod

Aktiv

Benediktinerkloster Nütschau

Schlossstr. 30
23843 Travenbrück
Tel. 0 45 31/5 00 40, Fax 5 00 41 22
E-Mail:
termine@haus-sankt-ansgar.de
Internet: www.kloster-nuetschau.de

Mit dem Pkw: A 1 bis Ausfahrt Bargteheide/Kiel, dann A 21, 12 km bis Ausfahrt Bad Oldesloe-Nord. Richtung Tralau bis Kloster Nütschau

Mit der Bahn: Bahnhof Bad Oldesloe. Sammeltaxi (Tel. 0 45 31/47 11) bis Kloster Nütschau; Fahrpreis ca. 2,20 €

Das Kloster

Kloster Nütschau wurde 1951 von den Mönchen der Abtei Gerleve als erstes Benediktinerkloster Norddeutschlands nach der Reformation gegründet. Sein Name geht auf den heiligen Ansgar (801–855) zurück, den so genannten Apostel des Nordens und ersten Bischof von Hamburg. Kloster Nütschau liegt am Rande des wunderschönen Naturschutzgebietes Brenner Moor zwischen Hamburg und Lübeck, umgeben von einem Schlossgraben.

Erst 1999 entstand das schlicht-moderne Konventgebäude aus Ziegelmauerwerk, Holz und Stahl. Eine Besonderheit sind die schmalen, schlitzförmigen Fensteröffnungen nach Norden. Sie verleihen dem Bau, ebenso wie die an eine traditionelle Klausurmauer erinnernde Fassade, einen burgähnlichen Charakter. Zum Gebäudekomplex gehören das 1577 erbaute Herrenhaus des Hinrich Rantzau, der Stille Bereich, das Jugendhaus St. Benedikt, das Bildungshaus St. Ansgar, ein hoher Kreuzgangflügel sowie ein kleiner Kräutergarten.

Im Mittelpunkt der Klosteranlage befindet sich die Kirche, die eine Vorstellung vom himmlischen Jerusalem vermitteln soll. Ihre Bänke sind auf quadratischem Grundriss kreisförmig auf den Altar ausgerichtet. Die drei Buntglaswände nehmen die Farben der umgebenden Natur auf: das Blau der Trave, das Dunkelbraun der Moorerde, das Hellbraun von Sand, Mergel und Lehm. Durch die gedämpfte Lichttransparenz entsteht eine beeindruckende Atmosphäre für den Besucher.

Gäste wohnen entweder in St. Ansgar oder im Stillen Bereich, der direkt an die Klausur angeschlossen ist, in gemütlichen, holzgetäfelten Giebelzimmern. Die opulenten Mahlzeiten werden vom Küchenteam täglich frisch zubereitet, und zwar für Gäste und Mönche im gleichen Gang. Von Askese kann man beim dreigängigen Mittagsmenü und selbst gebackenem Kuchen zum Kaffee nicht gerade sprechen.

An der Ostsee bei Travemünde

Für Einzelgäste besteht die Möglichkeit eines individuellen »ora et labora«-Aufenthalts im Stillen Bereich. Vier Stunden pro Tag helfen Sie den Mönchen bei der Waldarbeit oder der Apfelernte und nehmen am Stundengebet teil. Durch Meditationen, kreatives Arbeiten und Gespräche sowohl mit den Mönchen als auch anderen Gästen ergeben sich für die Gäste neue Impulse, um sich den Aufgaben des Alltags gelassener stellen zu können. Das Bildungshaus St. Ansgar bietet das ganze Jahr über Seminare, Kurse und Studientage für alle Interessierten an.

Als Gast im Kloster

Ebenso modern wie die Architektur von Konventsgebäude und Kirche wirkt der offene Geist des Klosters. Die Mönche leben in einer Gebets-, Arbeits- und Wohngemeinschaft mit einem Schwesternkonvent. Konfession oder Besuchsabsicht der Gäste spielen hier keine Rolle.

Rund um das Kloster

Kanufahren auf der Trave

Paddeln Sie von Bad Oldesloe flussaufwärts durch das idyllische Travetal. Links beginnt das Naturschutzgebiet Brennermoor mit salzhaltigen Quellen und seiner seltenen Salzbodenflora. Das Schilfgebiet Brenner Moor ist als Rast- und Schlafplatz für Zugvögel wichtig, die über die »Vogelfluglinie« oder entlang der mecklenburgischen Küste kommen. Dann führt die Strecke durch eine Wald- und Wiesenlandschaft bis zur »Donnerbrücke« bei Nütschau. Vor der Brücke wurde um 830 auf dem Höhenzug die »Nütschauer Schanze«, eine germanische Grenzbefestigung, angelegt. Sie trennte den westlichen, sächsischen Teil vom slawischen Ostteil des Landes und bildete den einzigen Traveübergang. Picknickplatz und Tourende nach der Brücke. Paddelzeit ca. 1 Std. 45 Min.

Kanuverleih »Kanu & Natur« Michael Voigt, Zur Grünen Brücke 14 b, 23843 Bad Oldesloe; Tel. 0 45 31/25 98, Fax 25 86

DEUTSCHLAND

Extratipp

Ostseeheilbad Travemünde Mit der Bahn gelangt man von Bad Oldesloe in einer knappen Stunde direkt an den weißen Travemünder Sandstrand. Vom Strandkorb aus sieht man die Skandinavienschiffe vorbeifahren. Das Sonnenbad lässt sich ausgezeichnet mit einem Bummel durch die malerische Altstadt des Ostseeheilbades verbinden. Auf der »Vorderreihe«, Travemündes Einkaufsmeile, wimmelt es von Boutiquen, Cafés und Flaneuren. Nach dem Abendessen – unbedingt den fangfrischen Dorsch probieren! – kann man sein Glück im berühmten Spielkasino auf die Probe stellen.

Mennokate

Auf Gut Altfresenburg ist die aus dem 16. Jahrhundert stammende, reetgedeckte Mennokate zu besichtigen. Dort befand sich Menno Simons Druckerei, der Entstehungsort der bekannten theologischen »Fresenburger Drucke«. Simons gilt als Gründer der Mennoniten, Nachkommen der reformationszeitlichen Wiedertäufer. Das Haus, ein aus Feldsteinen und Ziegelsteinen errichteter traditioneller Bau, und die Linde davor stehen unter Denkmalschutz.

Gut Altfresenburg, 23843 Bad Oldesloe; Museumsräume an Wochentagen ab 9 Uhr (im Winter ab 10 Uhr) geöffnet. Anmeldung bei Fam. Janzen; Tel. 0 45 31/80 07 67; Eintritt frei

Die historische Druckerei

Wanderung durch das Brenner Moor

Die Region um das Kloster, die »Nütschauer Schweiz«, lädt rund um das Jahr zu Wanderungen und Spaziergängen ein. Die Rundwege eröffnen eine herrliche Aussicht über das Travetal und die charakteristischen Salzwiesen, in denen Tiere und Pflanzen leben, die sich an den hohen Salzgehalt des Bodens angepasst haben. Im Naturschutzgebiet Brenner Moor sind sie gut zu beobachten. Stärken Sie sich bei der Rückkehr von der Wanderung mit einem Krabbenbrötchen und einem Pils im gemütlichen Café Travestübchen, Heiligengeiststr. 14, 23843 Bad Oldesloe; Tel. 0 45 31/46 47.

Service

Angebot für Gäste

Schweigeseminar im Stillen Bereich, Dauer 4 Tage. Leitung P. Gregor Mundus, Termine auf Anfrage, Gesamtkosten ca. 200 €
Programm »Ora et labora«: vier Stunden Mitarbeit täglich
»Kloster auf Zeit«
Besinnungswochenenden für Familien und »Nütschauer Familienferien«
Seminare und Studientage, u. a. Atemseminare, Zen-Meditation, Heilfasten, Ikonenmalkurse
Programm erhältlich unter
Tel. 0 45 31/5 00 41 40; E-Mail: termine@haus-sankt-ansgar.de

Gottesdienste

Wo 6.30 Uhr Matutin, 11.45 Uhr Mittagsgebet, 17.30 Uhr Vesper und Eucharistiefeier, 21 Uhr Komplet
So 6.30 Uhr Matutin, 9 Uhr Eucharistiefeier, 11.45 Uhr Mittagsgebet, 17 Uhr Vesper, 21 Uhr Komplet

Unterkunft

Übernachtung mit Vollpension im EZ oder DZ 45 € pro Person, Studenten/Auszubildende 30 €
Zuschlag bei nur einer Übernachtung: 6 €
Alle Zimmer mit Dusche/WC
Höchstaufenthalt in der Regel 10 Tage

Reservierung

Anmeldungen schriftlich und frühzeitig. Informationen von den Gastbrüdern Br. Godehard Sackmann und Br. Gregor Mundus unter
Tel. 0 45 31/5 00 41 34 oder E-Mail: Br.godehard@kloster-nuetschau.de

Einzelexerzitien nach Absprache: P. Willibrod Böttges; Tel. 0 45 31/5 00 40

Jugendhaus St. Benedikt Kloster, Leitung: Br. Josef, Nütschau, Schlossstr. 35, 23843 Travenbrück;
Tel. 0 45 31/5 00 41 58, Fax 5 00 41 00;
E-Mail:
team@jugendhaus-sankt-benedikt.de;
Internet:
www.jugendhaus-sankt-benedikt.de

Kloster St. Teresa der Teresianischen Karmeliten

Schützenstr. 12–15
16547 Birkenwerder
Tel. 0 33 03/50 34 20, Fax 40 25 74
E-Mail:
kloster@karmel-birkenwerder.de
Internet:
www.karmel-birkenwerder.de

Mit dem Pkw: über Autobahn Berliner Ring Ausfahrt Birkenwerder, ca. 2 km geradeaus durch den Ort, am Rathausplatz halblinks Richtung Bergfelde über S-Bahnbrücke bis Ortsausgangsschild

Mit der Bahn: von allen Berliner Bahnhöfen mit S-Bahn bis Bahnhof Friedrichstraße, von dort Linie S 1 (Oranienburg) bis Birkenwerder (ca. 40 Min.), dann 10 Min. Fußweg Bergfelder Straße entlang bis Ortsausgangsschild

Das Kloster

Das Karmelitenkloster Birkenwerder liegt am nördlichen Stadtrand von Berlin. Sein Gelände grenzt direkt an ein weites Waldgebiet der Märkischen Heide. Noch zu Zeiten der DDR gründete der Teresianische Karmel 1986 ein kleines Kloster im Osten Berlins, das die »Unbeschuhten« Karmeliten der heiligen Theresa von Avila weihten. Die Geschichte des vegetarisch lebenden Karmelitenordens beginnt nicht mit einer Gründerpersönlichkeit, sondern mit einer Gruppe friedliebender Kreuzfahrer und Pilger, die sich gegen Ende des 12. Jahrhunderts als Eremiten im palästinensischen Karmelgebirge niederließen.

Sehenswert in Birkenwerder ist vor allem der Kreuzweg der Karmelitenkirche. Mit minimalen Mitteln, etwa durch Kreuze und Holzstöcke, werden die Stationen des Kreuzwegs und der Auferstehung sowie die Leidensgeschichte Christi dargestellt. Aufgrund der darstellerischen Plastizität und des griffigen Materials ist es auch für blinde Menschen möglich, die Einzelstationen des Kreuzwegs zu ertasten.

In den Räumen eines umgebauten Kinderheimes sind heute die Zimmer des Exerzitienhauses untergebracht, in dem Klostergäste wohnen können. Im Kloster kann man den »Echten Regensburger Karmelitengeist«, hergestellt seit 1721 nach der Originalrezeptur des Apothekers und Karmelitenpaters Ulrich, kaufen. Die Klosterkirche ist in das von altem

Baumbestand umgebene Gebäude integriert. Das Gästehaus ist bewusst einfach eingerichtet – der Meditationsraum beinahe karg – und versteht sich als ein Ort der Stille und der Sammlung. Die Birkenwerder Karmeliten konzentrieren sich heute vorwiegend darauf, ihre Gäste durch geistliche Übungen, Seminare und stille Tage zu führen. Sie können an den meist fünftägigen Karmelitanischen Schweige- und Themenexerzitien teilnehmen, an Bibel-Seminaren sowie Kursen zu meditativem Tanz, Besinnungswochenenden, an Seminaren für Unternehmer und Leitende oder den Jahreswechsel im Kloster feiern (»Besinnung im Schweigen bis zur Jahreswende«). Im direkt an das Kloster grenzenden Waldgebiet kann man herrliche Wanderungen machen.

Rund um das Kloster

Gedenkstätte Sachsenhausen

Im KZ Sachsenhausen waren zwischen 1936 und 1945 mehr als 200 000 Menschen inhaftiert, zehntausende kamen hier ums Leben.
Führungen, Dauerausstellungen, Archiv und Bibliothek.
Öffnungszeiten: 15. März–14. Okt. tgl. 8.30–18, 15. Okt.–14. März 8.30–16.30 Uhr (montags sind die Museen, der Besucherdienst und der Buchladen geschlossen)
Gedenkstätte und Museum Sachsenhausen, Straße der Nationen 22, 16515 Oranienburg, Tel. 0 33 01/20 00; Internet: www.gedenkstaette-sachsenhausen.de

Zitadelle Spandau

Die Renaissancefestung nördlich der Spreemündung in die Havel ist der älteste monumentale Profanbau der Hauptstadt. Der runde Bergfried, der Juliusturm aus dem 12. Jahrhundert, heißt seit 1584 nach dem Herzog von Braunschweig-Wolfenbüttel. Napoleon verschanzte sich 1813 auf der Zitadelle. Im 19. Jahrhundert lagerte hier der Reichskriegsschatz, und das Museum belegt, dass während der Nazizeit im hiesigen Labor mit Giftgasstoffen experimentiert wurde. Heute finden hier Ausstellungen und Konzerte statt. Von der zweiten Augusthälfte an erkunden um die 10 000 Fledermäuse das beliebte Winterquartier (Führungen Aug., Sept. und Okt. 20 und 21 Uhr, Tel. 0 30/36 75 00 61; Internet: www.bat-ev.de).
Zitadelle, Am Juliusturm, 13599 Berlin; Öffnungszeiten: Di–Fr 9–17, Sa und So 10–17 Uhr. Führungen ganzjährig nach Vereinbarung (Tel. 0 30/3 34 62 70)

Service

Angebot für Gäste
Tagungen
Exerzitien
Besinnungstage
Seminare mit breitem Themenspektrum für Einzelgäste und Gruppen
»Urlaub ohne Fernsehen«
Meditationen zum Kreuzweg in der Klosterkirche
Programm im Internet

Gottesdienste
Wo 8 Uhr, So 9 Uhr Eucharistiefeier, Sa 15.30 Uhr Vespergottesdienst
Kindermesse (letzter So im Monat) 9 Uhr

Unterkunft
Übernachtung mit Vollpension 37–42 € pro Person. Ermäßigung nach Absprache möglich

Verpflegung
Im Gästehaus
Klosterkeller mit Getränkeservice

Einkaufsmöglichkeit
Klosterkirche: theologische Bücher und Broschüren

Reservierung
Karmelitenkloster/Gästehaus, Schützenstr. 12, 16547 Birkenwerder; Tel. 0 33 03/50 34 19, Fax 40 25 74; E-Mail: exerzitienhaus@karmel-birkenwerder.de

Kloster Loccum

Im Kloster 2
31547 Rehburg-Loccum
Tel. 0 57 66/9 60 20, Fax 96 02 11
E-Mail: klosteranmeldung.loccum@evlka.de
Internet: www.kloster-loccum.de

Mit dem Pkw: über die Autobahn A 7 Kassel–Hannover, dann B 6 Richtung Nienburg–Bremen bis zur Abzweigung Loccum

Mit der Bahn: bis zum Bahnhof Nienburg/Weser, weiter mit dem Bus oder mit dem Taxi

Das Kloster

1163 in Niedersachsen von Zisterziensern gestiftet, wechselte das Kloster nach 500 Jahren mit der Reformation zum Protestantismus. Der heutige Konvent des Klosters Loccum steht in dieser Tradition. Ihm gehören Pastoren der Landeskirche an, ferner die Landesbischöfin, ein Jurist als rechtskundiger Konventual sowie der Leiter des Predigerseminars. Der Konvent kommt als Leitungsorgan mindestens zweimal im Jahr im Kloster zusammen.

Beim Verlassen des spätromanischen Kirchenschiffs kann man die besondere zisterziensische Architektur erkennen. Statt Säulen sind nur durchbrochene Wände zu sehen. Die massigen Pfeiler gründen tief in der Erde, wodurch der Seitenschub des Gewölbes aufgefangen wird. Die Kreuzrippengewölbe sind mit gemeißelten Schlusssteinen abgeschlossen, die dem Gewölbe Halt geben.

Vom Klostertor aus, an dessen Mauern man noch Hellebarden-Schleifspuren erkennen kann, führen die zwölf Stationen des »Zisterzienserpfads« durch die Klosteranlage und den Klosterwald. Die Forstfläche des Klosters liegt ca. 10 km westlich des Steinhuder Meeres. Auf den Bänken vor den Teichen kann man in Ruhe lesen und nachdenken. Der Forstbetrieb mit z.T. historischen Baumarten wie Eiche, Erle, Lärche und Douglasie bietet ein vielfältiges Angebot für den Holzmarkt. Auch Wildbret aus der klösterlichen Jagd ist in Loccum zu bestellen. Die Teichwirtschaft beliefert den örtlichen Markt mit Karpfen.

Im Priorsgarten mit seinen beschirmten Sitzgruppen und Kletterrosen herrscht eine Atmosphäre wie in einem englischen Landhaus. Dazu trägt auch der romanische Kreuzgang bei. Das ehemalige Refektorium wurde 1593 in einen spätgotischen Raum verwandelt, der heute eine Art »Wohnzimmer« des Klosters darstellt und die Bibliothek beherbergt. Die großzügigen Gästezimmer und Seminarräume der evangelischen Akademie können für Gasttagungen gebucht werden. Einzelgäste, die zur Ruhe kommen möchten, werden im Tagungs- oder Pilgerhaus untergebracht und reichlich verpflegt.

Als Gast im Kloster

Wunderbar ist vor allem die mittelalterliche Atmosphäre dieser ehrwürdigen Klosteranlage in Verbindung mit dem wunderschönen Park.

Rund um das Kloster

Dinosaurierfreilichtmuseum

Eine der größten Attraktionen der Region ist der Dino-Park in Münchehagen. 250 versteinerte Trittspuren von Dinosauriern bilden den Kern eines beeindruckenden Freilichtmuseums, in dem auch über 100 lebensgroße Nachbildungen von Dinosauriern zu sehen sind. Genau an dem Ort, wo vor 140 Millionen Jahren große Dinosaurierherden lebten, wandern Besucher heute auf einem über 2,5 km langen Rundweg durch das »Denkmal Saurierfährten«.

31547 Rehburg-Loccum/OT Münchehagen, Alte Zollstr. 5; Tel. 0 50 37/20 74; Internet: www.dinopark.de; Öffnungszeiten: Feb.–Nov. tgl. 10–18 Uhr

Romantikbad Rehburg

Die ehemals königlichen Kuranlagen von Bad Rehburg sind ein in Deutschland einzigartiges Bau- und Kulturdenkmal aus der Zeit der Romantik. Zwischen 1750 und 1850 lockte der damals als »Madeira des Nordens« bekannte Kurort die Hannoversche Aristokratie nach Bad Rehburg. In dieser Zeit wurde der Gesundbrunnen zu einer prächtigen Kuranlage ausgebaut: Es entstanden Badehäuser, Kurhotels, eine Kapelle und ein Kurpark mit vielen Spazierwegen. Heute erwartet den Besucher hier das frühklassizistische Neue Badehaus, die Wandelhalle, wo einst Trinkkuren verabreicht wurden, sowie die Kurpark-Allee. Das kürzlich restaurierte denkmalgeschützte Gebäudeensemble und die Erlebniswelt »Kurleben der Romantik« im Neuen Badehaus geben ein lebendiges Zeugnis von der Blütezeit Bad Rehburgs.

Friedrich-Stolberg-Allee 4, 31547 Rehburg-Loccum; Tel. 0 50 37/30 00 60; Öffnungszeiten: März–Okt. Di–So 11–18 Uhr, im Winter Di–Fr 14–18, Sa/So 11–18 Uhr

Service

Angebot für Gäste

Angebot zum Gespräch mit Pastorin Maike Selmayr jeden Freitag von 15–18 Uhr im Kreuzgang
Loccumer Kinderakademie
Innehalten im Alltag
Gesundheitsmanagement
Gesellschaftspolitische Seminare
Liturgische Klosterführungen

Gottesdienste

Tgl. außer So 18 Uhr Hora

Unterkunft

22 EZ, Übernachtung mit Vollpension im Tagungshaus 43–52 €, 10 € im Pilgerhaus ohne Verpflegung

Verpflegung

Im Tagungshaus Vollwertkost, Büffets, Abendbistro mit Getränkeservice
Klosterstube Loccum

Einkaufsmöglichkeiten

Eine-Welt-Laden: Tee, Lebensmittel, Spielsachen, Holzfiguren, Kleidung sowie Postkarten und Bücher über Loccum (»Loccumer Geschichten«)

Reservierung

Kloster Loccum, Im Kloster 2, 31547 Rehburg-Loccum; Tel. 0 57 66/9 60 20, Fax 96 02 11; E-Mail: klosteranmeldung.loccum@evlka.de, Internet: www.kloster-loccum.de

Evangelische Kommunität Kloster Barsinghausen

Bergamtstr. 8
30890 Barsinghausen
Tel. und Fax 0 51 05/6 19 38
E-Mail:
info@kloster-barsinghausen.de

Mit dem Pkw: über die Autobahn A 2 Hannover–Dortmund bis zur Ausfahrt Wunstorf/Kolenfeld oder Bad Nenndorf

Mit der Bahn: von Hannover aus bis zum Bahnhof Barsinghausen

Das Kloster

Die Evangelische Kommunität residiert seit 1996 in einem ehemaligen Augustinerkonvent mit alter Hallenkirche in der Nähe von Hannover. Zur klösterlichen Gemeinschaft gehören derzeit fünf Schwestern. Ihr Leben orientiert sich an den drei Evangelischen Räten: Gütergemeinschaft, Ehelosigkeit und Gehorsam. Im Kloster selbst gibt es einige Gästezimmer für Einzelgäste, die in der Kommunität mitleben und an den Gebeten teilnehmen können. Im Konventsaal finden Konzerte der Reihe »Ein Abend im Kloster« statt. Zum Kloster gehört auch eine kleine Töpferei. Viele Bänke laden ein, würdevolle Architektur und erholsame Ruhe des schönen Klosters zu genießen.

Als Gast im Kloster

Kreative Arbeit verbunden mit meditativer Stille erleben Gäste der kleinen Kommunität vor den Toren Hannovers. Der Garten wurde im Stil des 19. Jahrhunderts neu gestaltet.

Service

Angebot für Gäste
Tage der Stille
Tageszeitengebete
Einkehr – Rast – Begegnung in der Klostergrotte
Klostergartenführungen

Gottesdienste
8 Uhr Morgenlob, 12 Uhr Mittagsgebet, 18 Uhr Abendgebet, 19.30 Uhr Nachtgebet; Mo 8 Uhr Morgenlob und Abendmahl; Do 18 Uhr Vesper und Abendmahl

Unterkunft
Gästezimmer im Kloster

Reservierung
Evangelische Kommunität Kloster Barsinghausen, Bergamtstr. 8, 30890 Barsinghausen; Tel. und Fax 0 51 05/6 19 38; E-Mail: info@kloster-barsinghausen.de

Aktiv

Benediktinerabtei Gerleve

Gerleve 1
48727 Billerbeck
Tel. 0 25 41/80 00, Fax 80 02 33
E-Mail: abtei-gerleve@web.de
Internet: www.abtei-gerleve.de

Mit dem Pkw: über die A 43 Richtung Wuppertal bis Nottuln, weiter auf der B 525 Richtung Coesfeld bis Abfahrt Kloster Gerleve

Mit der Bahn: bis zum Bahnhof Coesfeld oder Billerbeck, weiter mit Taxi oder Bus zur Abtei (ca. 10 km)

Das Kloster

Das klösterliche Leben von Gerleve begann, als Mönchen der Erzabtei Beuron 1899 von den Geschwistern Wermelt ein Bauernhof geschenkt wurde, auf dem sie sich »zum Zweck der Aushilfe in der Seelsorge« niederließen. Das provisorische Kloster St. Joseph war gegründet. Um 1900 entstand der dringend nötige Neubau von Wohngebäuden und Klosterkirche auf der Anhöhe von Gerleve. Architekt war P. Ludger Wilhelm Rincklake aus Maria Laach. Oberhalb des Honigbachtales wurden die neuromanischen Gebäude an den Hang gebaut. Schon am 10. Juni 1904 erhielt die Kirche, die zu diesem Zeitpunkt erst durch eine provisorische Apsis geschlossen war, zum Herz-Jesu-Fest die vorläufige Weihe. In dieser baulich unvollendeten Form steht sie bis heute da. Die zum Wetterschutz 1938 umgestaltete massive Westfront der Abteikirche ist ein Wahrzeichen des westlichen Münsterlandes geworden. 2003 wurde die Kirche gründlich renoviert. Eingangsbereich und Chorraum wurden neu gestaltet. Wird in Gerleve zum Gottesdienst geläutet, ist dies weithin zu hören: Ein Geläut aus sieben Glocken befindet sich in den beiden Kirchtürmen. Im Zweiten Weltkrieg mussten die Mönche als »Staatsfeinde« ins Exil und konnten erst 1946 zurückkehren. Die Mönche arbeiten als Wissenschaftler in der 180 000 Bände starken Bibliothek und an Universitäten, führen eine Buchhandlung und betreiben für ihren eigenen Bedarf eine Buchbinderei und Druckerei.

In der Gastabteilung des Klosters gibt es zehn Zimmer für männliche Gäste. Sie können an den Gebetszeiten teilnehmen und essen zusammen mit den Mönchen im Refektorium. Das Frühstück und der Nachmittagskaffee werden im Gastraum neben dem Kreuzgang eingenommen. Paare und Familien wohnen im Gäste- und Exerzitienhaus Ludgerirast, das außer Tagungsräumen und Sprechzimmern einen Meditationsraum, eine Bibliothek, zwei Aufenthaltsräume, einen Werkraum zum Malen und Basteln sowie einen Fernsehraum bietet. Die Schwestern Unserer Lieben Frau wohnen im Haus und sorgen mit den Benediktinern und den Angestellten für das Wohl der Gäste. Sie stehen auch zum persönlichen Gespräch im Exerzitienhaus zur Verfügung. Jugendliche und Schüler sind in der Bildungsstätte St. Benedikt untergebracht. Gäste können auch in der Klostergaststätte essen, die für ihre hausgemachten Kuchen berühmt und wegen des schönen Spielplatzes bei Kindern beliebt ist. Probieren Sie unbedingt die Gerlever Stachelbeertorte!

Rückzug ist jederzeit erlaubt

Das Gästehaus Ludgerirast und die Bildungsstätte St. Benedikt bieten ein umfassendes Programm an Besinnungstagen und Exerzitienkursen, zum Beispiel Partnerschaftsseminare, biblische Besinnungtage, Entspannung und Erholung für Senioren, Oasentage zum Abschalten, Zen-Meditationen, meditativer Tanz, Trauerbewältigungsseminare und

Service

Angebot für Gäste
Trauerbewältigungsseminare
Partnerschaftsseminare, 2 Tage
Besinnungstage für Frauen, 6 Tage
Besinnungstage für Männer, 2 Tage
Ignatianische Einzelexerzitien, 7 Tage
Atemtherapie
Einzelexerzitien, 1 Woche
»Eutonie und Meditation«, Leibesübungen – Meditation – meditativer Tanz, 2 Tage
Zen-Meditation, 3 Tage
Bibliodrama, Biblische Geschichten als »Spiel-Raum« erfahren
Oasentag zum Abschalten
Programm im Internet

Gottesdienste
5.20 Uhr Vigilien & Laudes, Wo 9/So 10 Uhr Hochamt, 12 Uhr Sext, 13.15 Uhr Non, 17.30 Uhr Vesper, 20.15 Uhr Komplet

Unterkunft
Tagessatz für Gäste ohne Kursteilnahme 40 € (Schüler, Studenten und Nichtverdiener bezahlen, so viel sie können).

Verpflegung
Im Gastraum und in der Klostergaststätte, hier auch Klosterlikör, hausgemachte Leber- und Blutwurst u. a.

Einkaufsmöglichkeiten
Buchhandlung: theologische Literatur, religiöse Kinderbücher, CDs, Kunstkarten und Andachtsgegenstände
Öffnungszeiten: So 11.15–12 und 14.30–17.30, Mo 15–17.30, Di–Fr 8–12 und 14.30–17.30, Sa 9.30–12 und 14.30–17.30 Uhr

Reservierung
Kloster: Br. Matthäus Weber, Benediktinerabtei Gerleve, 48727 Billerbeck; Tel. 0 25 41/80 01 66, Fax 80 02 33; E-Mail: mw.gerleve@web.de; Reservierung erforderlich
Gäste- und Exerzitienhaus Ludgerirast: Tel. 0 25 41/80 01 31; E-Mail: exerzitienhaus@versanet.de
Jugenbildungsstätte: Tel. 0 25 41/80 01 33; E-Mail: hsb.gerleve@web.de

vieles mehr. Wer seine Lebenssituation überdenken oder sich auf wichtige Aufgaben oder Prüfungen vorbereiten möchte, ist den Gerlever Mönchen ebenfalls herzlich willkommen. Gerne nehmen sie sich Zeit und bieten auch Einzelgespräche an.

Als Gast im Kloster

Das vielseitige Kursangebot in Gerleve bietet etwas für wirklich alle Interessen. Besonders Familien mit Kindern werden sich in der freundlichen norddeutschen Atmosphäre wohl fühlen.

Rund um das Kloster

Erholungsgebiet Berkelquelle

Auf einer Länge von 110 Kilometer von Billerbeck fließt die Berkel bis zur Mündung in die Ijssel. Mit einem Höhenunterschied von 95 Metern zwischen Billerbeck und der niederländischen Grenze verbindet der Fluss die Orte Coesfeld, Gescher, Stadtlohn und Vreden. Noch bis zur letzten Jahrhundertwende war die Berkel ab Coesfeld schiffbar. Heute ist das Berkelquellgebiet ein Erholungsgürtel am Stadtrand von Billerbeck, mit Wander- und Radwegen, Berkelauen und Ruhezonen. Eine besondere Attraktion ist das 1999 in Betrieb genommene Kneipp-Becken das zur wohltuenden Erfrischung einlädt.

Kolvenburg

Wie die meisten Festungen ist auch die Kolvenburg nicht aus einem Guss gebaut. Im heutigen Gebäude sind Teile einer Platzummauerung, eines Turmes und eines Zweiraum-Hauses enthalten. Die frühere Wasserburg, von der heute nur noch ein Teil der Gräfte zu sehen ist, trägt ihren heutigen Namen seit dem 16. Jahrhundert. Er geht zurück auf die Familie Colve, die die Burg um 1300 von den Rittern von Billerbeck erwarb. Nachdem das Haus über Jahrhunderte von Verwaltern und Mietern bewohnt war, wurde es bis 1976 in mehreren Bauabschnitten restauriert. Heute beherbergt die Kolvenburg das Kulturzentrum des Kreises Coesfeld mit wechselnden Ausstellungen und kulturellen Veranstaltungen.

Kulturzentrum, An der Kolvenburg 7, 48727 Billerbeck. Tel. 0 25 43/15 40; Internet: www.kolvenburg.de; Öffnungszeiten: Di–Sa 13–18 Uhr, So 10–12.30 und 13.30–17.30 Uhr

Kulturzentrum Kolvenburg

Extratipp

Theatermeile Billerbeck Seit Juni 1998 führt ein Skulpturenparcours vom Ludgerusdom in der Innenstadt zur Freilichtbühne am Ortsrand. Die 14 Kunstwerke basieren inhaltlich auf Stücken, die seit 1950 auf der Freilichtbühne Billerbeck aufgeführt wurden, beispielsweise wurden Motive aus Märchen- und Kinderstücken, aber auch Dramen verarbeitet. Beginnend mit Kurt Arbeiters »Galgenvogel«, folgen auf dem Weg zur Freilichtbühne der »Thron«, »Biedermann und die Brandstifter«, der »Wunschkönig«, der »Froschkönig«, »Michel in der Suppenschüssel«, »Hans-guck-in-die-Luft«, der »Puck«, die »Nibelungen«, der »Verwunschene Schwan«, »Petrucchio«, »Der gestiefelte Kater«, »Max und Moritz« und schließlich »Rumpelstilzchen«". Eine vergnügliche Reise für Groß und Klein.

Benediktinerinnenabtei vom Hl. Kreuz Herstelle

Carolus-Magnus-Str. 9
37688 Beverungen
Tel. 05273/804114, Fax 804314
E-Mail:
webmaster@abtei-herstelle.de
Internet: www.abtei-herstelle.de

Mit dem Pkw: über die B 80 und die B 83

Mit der Bahn: bis Bahnhof Beverungen-Lauenförde oder Bad Karlshafen auf der Linie Göttingen-Paderborn

Das Kloster

Herstelle ist ein kleines Dorf zwischen Paderborn und Göttingen, das seinen Namen von Karl dem Großen erhielt. 1657 begannen Minoriten mit dem Klosterbau auf dem Burgberg; erst 1899 gründeten die Benediktinerinnen in den verfallenden Gebäuden ihr Kloster. Die Nonnen arbeiten im künstlerischen und literarischen Bereich, verkaufen kunstgewerbliche Produkte und führen einen Klosterladen. Sie bieten Kurse der Einkehr und Besinnung an. Speziell für Frauen gibt es ein breites Programm, das Wüstentage und Einkehrwochenenden umfasst. In der abwechslungsreichen Weserlandschaft kann man schöne Wanderungen unternehmen.

Als Gast im Kloster

Bedächtiges Kloster an historischem Ort und mit hübscher Bepflanzung. Empfehlenswerte Keramikwerkstatt!

Service

Angebot für Gäste
Kloster auf Zeit
Orientierungstage
Exerzitien für Frauen und Männer zwischen 30 und 60 Jahren
Einkehr im Kloster für Frauen
Wüstentage für Frauen
Zenkontemplation
Kursgeld pro Tag 10 €

Gottesdienste
So 6.30 Uhr Matutin, 8.15 Uhr Hochamt, 12.15 Uhr Sext, 15.30 Uhr Non, 18 Uhr Vesper, 20.15 Uhr Komplet
Wo 6,30 Uhr Laudes, 7.30 Uhr Hochamt, 12.15 Uhr Sext, 14.45 Uhr Non, 18 Uhr Vesper, 20.05 Uhr Komplet

Unterkunft
Preise: Ü/VP pro Person im EZ 43 €, im DZ 40 €

Einkaufsmöglichkeiten
Klosterladen: Pflanzen, Bücher, Musik, Keramik, Honig, Tee

Benediktinerinnenabtei Unserer Lieben Frau

Hauptstr. 53
33397 Rietberg
Tel. 0 52 44/5 29 70, Fax 18 76
E-Mail:
gaestehaus@abtei-varensell.de
Internet: www.abtei-varensell.de

Mit dem Pkw: über die A 2 Hannover–Berlin, Ausfahrt 24 Gütersloh/Verl. Richtung Verl, Rietberg, Abzweigung Varensell

Mit der Bahn: Bahnhof Gütersloh, von dort weiter mit dem Bus Nr. 77 bis Rietberg oder Westerwehe über Kloster

Das Kloster

Vor etwa hundert Jahren gründeten die Benediktinerinnen von der Ewigen Anbetung im Kloster Hamicolt in Varensell das Kloster Unserer Lieben Frau. Im Lauf der Zeit entwickelte sich um das zunächst abgeschieden in der Heide liegende Kloster ein ganzes »Klosterdorf«. Da die Kirche von Anfang an zugleich Kloster- und Gemeindekirche war, bestand immer eine feste Beziehung zwischen dem Kloster und dem Dorf, in dessen Mitte es heute liegt. In den 50-er Jahren wurde eine deutlich größere Pfarrkirche errichtet und die bisherige Gemeindekirche zum Nonnenchor umgestaltet. Die neugotischen Klostergebäude mussten 1969 einem Neubau weichen. Als vorerst letztes Gebäude entstand 1977 das Gästehaus »St. Benedikt«.

Die beiden kompakten Kirchtürme gelten inzwischen als Wahrzeichen des Dorfes. Beim Betreten der Klinkerkirche wird der Blick nach oben zu den hohen Klinkerrundbögen und Pfeilern des Mittelschiffs geleitet. Sie verweisen auf den erhöhten Altarblock als Zentrum. Das monumentale Farbglasfenster im Osten bildet den leuchtenden Glanzpunkt der Kirche. Alle Entwürfe für Glasfenster, Mosaike und Fresken stammen von Schwester Erentrud Trost, die Mosaikarbeiten wurden von der klostereigenen Kunstwerkstatt gefertigt.

Die in Varensell betriebene artgerechte Viehhaltung dient allein der eigenen Versorgung. In der Paramentenwerkstatt, bestehend aus Stickatelier, Näherei und Handweberei, fertigen die Benediktinerinnen liturgische Gewänder. In der Klosterbäckerei backen sie Hostien. Zudem gehen sie künstlerischen und wissenschaftlichen Tätigkeiten nach.

Gäste wohnen im Exerzitien- und Gästehaus der Abtei in freundlichen Zimmern. Es sind eine kleine Bibliothek, ein Meditationsraum, verschiedene Gruppenräume und ein eigener Garten vorhanden. Von den Gästen wird erwartet, dass sie den klösterlichen Rahmen, z. B. die Klausurgrenzen und Zeiten der Stille, respektieren. Für den täglichen Bedarf des Klosters und der Gäste sorgt die kleine klostereigene Landwirtschaft, in der auf biologische Anbaumethoden geachtet wird.

Varensell bietet seinen Gästen ein vorwiegend kontemplatives Programm an. »Wüstenwochenenden« dienen der Selbsterfahrung und Sammlung im Advent oder zur Fastenzeit. Die »Familienwochenenden« sind Besinnungs- und Meditationstage für die ganze Familie, die thematisch in Bezug zu den großen Festen des Kirchenjahres stehen. Eine Woche im Rhythmus des Klosters mit Gebet, Arbeit, Schweigen und Meditation kann man bei den »Tagen im Kloster« verbringen, der »Ora et labora«-Aufenthalt umfasst auch noch die tägliche Mitarbeit im Garten oder im Haus. Einzelexerzitien werden nach Absprache das ganze Jahr über angeboten.

Als Gast im Kloster

Varensell ist ein betont spirituelles Kloster für Gäste, die kontemplative Stille suchen und zudem gut alleine sein können. Arbeitshandschuhe, Gummistiefel und wetterfeste Kleidung für die Gartenarbeit einpacken!

Rund um das Kloster

Historische Altstädte: Rietberg und Rheda-Wiedenbrück

Bereits im 9. Jahrhundert wurde die »Stadt der Giebel« und Grafschaftsresidenz Rietberg erwähnt. Das historische Rathaus ist das Wahrzeichen der Stadt an der Ems. 1805 wurde es aus Steinen des Schlosses erbaut und zählt mit seiner geschwungenen Treppe, den Glockentürmchen und dem Mansardendach zu den schönsten Rathäusern Westfalens. Der Barockbau »Haus Münte« von 1744 ist eine Besonderheit in einer Straße mit Fachwerkhäusern. An seiner Stelle stand vom 15. bis 17. Jahrhundert eine Münzprägerei. In Rheda-Wiedenbrück bestimmen reich verzierte Fachwerkhäuser aus dem 16. bis 18. Jahrhundert das Stadtbild. Die Fassadenmalereien illustrieren Bibelverse und warnen in Darstellungen von Menschen, Tieren und Fabelwesen vor Lastern und Sünden. Fünfeckige Drudenfüße sollten im Mittelalter Hexen und böse Geister abwehren.

Hollywood- und Safari-Park Stukenbrock

Für mehr als 600 Tiere entstand in dem Safaripark ein Lebensraum, der ihrer natürlichen Umgebung angepasst wurde. Wie in der freien Wildbahn leben die Tiere hier, denn in

Extratipp

Kutschenfahrt zum Wasserschloss Lassen Sie sich zweispännig durch die schöne Münsterländer Parklandschaft und an der 1000-jährigen Eiche vorbei kutschieren, die im Holter Wald am »Westfälischen Eichenweg« steht. Fahren Sie dann am Hauptportal des ritterlichen Wasserschlosses Rheda vor. Eine stilvollere Anreise gibt es wohl kaum!

Fahrsport Königsbusch, Königsbusch 2, 59329 Wadersloh; Tel. 0 25 23/94 00 07; Internet: www.koenigsbusch.de

Stukenbrock sitzen nicht die Tiere, sondern man selbst hinter Gittern. Während die Paviane frei herumklettern und springen, fahren die Besucher im vergitterten »Affenzug« gemächlich durch das Gehege. Im direkt angeschlossenen »Hollywoodpark« sorgen rasante Achterbahnen, Cowboy- und Indianer-Stunts und Mehrfachloopings für Nervenkitzel.
Hollywood- und Safaripark Stukenbrock, Mittweg 16, 33758 Schloss Holte-Stukenbrock; Tel. 0 52 07/95 24 25; Internet: www.safaripark.de; Öffnungszeiten: Juli, Aug. 9–19 Uhr, sonst März–Okt. 9–18 Uhr

Schloss Rheda – eine der ältesten Wasserburgen Westfalens

Vom historischen Schlossgarten im Flora Westfalica-Park in Rheda-Wiedenbrück aus gelangt man zum Wasserschloss Rheda. Das noch heute von der Fürstenfamilie Bentheim-Tecklenburg bewohnte Schloss entwickelte sich aus einer Burganlage aus dem 12. Jahrhundert. Das Schlossensemble vereint mehrere Baustile aus unterschiedlichen Jahrhunderten miteinander: eine romanische Schlosskapelle (1200), einen Kapellenturm aus dem 13. Jahrhundert, einen Renaissance-Wohnflügel mit Galerie und einen Haupttrakt im Barockstil. Zu den besonderen Sehenswürdigkeiten der Anlage zählt auch das Kutschenmuseum im fürstlichen Marstall, in dem man das älteste Modell, eine ungarische Kalesche, sehen kann. Im ehemaligen Wirtschaftsteil lagern Spielzeuge und prachtvolle Kostüme der höfischen Gesellschaft.
Wasserschloss Rheda, Steinweg 16, 33378 Rheda-Wiedenbrück; Tel. 0 52 42/9 47 10; Internet: www.schloss-rheda.de; Führungen April–Okt. jeweils am letzten Sa des Monats um 15 Uhr oder nach vorheriger Anmeldung; die Außenanlagen können jederzeit besichtigt werden

Service

Angebote für Gäste
Wüstenwochenenden
Familienwochenenden
Tage im Kloster
Schweigewochen
Einzelexerzitien, Termin nach Absprache.
»Ora et labora«-Tage für Gäste ab 17 Jahren. Bei Mithilfe von 4 Stunden tgl. keine Kosten für Unterkunft und Verpflegung (Au-pair). Angebot im Winter eingeschränkt.
Kursgebühr pro Tag 10 €

Gottesdienste
Wo 6.20 Uhr Laudes, 7.15 Uhr Eucharistiefeier, 12.35 Uhr Sext, 14.45 Uhr Non, 18 Uhr Vesper, 20 Uhr Komplet & Vigilien
So 6.20 Uhr Laudes, 8 Uhr Eucharistiefeier, 12.25 Uhr Sext, Non 15.30 Uhr, 17.30 Uhr Vesper, 19.45 Uhr Komplet & Vigilien

Unterkunft
Übernachtung inkl. Vollpension pro Person 31–42 € je nach Zimmer.
Das Gästehaus ist Anfang März für ca. eine Woche geschlossen (Konventsexerzitien).

Verpflegung
Speisen aus eigener Landwirtschaft

Einkaufsmöglichkeiten
Buch- und Kunsthandlung: Religiöse Bücher, Bibelausgaben, Klöster- und Ordensliteratur, Geschenkbücher, Kinderbücher, Karten, Ikonen, Kreuze aus Holz, Bronze und Glas, Kerzen, Weihwasserbecken, Gebetswürfel, CDs, Meditationsbänkchen. Klostertipp: CD mit Gesängen der Karolingerzeit »Psalle modulamina«. Mitgestaltet von der Choral-Schola der Abtei Varensell.
Öffnungszeiten: Mo–Fr 15–17.30, Sa 9–12 Uhr.

Reservierung
Sr. Gisela Kleimann, Abtei Varensell, Gästehaus »St. Benedikt«, Hauptstr. 53, 33397 Rietberg; Tel. 0 52 44/5 29 71 30, Fax 18 76; E-Mail: gaestehaus@abtei-varensell.de

Kloster Gerode

Gesundheitszentrum Kloster Gerode
37345 Gerode
Tel. 03 60 72/82 00, Fax 8 20 24
E-Mail: klostergerode@wegdermitte.de
Internet: www.wegdermitte.de

Mit dem Pkw: über die Autobahn A 7 bis zur Ausfahrt Göttingen Nord, weiter auf der B 446 über Duderstadt bis Gerode

Mit der Bahn: bis Herzberg am Harz, von dort Sammeltaxi

Das Kloster

Kloster Gerode liegt im nördlichen Mittelgebirge zwischen Harz und Ohmgebirge inmitten eines schönen, 10 Hektar großen Anwesens mit altem Baumbestand. Die alte »Paradiesquelle« mit Teich und Bächen und die anmutige Landschaft mit einem Obst- und Gemüsegarten und einem Heilpflanzengarten tragen zu der Atmosphäre von Ruhe und Gelassenheit bei. Das Gelände ist von einer wuchtigen Klostermauer aus dem 14. Jahrhundert umgeben. Als »stille Zeitzeugen« der um 1100 gegründeten Benediktiner-Abtei sind zwei Reliefs von den Schutzheiligen des Klosters erhalten, eine Madonna im Strahlenkranz von 1607 über dem Haupteingang des Konventsgebäudes und der Erzengel Michael von 1681 rechts neben dem Klostertor. Nach der Wende gelangten die Klosteranlagen zunächst in den Besitz der Firma Siemens und wurden 1994 vom gemeinnützigen Verein »WEG DER MITTE« für ganzheitliche Gesundheit, Bildung und Soziales erworben, renoviert und als Seminar- und Tagungshaus eröffnet.

Die Beete des Heilpflanzengartens sind um ein zentrales, mit niedrigen Buchsbaumhecken umrandetes Wegekreuz angelegt, in dessen Mitte sich ein Brunnenrondell befindet. Die inneren Beete umgibt ein quadratischer Umgang, der in Anlehnung an die klösterlichen Kreuzgänge mit ihren Gewölben hier durch Rosenbögen führt.

In Gerode machen Gäste »Ferien mit Wohlgefühl«. Es gibt ein umfangreiches Ayurveda-, Yoga- und Wellness-Programm mit täglich drei Mahlzeiten nach ayurvedischen Prinzipien, Yogastunden, Abendmeditation und -tee. Ferner werden Craniosacral-Therapie, Fasten-Kuren und Tiefenentspannung angeboten.

Gäste können auch an Entsäuerungskuren teilnehmen oder sich zu Oster- und Sommerexerzitien zurückziehen.

Als Gast im Kloster

Gerode hat sich hauptsächlich auf Naturheilkunde und Yoga spezialisiert – auch Lehrer werden dort ausgebildet. Für das perfekte Wohlfühlen sorgt die ausgewogene vegetarische Kost. Und: In diesem Park ist Gartenarbeit keine Pflicht, sondern ein Vergnügen!

Rund um das Kloster

Einhornhöhle Bad Lauterberg

Die größte Schauhöhle des Westharzes ist durch einen alten Höhlenfluss entstanden und hat eine Führungslänge von 365 Metern. Die zu Pulver zermahlenen Gebeine des »Unicornu fossile«, des vermeintlichen Einhorns, waren europaweit als Medizin begehrt. Heute weiß man, dass es sich bei den Knochenfunden um die fossilen Reste von Höhlenbären handelt, die hier vor und während der letzten Eiszeit beheimatet waren. Treten Sie in die Fußstapfen der berühmten Forscher Leibniz, Goethe, Cuvier und Virchow und erkunden Sie die schmalen Gänge und großen Säle der Höhle.

Öffnungszeiten: April–Nov.; Führungen stdl. zwischen 10 und 17 Uhr. Informationen: Tel. 0 55 21/99 75 59 oder Internet: www.einhornhoehle.de;
Die Einhornhöhle – Haus Einhorn, 37412 Herzberg am Harz, OT Scharzfeld

Schloss Herzberg

Das Herzberger Welfenschloss ist ein beliebter Anziehungspunkt für Touristen. Es ist das größte Schloss in Fachwerkbauweise Niedersachsens und eines der bedeutendsten Baudenkmäler der Harzregion. Seit 1882 befindet sich im Sieberflügel des Schlosses das Amtsgericht in historischem Ambiente. Den Besucher erwarten die Forstausstellung »Vom Urwald zum naturnahen Wirtschaftswald«, der Rittersaal als Konzert-, Vortrags- und Ausstellungsraum und das Schlossrestaurant.

Museum Schloss Herzberg, Schloss 2, 37412 Herzberg am Harz; Tel. 0 55 21/ 47 99

Wandern im Nationalpark Harz

Der Nationalpark Harz unterhält ein Wanderwegenetz von insgesamt 290 Kilometer Umfang. »Sanfter Tourismus« ist heute in aller Munde, der Harzklub praktiziert diese naturschonende Form der Erholung schon seit seiner Gründung 1886. Steile Bergzüge, Hochebenen und lang gestreckte, schmale Täler prägen den malerischen Landschaftscharakter. Besonders beeindruckend für Naturfreunde ist der mehrfache Vegetationswechsel auf vergleichsweise engem Raum.

Service

Angebot für Gäste
»Kloster auf Zeit«, mind. 7 Tage
Fasten-Kuren
Hatha-Yoga
Tiefenentspannung
»Yoga, Meditation und Gartenarbeit«
Gesundheitsurlaub
»Ayurveda zum Kennenlernen«
»Einführung in den Heilpflanzengarten«
Oster- und Sommerretreats
Entsäuerungskuren

Verpflegung
Speisesaal – vegetarische Kost
Kloster-Café mit Parkterrasse

Einkaufsmöglichkeiten
Zeitschriften und CDs an der Klosterpforte erhältlich

Reservierung
Gesundheitszentrum Kloster Gerode, 37345 Gerode; Tel. 03 60 72/82 00, Fax 03 60 72/8 20 24; E-Mail: klostergerode@wegdermitte.de; Internet: www.wegdermitte.de

Benediktinerinnenabtei Mariendonk

Niederfeld 11
47929 Grefrath bei Kempen
Tel. 0 21 52/91 54 12, Fax 91 53
E-Mail: gaeste@mariendonk.de
Internet: www.mariendonk.de

Mit dem Pkw: über die Autobahn A 61 bis zur Ausfahrt Viersen/Süchteln, weiter nach Kempen

Mit der Bahn: bis Bahnhof Kempen, weiter mit dem Taxi

Das Kloster

Den kleinen spitzen Kirchturm der Klosterkirche sieht man als Erstes durch die Bäume schimmern, wenn man sich dem niederrheinischen Kloster Mariendonk nähert. »Donk« bezeichnet die bebaubare Erhebung im Sumpfland, in dem der neugotische Bau aus einer Million Ziegeln 1900 errichtet wurde. Heute betreiben die Schwestern eine Handweberei und -stickerei, in der Gewänder für die kirchliche Liturgie hergestellt werden, sowie eine Hostienbäckerei und ein Kerzenatelier. Zudem entwickelten sie ein eigenes Chorbuch mit gregorianischen Melodien in deutscher Sprache.

Als Gast im Kloster

Gäste sind vorwiegend in Einzelzimmern untergebracht. Die Mahlzeiten werden im Gästespeisesaal eingenommen. Zur Entspannung empfiehlt sich die Buchlektüre in einem der Schaukelstühle in der Bibliothek. Junge Frauen sind zum »Kloster auf Zeit« eingeladen, Einzelgäste und Gruppen können Besinnungstage verbringen. Darüber hinaus finden theologisch orientierte Bibelwochen, Seminare und Vorträge statt.

Service

Angebot für Gäste
Besinnungstage
Glaubensseminare
Bibelgespräche und -wochen
Radtouren mit Denkanstößen

Gottesdienste
6.30 Uhr Morgenoffizium (Matutin, Eucharistiefeier, Laudes), 11.30 Uhr Mittagshore, 18 Uhr Vesper, 20 Uhr Komplet

Unterkunft
20 Zimmer im Gästetrakt des Klosters
EZ 26 € (Ermäßigung mögl.)

Reservierung
Sr. Theresia Heither;
Tel. 0 21 52/91 54 12

Kulinarisch

Kloster Bursfelde

Klosterhof 5
34346 Hannoversch Münden/
Bursfelde
Tel. 05544/1688, Fax 1758
E-Mail: info@kloster-bursfelde.de
Internet: www.kloster-bursfelde.de

Mit dem Pkw: A 7 bis zur Ausfahrt Hannoversch Münden, weiter Richtung Göttingen, über Hemeln nach Bursfelde

Mit der Bahn: bis Bahnhof Göttingen, weiter mit PUK-Minicar (Tel. 0551/484848), Festpreis 34,50 €, oder mit Bus 125 von Hannoversch Münden nach Bursfelde

Das Kloster

Im ehemaligen Benediktinerkloster an der Weser logiert ein evangelisches Einkehr- und Tagungshaus mit großem Park. Es ist mit einer Küche, Gruppenräumen und einem Meditationsraum ausgestattet.

Einkehrwochenenden für Einzelgäste können organisiert werden. Gefragt sind die »Benedikt for Management«-Kurse, die Erkenntnisse modernen Managements mit den Lehren des Mönches verbinden. Per Rad oder zu Fuß erkundet man die Orchideenvielfalt in den lichten Mischwäldern des Werratals.

Als Gast im Kloster

Das Essen in der »Klostermühle Bursfelden« wird frisch und vollwertig je nach Jahreszeit ausgewählt.

Service

Angebot für Gäste
Einzelexerzitien
Meditationstage
Stille Tage im Kloster
Benedikt for Management
»Ora et labora«-Tage
Frauenwochenenden

Gottesdienste
18 Uhr Abendgebet (So als Taizé-Gebet)
Gottesdienst jeden ersten So im Monat 11 Uhr

Unterkunft
Tagungshaus (19 Zimmer): Ü/VP im EZ 51 €, im DZ 40 € für kirchliche Gruppen
Im Einzelgastbereich OASE: Ü/VP 38 €, Zimmer muss selbst gereinigt werden (Reservierung Tel. 05544/427)

Verpflegung
»Klostermühle Bursfelden«
Geöffnet tgl. bis 22 Uhr

Benediktinerabtei Königsmünster

Klosterberg 11
59872 Meschede
Tel. 02 91/2 99 50, Fax 2 99 51 00
E-Mail: abtei@koenigsmuenster.de
Internet: www.koenigsmuenster.de

Mit dem Pkw: A 46, Ausfahrt Meschede-Warstein, dann B 55 in Richtung Olpe

Mit der Bahn: Strecke Hagen–Kassel, Bahnhof Meschede, 10 Minuten Fußweg zum Kloster

Das Kloster

Vor dem Klostereingang blöken idyllisch Schafe aus dem Apfelhof. Die Abtei Königsmünster liegt im Hochsauerland in der Nähe des Arnsberger Waldes. Sie wurde 1928 gegründet, um die städtische Schule zu übernehmen. 1934 wurde der erste Konventbau fertig, 1981 das Jugendgästehaus »Oase« errichtet. Das »Haus der Stille« von 2001, das an ein funktionalistisches Gebäude des finnischen Architekten Alvar Aalto erinnert, ist das jüngste Gebäude der ausgedehnten Anlage. Im Mittelpunkt des dorfähnlichen Klostergeländes mit zahlreichen Werkstätten, dem Gartenhaus, einem Bauernhof und der Mosterei steht die Kirche. Erbaut wurde sie in den 60er-Jahren von Hans Schilling aus rotbraunem Klinker im Stil der Festungsarchitektur mit Oberlicht. Äußerlich eine Schiff-Silhouette, orientiert sich das Innere an den geometrischen Formen des Fünfecks und der Parabel. Über dem Altar im Zentrum hängt ein Kreuz, das mit Edelsteinen und Münzen aus verschiedenen Epochen und einem Meteoritensplitter bestückt ist. Die zwölf gesalbten Steine in der Kirche entstammen bedeutenden Orten der christlichen und abendländischen Geschichte, wie etwa dem KZ Dachau oder dem Jordan als Taufstätte Christi.

Königsmünster verfügt über eine Vielzahl von Handwerksbetrieben, z. B. über eine Kunstschmiede, eine Schreinerei, eine Handweberei für Paramente, eine Buchbinderei und eine Töpferei. Weiterhin betreiben die Mönche Landwirtschaft, eine Bäckerei, eine Metzgerei sowie eine kleine Gärtnerei.

Für männliche Gäste stehen einige Zimmer im »Klausurgastbereich« der Abtei zur Verfügung. Dort haben sie die Möglichkeit, mit den Mönchen zu essen, zu beten und zu arbeiten. Im

Übrigen wohnen Einzel- und Tagungsgäste im Haus der Stille, Jugendliche und Familien im wohnlichen Backsteinbau Oase oder dem kleinen Gästehaus Arche, das als Selbstversorgerhaus genutzt werden

Haus der Stille

kann. Seine meditativ-reduzierte Einrichtung, die bis hin zu den quaderförmigen Holzstühlen reicht, macht das Haus der Stille zum ent-sinnlichten Bau aus Glas und Beton. Verspielt ist einzig der Blick, den man von den Zimmern auf die Apfelbäume hat. Gäste im Haus der Stille werden von der Klosterküche mit vier Mahlzeiten am Tag versorgt. Das Essen stammt größtenteils aus klostereigenen Betrieben.

Einzelgäste können am Leben der Mönche teilnehmen. Regelmäßig angeboten werden kontemplative Exerzitien, Einzelexerzitien mit Schweigen und Meditation, Einkehrzeiten und Meditation. Mitarbeiten können Gäste im Garten. Im Programm gibt es darüber hinaus Familienwochen mit Tanz, Gesang und Wandern, Besinnungstage für Schulklassen, Seminare zu Körpersprache und Kommunikation für Jugendliche sowie Seminare zu kreativem Schreiben, Zeitmanagement und Bewerbungsgesprächen.

Als Gast im Kloster

Königsmünster fordert Nachdenkliche und Philosophen durch sein anspruchsvolles Kursprogramm heraus. Liebhaber minimalistischer Baukunst kommen im Haus der Stille auf ihre Kosten. Wer mag, macht neben den Schafen »Ferien auf dem Bauernhof«!

Rund um das Kloster

Bilsteinhöhle Warstein

Die Warsteiner Bilsteinhöhlen wurden im Jahre 1887 bei Wegearbeiten entdeckt. Vor ca. 10 000 Jahren dienten sie vermutlich einer Jägergruppe als Rastplatz. Bei einer Besichtigung des unterirdischen Labyrinths erhält man Einblicke in die Entstehungsgeschichte der jahrtausendealten Tropfsteinformationen und lernt, Stalagmiten von Stalaktiten zu unterscheiden. Jedes Jahr im Spätsommer finden für eine Woche die beliebten »Abenteuerführungen« statt. Dabei werden Besucher mit Schutzhelm und Grubenlampe ausgestattet

Extratipp

Villa KünstlerBunt Aus dem Zusammenschluss einiger Mescheder Künstler entstand im Sommer 2001 das Kulturprojekt »Villa KünstlerBunt«, ein Ort für lebhaftes kreatives Treiben. Die Villa ist ein Treffpunkt für schöpferisch Tätige und fördert den künstlerischen Nachwuchs. Hier wird Kunst gezeigt, gemacht und sich mit ihr auseinandergesetzt. Fortlaufend gibt es Ausstellungen, offene Ateliers und ein buntes Kreativangebot für Kinder und Erwachsene. Anmeldungen für Kurse in der Villa KünstlerBunt online unter www.villa-kuenstlerbunt.de.

Villa KünstlerBunt, Mittelstr. 36 a, 59872 Meschede-Eversberg; Tel. 02 91/5 66 27

und sachkundig durch die unbeleuchtete Höhle geführt.
Höhlenführer Tel. 0 29 02/27 31, Stadtverwaltung Warstein, Dieplohstr. 1, 59581 Warstein; Öffnungszeiten: April–Nov. tgl. 9–16.30 Uhr

Floßbauen am Möhnesee
Klaus Störtebeker für einen Tag. Unter Anleitung baut man ein Floß aus Holz zusammen, mit dem anschließend eine festgelegte Strecke auf dem Möhnesee gesegelt werden soll. Jedes Floß erhält zum Transport von Lebensmitteln und Getränken eine Tonne. An Bord befinden sich Holzpaddel, mit denen das Floß bei Flaute bewegt werden kann. Jedes Floßbauteam wird durch einen Floßführer auf dem Wasserfahrrad begleitet. Da das Floßsegeln in den meisten Fällen nicht ohne Stürze abgeht, wird die Mitnahme von Badezeug, alten Schuhen und Kleidung zum Wechseln empfohlen.
Auf- und Abbauzeit insgesamt etwa 1 Stunde. Segelstrecke je nach Windverhältnissen ca. 1,5 Stunden. Christian Becker, Lange Str. 16, 59519 Möhnesee-Ellingsen; Tel. 0 29 25/20 11; Internet: www.becker-moehnesee.de

Welcome Hotel Hennesee Residenz
Das im Stil der 50er-Jahre gestaltete Hotel steht unter Denkmalschutz. In der hoteleigenen Spa-&-Wellness-Farm können Sie wählen zwischen einem Kerzenscheinbad mit Blütenblättern und entspannenden Klängen, einer Ganzkörpermassage mit heißen Steinen und Ölen und einem Saunagang, gefolgt von einer Frucht- und Eisschale. Erfrischen Sie sich danach im Wintergarten mit traumhaftem Blick auf den Hennesee.
Berghausen 14, 59872 Meschede; Tel. 02 91/2 00 00; Internet: www.traum-hotel.de; Öffnungszeiten für Tagesbesucher: tgl. 16–22 Uhr, Wochenende 9–22 Uhr; Eintritt 11 € inkl. Handtücher und Bademantel

Service

Angebot für Gäste
Einzelexerzitien, 5–10 Tage.
Kurse: Familienwoche, ca. 6 Tage
Tai Chi Chuan, 4 Tage
Kontemplationskurs, 2 Tage
Ikebana (Blumenarrangements mit den ersten Frühlingsblüten), 2 Tage
Sommerliche Laufexerzitien, 4 Tage
Aikido-, Selbstmanagement- und Rhetorikkurse
Zen-Meditation
Fasten und Schweigen
Entspannungsexerzitien
Jahresprogramm im Internet

Gottesdienste
Wo 5.30 Uhr Vigil, 6.45 Uhr Laudes, 12.45 Uhr Mittagshore, 17.45 Uhr Konventamt und Vesper, 20.15 Uhr Komplet (Fr 19.40 Uhr)
Sa 5.30 Uhr Vigil, 6.45 Uhr Laudes, 12.45 Uhr Mittagshore, 18.40 Uhr Vesper, 20.15 Uhr Komplet
So 6.15 Uhr Vigil und Laudes, 9.30 Uhr Konventamt, 11.45 Uhr Mittagshore, 17.45 Uhr Vesper, 20.15 Uhr Komplet.

Unterkunft
Haus der Stille: 20 EZ mit WC und Nasszelle. Tagessatz: 50 € inkl. VP
Oase: DZ 30 €, EZ 36 €, Jugendliche (17–27 Jahre) 15 €
Verpflegung durch die Klosterküche, Nahrungsmittel überwiegend aus Klosterbetrieben

Reservierung
Für »Mitleben im Kloster«: Br. Benjamin Altemeier, Gastbruder der Abtei Königsmünster, Klosterberg 11, 59872 Meschede; Tel. 02 91/ 2 99 52 10; E-Mail: gastbruder@koenigsmuenster.de
Haus der Stille: Klosterberg 11, 59872 Meschede; Tel. 02 91/2 99 53 21, Fax 2 99 53 33; E-Mail: hausderstille@koenigsmuenster.de; Internet: www.hausderstille.info
Oase: Br. David Damberg, Tel. 02 91/2 99 52 11; E-Mail: oase@koenigsmuenster.de; Internet: www.oase-meschede.de
Reservierung im Voraus empfehlenswert

DEUTSCHLAND

Aktiv/Garten

Zisterzienserinnenabtei St. Marienstern

Ćišinskistr. 35
01920 Panschwitz-Kuckau
Tel. 03 57 96/99 30, Fax 9 94 55
E-Mail: info@marienstern.de
Internet: www.marienstern.de

Mit dem Pkw: über die Autobahn A4 Dresden Richtung Bautzen, von der Ausfahrt Uhyst a. T. 5 km zur Abtei

Mit der Bahn: bis Bahnhof Kamenz oder Bautzen, weiter mit dem Bus nach Panschwitz-Kuckau

Das Kloster

Sanfte Hügelzüge, weite Felder, alte Alleen, kleine Dörfer und stille Wälder: Das ist die Oberlausitz im Osten von Sachsen. Das Klosterwasser, ein ruhiges Flüsschen, durchzieht das Gemeindegebiet. Inmitten dieser Landschaft liegt am Rande des Dorfes Panschwitz-Kuckau das Kloster St. Marienstern. Der rot-weiße Bau grüßt mit seinem leuchtenden Stern auf dem Dachreiterturm weit in die Ferne hinaus. Unter seinem Schutz konnten die katholischen Sorben, eine slawische Minderheit in Ostdeutschland, ihre Kultur bewahren. Der Morgenstern soll 1248 Ritter Bernhard von Kamenz den Weg aus dem Sumpf gewiesen haben. Als Dank stiftete er die Zisterzienserinnenabtei, ließ eine gotische Kirche errichten und stattete das Kloster mit umfangreichem Besitz aus. Seit 1697 bestehen enge Verbindungen zwischen dem Kloster und dem sächsischen Herrscherhaus. Die ehemalige Klostergärtnerei wurde zu einem Umwelt- und Lehrgarten mit historischem Kräutergarten, Bauerngarten, Biotopen, Streuobstwiesen und einem »Garten der Sinne« gestaltet. Darin befindet sich das Agrarhistorische Museum mit seiner Dauerausstellung »Vom Korn zum Brot«. Außerdem halten die Schwestern hier ihre »Kräuterandachten« ab; im Kräuterbad wird barfuß im kalten Wasser gekneippt. Die »Schatzkammer« im Bernardhaus hütet Meisterwerke gotischer Goldschmiedekunst, Mariendarstellungen, Perlstickereien und Buchmalereien, die die Einbindung St. Mariensterns in die Kultur Mitteleuropas deutlich machen.

Im Gästehaus stehen Besuchern, die in der Klostergemeinschaft mitleben möchten, gemütliche, in das Gesamtensemble des Klosters eingebettete Zimmer zur Verfügung.

Gemeinschaftliche Aufenthaltsräume mit Gästeküche sind Ausdruck des familiären Charakters dieser Unterkunft. Die sorbische Küche mit frischen Forellen aus den Klosterteichen lockt zahlreiche Gäste in die historischen Kellergewölbe der Gaststätte »Klosterstübel«. Nach vorheriger Anmeldung können die Gäste hier »Bechern und Tafeln wie im Mittelalter« – getrunken wird dabei das St. Mariensterner Klosterbräu. Es werden verschiedene Projekte zur gesunden Ernährung sowie Fastenwochen zur Entschlackung und Entgiftung angeboten.

Als Gast im Kloster

Das »Ernährungs- und Kräuterzentrum« des Klosters sorgt nicht nur für Informationen rund um die Gesundheit, sondern schafft in seinem fantastischen Park mit Kräuterbad und Bauerngarten eine Oase für alle Sinne.

Rund um das Kloster

Deutsch-Sorbisches Volkstheater Bautzen

Das Deutsch-Sorbische Volkstheater ist das einzige zweisprachige Theater in Deutschland. Im Programm stehen verschiedene Schauspielproduktionen in deutscher und sorbischer Sprache, Musical, Ballett, Opern und Operetten sowie zahlreiche Konzerte. Zurzeit wird das Haupthaus saniert. Eine neue Hauptspielstätte wurde als Interimslösung in der Stadthalle Krone gefunden.
Deutsch-Sorbisches Volkstheater, Seminarstr. 12, 02625 Bautzen; Tel. 0 35 91/58 40; Internet: www.theater-bautzen.de

Landschaftsschutzgebiet Ostro – Neustädtel

Das Landschaftsschutzgebiet ist zum Wandern besonders geeignet. Es schließt sich an das bedeutendste archäologische Denkmal der Oberlausitz, die Ostroer Schanze, an. Als Burgwall diente die Schanze zum Schutz vor kriegerischen Angriffen. Heute bietet sie einen herrlichen Blick in die Lausitzer Landschaft.

Service

Angebot für Gäste
Ora et labora: Mitleben in der Hausgemeinschaft
Gartenarbeit im Klostergarten
Projekte zu Themen der gesunden Ernährung
Wechselausstellungen im Eiskeller
Naturlehrpfad
Kreatives Gestalten mit Kräutern
Kräutermarkt
Tage der Stille
Fastenwochen für Gesunde

Gottesdienste
Wo 4.30 Uhr Vigil, 6 Uhr Laudes, 7 Uhr hl. Messe, 11.30 Uhr Sext und Non, 17 Uhr Vesper (Sa 16.30 Uhr), 19 Uhr Komplet
So 5.30 Uhr Vigil und Laudes, 8.45 Uhr Terz, 9 Uhr Hochamt, 14 Uhr Rosenkranz, 14.30 Uhr Andacht, 16.30 Uhr Vesper, 19 Uhr Komplet

Unterkunft
Gästehaus: 20 Zimmer mit und ohne Bad, Preise je nach Ausstattung 25–39 € inkl. Vollpension

Verpflegung
Speiseraum im Kloster
»Klosterstübel«: Oberlausitzer Spezialitäten
Öffnungszeiten: tgl. 11–22 Uhr

Einkaufsmöglichkeiten
Klosterladen: Devotionalien, Bücher, Kerzen, Postkarten, Klosterbier, St. Mariensterner Klosterlikör
Öffnungszeiten: Mo 10–16, Di–Fr 10–16.30, Sa 13–15.30 Uhr
Online-Shop: www.marienstern.de/shop/index.html

Reservierung
Gästehaus: Sr. Philippa, Ćišinskistr. 35, 01920 Panschwitz-Kuckau; Tel. 03 57 96/9 94 45; E-Mail: gaestehaus@marienstern.de
rechtzeitige und schriftliche Anmeldung erwünscht

Kulinarisch

Kloster Knechtsteden der Spiritaner

41540 Dormagen
Tel. 0 21 33/86 90, Fax 86 91 55
E-Mail: provinz@spiritaner.de
Internet: www.knechtsteden.de

Mit dem Pkw: über die Autobahn A 57 bis zur Ausfahrt Dormagen

Mit der Bahn: auf der Linie Köln–Neuss bis Bahnhof Dormagen, Bus nach Knechtsteden

Das Kloster

Die mehrfach zerstörte Klosterkirche stellt eine der stilreinsten romanischen Gewölbebasiliken der Stauferzeit dar. Anders als beim »Namen der Rose« darf in der Knechtstedener Klosterbibliothek gelacht werden, denn dort befindet sich einiges zum Thema Humor.

Das Libermann-Haus mit zahlreichen Gästezimmern befindet sich im Innenhof des Klosters. Wer es rustikal mag, lässt sich im »Heuhotel« auf ein stacheliges Abenteuer ein. Die Gaststätte »Klosterhof« mit Biergarten schenkt das kräftige Knechtstedener Schwarzbier aus. Die Pfannkuchenscheune bäckt »Fun-Kuchen« zu familienfreundlichen Spezialpreisen.

»Farbe bekennen« muss man am Besinnungs- und Malwochenende. Zudem werden Yogakurse, Naturexkursionen und Auftank-Tage angeboten.

Service

Angebot für Gäste
Malwochenenden
Veranstaltungen der Bio-Station »Haus der Natur«
Yoga
Meditativer Tanz
Tage der Stille
Auftank-Tage

Gottesdienste
So 8, 10.30, 18 Uhr
Wo 7.30 Uhr, Do 18 Uhr

Unterkunft
Libermann-Haus: Ü/VP 40 €
Knechtstedener Heuhotel: Ü/F bis 14 Jahre 9 €, Erwachsene 12 €

Verpflegung
»Klosterhof Knechtsteden«
»Pfannkuchenscheune« am Klosterhof

Einkaufsmöglichkeiten
Eine-Welt-Laden: Honig, afrikanische Schnitzereien, Instrumente, Schmuck

Reservierung
Tel. 0 21 33/86 91 20 oder E-Mail: lh@spiritaner.de

Zisterzienserinnenabtei St. Marienthal

St. Marienthal 1
02899 Ostritz
Tel. 03 58 23/7 73 00, Fax 7 73 01
E-Mail:
kloster-marienthal@t-online.de
Internet:
www.kloster-marienthal.de

Mit dem Pkw: über die Autobahn A 4 bis Ausfahrt Görlitz, weiter auf der B 99 Richtung Zittau über Hagenwerder und Leuba nach Ostritz

Mit der Bahn: von Dresden oder Berlin nach Görlitz oder Zittau, weiter mit dem Bus bis Haltestelle »Ostritz/St. Marienthal«

Das Kloster

Seit seiner Gründung 1234 im Dreiländereck Deutschland-Polen-Tschechien besteht das sächsische Frauenklosterstift St. Marienthal ohne Unterbrechung. Und dies trotz mehrerer verheerender Brände, Plünderungen, Naturkatastrophen und Unterdrückungen. Nach einem Großbrand Ende des 17. Jahrhunderts entstand die heutige barocke, braunweiße Klosteranlage; die Rokokokapelle wurde 1756 geweiht. Nach dem Zweiten Weltkrieg hatte das Kloster einen Teil seines Besitzes verloren, da es von der SS annektiert worden war. Äbtissin und Konvent verhinderten 1945 die Sprengung des Klosters, indem sie sich dem Räumungsbefehl mutig widersetzten – einen Tag später wurde die Neiße deutscher Grenzfluss. St. Marienthal ähnelt heute nur mehr äußerlich einem stattlichen Gutshof; nach der Wende wich die Landwirtschaft in Ostritz allmählich einem modernen Tagungszentrum.

Im Kloster selbst und in den Gästehäusern des Internationalen Begegnungszentrums St. Marienthal stehen insgesamt 130 Betten für Besucher zur Verfügung. Eingeladen sind Einzelgäste, Gruppen und Familien. In den zwar kargen, aber äußerst stimmungsvollen Zimmern herrscht eine stille, klösterliche Atmosphäre. Für die Verpflegung der Gäste sorgen die Klosterküche und -bäckerei, das ökologisch ausgerichtete Internationale Begegnungszentrum und die frisch sanierte historische Klosterschenke. Dort können Sie einen Schoppen Wein vom östlichsten Weinberg Deutschlands, der zum Kirchensprengel gehört, probieren. Eine Erkundung wert ist auf jeden

Fall der »Garten der Bibelpflanzen«, in dem saisonal unterschiedliche, in der Bibel erwähnte Gewächse angepflanzt sind.

Gäste können je nach Bedarf und Saison in der Klostergärtnerei, dem Kräutergarten und bei der Teeherstellung mithelfen. Das Kloster bietet mehrmals jährlich »Fastenwochen für Gesunde« nach Dr. Buchinger mit klostereigenem Kräutertee, Fahrradausflügen, Gartenarbeit und Entspannungsübungen an. Im historischen Sägewerk wird für Gruppen ein »Schausägen« veranstaltet. Es können Führungen durch die Multimedia-Ausstellung »Energie – Werk – Stad(t)t« bei der Wasserkraftwerkanlage gebucht werden, außerdem gibt es am Gästeempfang einen Fahrradverleih.

Als Gast im Kloster

Dieses lebendige Kloster mit seiner Aufsehen erregenden Geschichte bietet interessante Freizeitmöglichkeiten direkt vor der Pforte: romantische Wälder und Täler, Ausstellungen und Erlebnisgärten. Eine Degustation am östlichsten Weinberg Deutschlands sollte man sich nicht entgehen lassen.

Rund um das Kloster

Klettern auf dem Kelchstein/ Zittauer Gebirge

Als kleiner, anmutiger Ausläufer des böhmischen und sächsischen Sandsteingebirges präsentiert sich das Zittauer Gebirge. Am Rande jener riesigen Sandsteinplatte gelegen, bieten die etwa 115 offiziellen Sandsteinklettergipfel ein vielgestaltiges, bizarres, zugleich verwinkeltes und großzügiges Terrain für den Klettersport. Das gesamte Zittauer Gebirge ist Landschaftsschutzgebiet. Zahlreiche einzelne Felsgebilde, darunter auch der Kletterfelsen Kelchstein, stehen als Naturdenkmale unter besonderem Schutz.

Service

Angebot für Gäste

Familienerholung
Fastenwoche für Gesunde
Garten der Bibelpflanzen
Im Internationalen Begegnungszentrum St. Marienthal: verschiedene Kurs- und Seminarprogramme
Wohlfühl-Wochen: Entspannung mit Yoga und Massagen
Dauerausstellung »Energie – Werk – Stad(t)t« mit Wasserkraftanlage
Klosterführung
Führung im Schausägewerk

Gottesdienste

Wo 4.15 Uhr Matutin und Laudes, 6.45 Uhr Terz, 7 Uhr Eucharistie, 11.30 Uhr Sext und Non, 17 Uhr Vesper, 19 Uhr Komplet
So 5.30 Uhr Matutin und Laudes, 8.45 Uhr Terz, 9 Uhr Eucharistie, 11.30 Uhr Sext und Non, 16.30 Uhr Vesper, 19 Uhr Komplet

Unterkunft

Übernachtung im Kloster inkl. Vollpension pro Person im DZ je nach Ausstattung 33–48 €
EZ-Zuschlag 3–5 €
Internationales Begegnungszentrum St. Marienthal: Übernachtung inkl. Vollpension pro Person im DZ 51 €
EZ-Zuschlag 5 €

Verpflegung

Klosterschenke
Internationales Begegnungszentrum
Klosterküche

Einkaufsmöglichkeiten

Klostermarkt in der ehemaligen Brauerei: Devotionalien, Waren aus der Klosterbäckerei und -gärtnerei, Handarbeiten und Literatur.

Reservierung

Kloster St. Marienthal, Marienthal 10, 02899 Ostritz; Tel. 03 58 23/7 72 38, Fax 7 72 37; E-Mail: kloster-marienthal@t-online.de; Internet: www.kloster-marienthal.de
Internationales Begegnungszentrum St. Marienthal, St. Marienthal 10, 02899 Ostritz; Tel. 03 58 23/7 72 30, Fax 7 72 50

Benediktinerkloster Wechselburg

Markt 10
09306 Wechselburg
Tel. 03 73 84/8 08 11, Fax 8 08 33
E-Mail: benediktiner@kloster-wechselburg.de
Internet:
www.kloster-wechselburg.de

Mit dem Pkw: aus Richtung Hof über die Autobahn A 72 bis Ausfahrt Chemnitz-Glösa, über die B 107 nach Wechselburg

Mit der Bahn: auf der Linie Leipzig–Chemnitz bis Bahnhof Narsdorf

Das Kloster

Als Graf Dedo von Wettin 1156 das Rochlitzer Land erbte, ließ er eine Kirche errichten, die der gräflichen Familie als Grabstätte dienen sollte. Zur Kirche stiftete er ein Kloster und beorderte Mönche aus Lauterberg dorthin. Ein wunderbarer Park, den die Zwickauer Mulde umfließt, schließt sich unmittelbar an das Jugendgästehaus an, in dessen kuscheligen Giebelzimmerchen hauptsächlich junge Leute und Familien mit Kindern aufgenommen werden. Die Einkehrzeiten schärfen durch Meditation und Gebet die Sinne; währenddessen leben Gäste mit den Mönchen im Rhythmus des Klosteralltags. Kulturinteressierte unternehmen eine Planwagenfahrt durch das geschichtsträchtige sächsische Burgenland, Sportliche radeln durch die Dahlener Heide.

In Wechselburg kann man auf den verschlungenen Wegen des Schlossparks wandeln oder zur Lourdes-Grotte im Park pilgern.

Service

Angebot für Gäste
Wechselburger Samstage
Jugendvespern und Einkehrzeiten
Tage der Besinnung
Teilnahme an den Gebetszeiten

Gottesdienste
Wo 18 Uhr Vesper, 19.30 Uhr Komplet
So 5.40 Uhr Vigil, 6.40 Uhr Laudes, 12 Uhr Mittagshore, 16.30 Uhr Vesper

Unterkunft
Jugend- und Familienhaus: Ü/VP 23,50 €, Kinder 15 €, EZ-Zuschlag 5 €
Selbstversorger 10,50 €, Kinder 5,50 €

Verpflegung
VP im Jugendhaus möglich
Küchen für Selbstversorger

Stille & Rückzug

Benediktinerabtei Kornelimünster

Oberforstbacher Str. 71
52076 Aachen
Tel. 0 24 08/30 55, Fax 30 56
E-Mail: benediktiner@abtei-kornelimuenster.de
Internet: www.abtei-kornelimuenster.de

Mit dem Pkw: über die Autobahn A 44 bis zur Ausfahrt Aachen-Brand

Mit der Bahn: bis Bahnhof Aachen

Das Kloster

Besuchern, die erstmals im 814 gegründeten Kloster Kornelimünster zu Gast sind, wird ein »Schnupperaufenthalt« mit vorausgehendem Kontaktgespräch empfohlen. Männer nehmen ihre Mahlzeiten schweigend mit den Mönchen ein. Für Gruppen, Paare und weibliche Einzelgäste gibt es einen eigenen Speiseraum. Das wichtigste Angebot der Abtei ist die Stille, die sich im Park des Klosters in einen positiven Freiraum für neue Wahrnehmungen verwandelt. Kloster Kornelimünster, das heute in einem sehr modernen Gebäude untergebracht ist, ist ein ausgesprochen offenes, gastfreundliches Haus, dem sich Christen mit benediktinischer Akzentuierung auch als Oblaten anschließen können. Die ausgeprägte Toleranz und Vorurteilslosigkeit macht die Abtei zu einem Ort für Neugründungen, Querdenker und Freigeister.

Als Gast im Kloster

Kloster Kornelimünster steht allen Gästen unabhängig von Konfession und Aufenthaltsgrund offen.

Service

Angebot für Gäste
Brunnen- und Einkehrtage
Meditatives Tanzen
Gelegenheit zur Mitarbeit
Einzelexerzitien
Stille Tage im Kloster

Gottesdienste
Wo 18 Uhr Konventamt, Sa 11.30 Uhr, So 8 Uhr und 10.30 Uhr Eucharistiefeier, 17.30 Uhr Vesper

Unterkunft
Tagessatz: 40 € Übernachtung und Verpflegung
Bettwäsche und Handtücher mögl. mitbringen

Verpflegung
Im Gästespeisesaal

Trappistenabtei Mariawald

Zisterzienser von der strengeren Observanz
Mariawalder Straße
52396 Heimbach/Eifel
Tel. 0 24 46/9 50 60, Fax 95 06 30
E-Mail: info@kloster-mariawald.de
Internet: www.mariawald.com

Mit dem Pkw: über die Autobahn A 61 bis Kreuz Bliesheim, dann A 1 bis zur Ausfahrt Wisskirchen, B 266 bis Gemünd, rechts nach Heimbach

Mit der Bahn: von Köln über Düren bis zum Bahnhof Heimbach, weiter mit Bus oder Taxi nach Mariawald

Das Kloster

Der kleine Luftkurort Heimbach liegt im ersten Nationalpark Nordrhein-Westfalens inmitten von Buchen- und Eichenwäldern auf einem Höhenzug der Nordeifel. Das einzige männliche Trappistenkloster Deutschlands wurde 1480 zur Betreuung einer Wallfahrtsstätte gegründet. Damals pilgerte man zu einer Pietà, die der Strohdecker Henrich der Fluitter fünf Jahre zuvor in einer ausgehöhlten Buche aufgestellt hatte. Die »Schmerzensmutter von Mariawald« steht heute auf einem Sockel unter dem Apsisfenster im Altarraum der gotischen Abteikirche. Im Norden schließt sich an sie ein Kreuzgang an, dessen szenisch gestaltete Glasfenster bei der Aufhebung des Klosters 1795 verschwanden und heute im Londoner Victoria and Albert Museum zu sehen sind. 1862 zogen Elsässer Trappisten in die Ruinen des zerstörten Klosters ein und bauten es wieder auf. Bemerkenswert ist der Friedhof der Abtei mit seinen teils nach Westen und teils nach Osten zeigenden Kreuzen. Dies leitet sich aus der unterschiedlichen Ausrichtung von Priester- und Laiengräbern in Anlehnung an ihre Sitzplätze in der Kirche ab.

Die Mönche arbeiten in beschränktem Umfang landwirtschaftlich in der Rindermast, der Heuproduktion und der Pferdezucht. In einer kleinen Spirituosenfabrik stellen sie den bekannten »Mariawalder Klosterlikör« her. Zur Vorweihnachtszeit werden leckere Kräuterplätzchen gebacken.

Der Gastpater bewirtet seine Besucher in einem eigenen Speiseraum mit den gleichen fleischlosen, aber schmackhaften »Pilgerspeisen«, die auch die Mönche innerhalb der strengen Klausur bekommen. Und in

Die Anlage der Trappistenabtei

beiden Fällen werden die Mahlzeiten schweigend eingenommen. Eher ein kulinarischer Magnet ist die herzhafte »Mariawalder Erbsensuppe«, die in der klostereigenen Gastwirtschaft nach altem Rezept zubereitet wird. Der kleine Springbrunnen, den die Mönche eigenhändig vor der Gaststätte angelegt haben, besteht aus einem Mühlrad der ehemaligen Klostermühle. Für Kinder gibt es eine hölzerne Arche Noah zum Klettern und Toben.

Im Gästehaus mit eigener Bibliothek kann man einige Tage der Stille verleben und am Chorgebet teilnehmen, womit die Trappisten etwa fünf Stunden täglich zubringen. Gäste wohnen in kleinen Zimmern außerhalb der Klausur und können nach Absprache im Garten mitarbeiten. Für Gespräche stehen Mönche jederzeit und gerne zur Verfügung. In einer Dauerausstellung neben der Buchhandlung werden interessierte Besucher über die Geschichte der Abtei und das Leben der Trappistenmönche informiert.

Als Gast im Kloster

Für die alten Gemäuer der ehrwürdigen Abtei sollte man ganzjährig warme, dezente Kleidung einpacken. Ansonsten gilt: Erbsensuppe, Lage im Nationalpark Nordeifel und liebenswürdige Mönche von Mariawald sind ein Geheimtipp!

Rund um das Kloster

Burg Hengebach

Burg Hengebach wurde im 11. Jahrhundert erbaut und zählt damit zu den ältesten Bauwerken der Eifel. Während der Jahrhunderte regierten verschiedene Herrschaften auf der Festung. Die Hofräume mit Wehrgang und Burgfried sind ganzjährig zugänglich. Im Sommer werden in der Burg Musikkonzerte mit bekannten Solisten und Musikseminare organisiert. Besucher tauchen in der Rolle eines edlen Ritters, eines gestrengen Grafen oder einer umschwärmten Burgprinzessin in die Welt des Mittelalters ein. Sie können sich ein Gewand mit eigenen Wappen anfertigen, sich im ritterlichen Zweikampf erproben und mittelalterliche Handwerkskünste erlernen.

Burg Hengebach, Mariawalder Str. 6, 52396 Heimbach/Eifel; Internet: www.burghengebach.de

Trutzige Wehranlage von Hengebach

Deutsch-Belgischer Naturpark Hohes Venn

Nach dem Aufstieg über das »Venndach« erwartet Wanderer auf dem Hochplateau eine Überraschung: Abrupt gibt der Wald den Blick auf ausgedehnte Torfheiden mit Pfeifengras frei. Ihr Aussehen verändert sich mit den Jahreszeiten. Knorrige Moorbirken, Öhrchenweiden, vereinzelte Fichten und ausladende Ebereschen

verleihen dem Moorgebiet bizarre Silhouetten. Wer zu Fuß im Hohen Venn unterwegs ist, sollte unbedingt mit Gummistiefeln und Schirm ausgerüstet sein, denn Wasser ist das bestimmende Element dieses Sumpfgebiets.
Verein Naturpark Nordeifel, Steinfelder Str. 8, 53947 Nettersheim; Tel. 0 24 86/91 11 17; Internet: www.naturpark-hohesvenn-eifel.de

Heimbach
Das idyllische Städtchen im Rurtal ist seit langem Anziehungspunkt für Reisende und Erholungssuchende. Als Luftkurort bietet Heimbach dem Gast unterschiedliche klimatische Eigenschaften. Umgeben von tiefen Wäldern, an einer der größten Talsperren Deutschlands, steht Urlaubern ein attraktives Erholungs- und Erlebnisangebot zur Verfügung. Die malerischen Gassen zu Füßen der mittelalterlichen Burg Hengebach ziehen jeden Besucher in ihren Bann. Verträumte Winkel, liebevoll restaurierte Fachwerkhäuser, eine Glasbläserei, Galerien, gemütliche Gasthäuser und Straßencafés sorgen für eine besondere Atmosphäre.

Kanutouren auf der Rur
Die Rur in der Eifel um Monschau ist im Winterhalbjahr für Kanuten der beliebteste Wildwasserfluss im Westen Deutschlands. Landschaftlich schön gelegen, mit flotter Strömung, vielen Kehrwässern und interessanten Spielstellen. Aber auch Wanderpaddler kommen auf dem unteren Abschnitt der Rur ab Mitte Juli auf ihre Kosten.
Einstieg: Heimbach, Holzbrücke Ortsmitte. Informationen zu Befahrbarkeit und Wasserständen im Internet: www.rureifel-kanu.de.
Tourenanbieter: Wolfgang Petry, Frankenstr.7, 53894 Mechernich-Eicks; Tel. 0 24 43/67 47; Internet: www.kanu-petry.de

Die Rur: ideal für Freizeitpaddler

Service

Angebot für Gäste
Tage der Stille
Teilnahme am Chorgebet
Begleitende Gespräche

Gottesdienste
Wo 7.15 Uhr Laudes und Messe, 12 Uhr Sext, 14 Uhr Non, 17.20 Uhr Vesper, 19.30 Uhr Komplet
So 10 Uhr Messe, 17.10 Uhr Vesper, 19.30 Uhr Komplet

Unterkunft
14 Gästezimmer, Übernachtung inkl. Vollpension gegen Spende nach eigenem Ermessen (den Mönchen entstehen Selbstkosten von ca. 27 €)
Höchstaufenthalt: 8 Tage

Verpflegung
Gastwirtschaft
Öffnungszeiten: März–Okt. 10–18, sonst 10–17 Uhr

Einkaufsmöglichkeiten
Buch- und Kunstladen: religiöse Medien, Kunsthandwerk, Kerzen, Honig aus der Eifel, Mariawalder Klosterlikör, Trappisten-Abteitropfen, Mariawalder Kräutergebäck
Öffnungszeiten: im Sommer tgl. 11–18, sonst 11–17 Uhr

Reservierung
Trappistenkonvent Mariawald, Gästebruder Famian, 52396 Heimbach; Tel. 0 24 46/9 50 60, Fax 95 06 30; E-Mail: info@kloster-mariawald.de; Internet: www.mariawald.com

Stille & Rückzug

Priorat St. Wigberti

Pfarrgasse 108
99634 Werningshausen
Tel. 03 63 76/5 02 26, Fax 5 33 27
E-Mail: PFranzS@aol.com
Internet: www.wigberti.de

Mit dem Pkw: über die A 4 und A 71 bis zur Ausfahrt Erfurt-Bindersleben, weiter auf der B 4 Magdeburg/Nordhausen. Zwischen Gebesee und Straußfurt in Vehra abbiegen und der Beschilderung folgen

Mit der Bahn: ab Erfurt Hauptbahnhof mit dem Bus Nr. 220 bis Werningshausen

Das Kloster

Werningshausen liegt im Thüringer Becken unweit der Städte Erfurt und Weimar und ist von Feldern, Gewässern und kleinen Wäldchen umgeben. Das Priorat ist ein approbiertes lutherisches Kloster mit benediktinischer Prägung. Hier beten und arbeiten evangelische und katholische Mönche gemeinsam nach der Regel des heiligen Benedikt. Der angelsächsische Benediktinermönch Wigbert wurde im Jahre 730 von Bonifatius nach Deutschland berufen; er war der wichtigste Missionar bei der Bekehrung von Thüringen. Seine Statue, versehen mit Trauben und Weinkelch, ist im Klosterhof von St. Wigberti zu bewundern.

1967 kam ein kleiner Kreis von evangelischen Handwerkern in Hermsdorf zusammen. Die Männer beteten gemeinsam, sie versammelten sich um den Altar. Aufgrund ihrer katholischen Bräuche wurden sie öffentlich angefeindet, ihre Gemeinschaft schließlich aufgelöst. 1974 wurde die dem Abriss nahe stehende St. Wigbert Kirche aus dem 18. Jahrhundert mit sechs Bronzeglocken wieder eingeweiht. In der Marienkapelle »Unserer Lieben Frau« beteten häufig russische Militärs vom benachbarten Flugplatz Hassleben, so dass als Zeichen der Anerkennung und des Respekts für die frommen Soldaten das Kloster mit einer orthodoxen Kuppel geschmückt wurde. 1989 begannen die Mönche mit dem Bau des wunderschönen Fachwerkklosters St. Wigberti, das auf einem rundbogigen Arkadengang steht; doch dies ist nicht das einzige Werk der Brüder: In 30 Jahren haben sie 23 Kirchen im Umkreis renoviert.

Das gemütliche Gästehaus direkt neben dem Kloster ist ein hübscher Fachwerkbau aus dem Jahre 1750.

Die Zimmer sind schlicht, aber wohnlich und verfügen über Schreibtisch, Schrank und ein Waschbecken. Toiletten und Duschgelegenheiten befinden sich im Erdgeschoss. Außerdem gibt es im Gästebereich noch ein anheimelndes Gemeinschafts- bzw. Wohnzimmer mit Sitzgelegenheiten, einem Fernseher, kleiner Bücherei und einem Klavier. Die Mahlzeiten werden im Gemeinderaum im Erdgeschoss eingenommen. Zum einen Hektar großen Klostergelände gehört ebenfalls ein hübscher Kirchpark.

In St. Wigberti sind Gäste und Besucher aller Konfessionen willkommen, da die Ökumene ein Hauptanliegen des Klosters ist. Sie können eine »Zeit der Stille« in Werningshausen verbringen, an den Stundengebeten teilnehmen und nach Absprache im Klosteralltag mitarbeiten. Ernsthaft am Mönchsleben interessierte Männer bis zu einem Alter von 40 Jahren sind zum »Kloster auf Zeit« eingeladen. Ein spezielles Kursprogramm gibt es nicht.

Als Gast im Kloster

Im Online Audio-Archiv des Priorats können Gäste vorab das ergreifend gesungene »Magnificat« der Mönche hören. Untergebracht ist man im idyllischen Fachwerkhaus mit äußerst gemütlichem Innenleben.

Rund um das Kloster

Burg Gleichen

Westlich von Erfurt, im Landschaftsschutzgebiet Drei Gleichen, befindet sich die zu den Erfurter Museen zählende, im Jahre 1089 erstmals erwähnte Burg Gleichen. Die weitläufige Anlage vermittelt einen umfassenden Eindruck einer mittelalterlichen Höhenburg.

99869 Wandersleben/Freudenthal; Öffnungszeiten: Jan., Feb. Sa und So 10–17 Uhr, März, Nov., Dez. Mo–So 9–17 Uhr, April–Okt. tgl. 9–18 Uhr

Schloss Molsdorf

Die Glanzzeit des als »Thüringer Versailles« bezeichneten Schlosses Molsdorf lag im 18. Jahrhundert, als der preußische Diplomat und Lebemann Reichsgraf Gustav Adolf von Gotter dort residierte. Getreu seinem Motto »Vive la joie« (Es lebe die Freude) machte er das Haus zur ersten Adresse der feudalen Thüringer Gesellschaft. Gotter ist auch zum größten Teil das heutige Aussehen der einstigen Wasserburg zu verdanken. Eine stets zu vollen Stunde stattfindende Führung durch das Schloss vermittelt Einblicke in den Lebensstil zu Gotters Zeiten. Einen Namen hat sich Schloss Molsdorf – ganz im Gotterschen Sinne – mit seiner gut gepflegten »Erotika-Sammlung« gemacht.

99192 Erfurt-Molsdorf, Schloßplatz 6; Tel. 03 62 02/9 05 05; Öffnungszeiten: Di–So 10–18 Uhr, Führungen stündlich; Internet: www.molsdorf.de

Service

Angebot für Gäste
Zeit der Stille
Kloster auf Zeit
Teilnahme am Chorgebet

Gottesdienste
7 Uhr (So 8 Uhr) Laudes, 12 Uhr Sext, 18 Uhr Vesper, 19.30 Uhr Komplet. Jeden Do 18 Uhr Hl. Messe

Unterkunft
Im Gästehaus: Übernachtung mit 4 Mahlzeiten (pro Person): 33 €

Verpflegung
Im Gästehaus
Essenszeiten orientieren sich an den Gebetszeiten der Mönche

Reservierung
Priorat Sankt Wigberti, Pfarrgasse 108, 99634 Werningshausen; Tel. 03 63 76/5 02 26, Fax 5 33 27; E-Mail: PFranzS@aol.com, Internet: www.wigberti.de

Toplage

Kloster St. Clemens der Franziskanerinnen von Nonnenwerth

Insel Nonnenwerth
53424 Remagen
Tel. 0 22 28/6 00 90

Mit dem Pkw: über die B 9 bis Rolandswerth, Parkplatz am Rheinufer

Mit der Bahn: bis Bahnhof Rolandseck, Fußweg vom Bahnhof ca. 15 Min. Fähre ab Rolandswerth

Das Kloster

Die »Liebfraueninsel« nennt Erzbischof Arnold 1148 die Rheininsel Nonnenwerth am Fuß der Ruine von Burg Rolandseck. Die hochwassertaugliche Klosteranlage entstand im späten 18. Jahrhundert. Nach der Säkularisation wurde St. Clemens in ein palaisähnliches Hotel umgewandelt, das von berühmten Gästen wie dem Komponisten Franz Liszt besucht wurde. 1841 pflanzte er eine Platane, die der höchste Baum der Insel werden sollte.

Feriengäste wohnen in freundlichen Zimmern und können an Regentagen den Aufenthaltsraum mit Fernseher und die gut sortierte Bibliothek benutzen. Bei Sonne spaziert man durch den Klosterpark mit Blick auf die anmutige Flusslandschaft. Die Franziskanerinnen bieten Tage der Stille und Besinnungswochenenden an. Bei einer Führung durch das Klostermuseum kann man sich über 800 Jahre Klostergeschichte informieren.

Als Gast im Kloster

Die Lage des anmutig in die Rheinlandschaft integrierten Inselklosters ist ebenso ein Besuchermagnet wie seine gute Küche. Bester Ausgangspunkt für Ausflüge ins Rheintal.

Service

Angebot für Gäste
Tage der Stille
Besinnungswochenenden für junge Erwachsene
Mitfeiern der Gottesdienste

Gottesdienste
Hl. Messe, Laudes und Vesper; Fr und So mit sakramentalem Segen;
Sa 18 Uhr Vorabendmesse

Unterkunft
Ü/VP 33 €, Zuschlag für Kurzaufenthalt 2 €

Verpflegung
Cafeteria: Essen aus der Klosterküche

Salvatorianerkloster Steinfeld

Hermann-Josef-Str. 4
53925 Kall-Steinfeld
Tel. 0 24 41/88 90, Fax 88 91 28
E-Mail: info@kloster-steinfeld.de
Internet: www.kloster-steinfeld.de

Mit dem Pkw: über die Autobahn A 1 bis zur Ausfahrt Nettersheim, weiter über Urft nach Steinfeld

Mit der Bahn: auf der Linie Köln–Trier bis Bahnhof Urft-Steinfeld

Das Kloster

Seit dem frühen Mittelalter ist das Kloster Steinfeld Zentrum des geistigen und kulturellen Lebens in der Nordeifel. Mit seinen drei charakteristischen Türmen gilt es als eines der besterhaltenen klösterlichen Baudenkmäler des Rheinlandes. Seine berühmten Kreuzgangfenster aus farbigem Bleiglas befinden sich heute großteils im Londoner »Victoria and Albert Museum«. In der Barockzeit bekam Steinfeld den fünftorigen Eingangshof. Ein Wirtschaftshof schließt die Klosteranlage zu den Gärten hin ab. Mit der »Akademie Kloster Steinfeld« und der »Malakademie« bietet Steinfeld ein erstklassiges Kursprogramm für kreative und künstlerische Gäste. Der »Pingenwanderpfad« vermittelt Einblicke in den Eisensteinbergbau des Kaller Reviers. Auf eine einzigartige Fachwerk-Idylle trifft man in Bad Münstereifel.

Als Gast im Kloster

Steinfeld bietet ein erstklassiges, anspruchsvolles Kursprogramm, das auf Kreativität ausgerichtet ist.

Service

Angebot für Gäste
Yoga und Meditation
Tage der Stille
Meditatives Malen und Zeichnen
Wege zur inneren Ruhe
Exerzitien
Ferien im Kloster
Wandern, Bridge-Seminare

Gottesdienste
Basilika: So 8, 10, 11.30, 18 Uhr; Sa 18 Uhr; Kapelle: Mo–Fr 19 Uhr

Unterkunft
Franziskus-Jordan-Haus: Ü/VP im EZ 35–40 €, DZ 33 €

Verpflegung
Speisesaal des Franziskus-Jordan-Hauses; Klosterschänke mit »Steinfelder Mittagsbuffet«

Aktiv/Garten

Franziskanerinnen der Allerseligsten Jungfrau Maria von den Engeln

Margaretha-Flesch-Str. 8
56588 Waldbreitbach
Tel. 0 26 38/8 10, Fax 81 30 31
Internet: www.waldbreitbacher-franziskanerinnen.de

Mit dem Pkw: Autobahn A 3 bis Ausfahrt Neuwied/Altenkirchen. Richtung Neuwied/Wiedtal, nach Niederbreitbach Richtung Glockscheid abbiegen

Mit der Bahn: bis Bahnhof Bad Hönningen, weiter mit dem Taxi (verbilligter Tarif bei Anmeldung über das Bildungshaus)

Das Kloster

Die Waldbreitbacher Franziskanerinnen der Allerseligsten Jungfrau Maria von den Engeln wurde 1863 von Margaretha Flesch, der späteren »Mutter Rosa«, gegründet. Ihr Ziel war von vornherein die Betreuung und Versorgung von Armen, Waisenkindern und Kranken. Die Schwestern vermitteln ihr Wissen nicht nur weiter an Teilnehmer der Waldbreitbacher Kurse, sie bilden sich auch selbstständig weiter. 1975 wurde das moderne Bildungs- und Tagungshaus unterhalb des Klosters als Apartmenthaus für die Mitarbeiterinnen des benachbarten Krankenhauses gebaut. Von der Terrasse aus hat man einen herrlichen Panoramablick über den Westerwald und das Wiedtal. Die Wohn- und Gärtnereigebäude sind umgeben von einem Kräutergarten, einem Bibelgarten sowie einem Barfuß- und Schöpfungspfad. Einzelgäste wohnen unter einem Dach mit den Schwestern in den einladenden Backstein- und Fachwerkbauten »Haus Nazaret« oder »Haus Bethanien« innerhalb des Mutterhauskomplexes.

Im atmosphärischen Gewölberaum Forum Antoniuskirche finden größere Tagungen und Kurse statt. Der Mühlsteinraum, der sich über mehrere Etagen erstreckt, bietet die Möglichkeit zur Gruppenarbeit. Im Franziskushaus stehen ein Kreativraum und die »Oase der Ruhe« im Dachgeschoss den Gästen zur Verfügung. Dort werden sie in Mehrbettzimmern untergebracht. Komplett eingerichtete Küchen bieten im Haus Bethanien die Möglichkeit zur Selbstversorgung; selbstverständlich können die Mahlzeiten auch im Restaurant »Klosterbergterrassen«

eingenommen werden, wo täglich wechselnde Büffets und zum Kaffee selbst gebackene Kuchen angeboten werden.

Mit ihrem Programm »Bildung & mehr« bieten die Franziskanerinnen Lebens- und Orientierungshilfen. Einzelgäste finden Ruhe und Entspannung bei Einzelexerzitien und Tagen der Stille im Haus Bethanien. Frauen können im Haus Nazaret für eine Weile im Konvent mitleben und sich an der Arbeit in Haus, Garten, im Buchladen oder in der Missionszentrale beteiligen. Ferner wird ein vielfältiges Programm mit Besinnungstagen, Wüstentagen, Oasentagen sowie Meditations- und Sportexerzitien angeboten. Im Franziskushaus finden unter dem Motto »Jugend begegnet sich« Schulendtage, Jugendfreizeiten und »Ora et labora«-Aufenthalte statt. Es besteht die Möglichkeit, am Ökologieprojekt der Schwestern teilzunehmen.

Als Gast im Kloster

Sehr engagiertes Bildungshaus mit hohem Sozialkompetenzfaktor der Seminare. Einzelgäste können ihren Aufenthalt unabhängig gestalten und nach eigenem Ermessen auf den jeweiligen Schöpfungspfaden und durch die schönen Gärten wandeln. Hotelähnliche Komfortzimmer können nur im Tagungshaus selbst gebucht werden!

Rund um das Kloster

Limburger Papierboot-Regatta

Ausgetragen wird die Regatta auf der Lahn zwischen Alter Lahnbrücke und dem alten Katasteramt, in der Erbach. Der mit den selbst gebauten Booten oder Flößen auf der Lahn abzupaddelnde Parcours beträgt etwa 130 Meter und wird von der Limburger Feuerwehr gesichert. Die teilnehmenden Boote, die aus Papier, Pappe sowie wasserfesten ungiftigen Klebstoffen und Farben bestehen müssen, werden am Lahnuferweg zur Schau gestellt und von einer Jury bewertet. Sowohl für die drei originellsten Boote als auch für die drei schnellsten Fahrzeuge gibt es

Papiervehikel auf der Lahn

wertvolle Preise zu gewinnen. In erster Linie soll die Veranstaltung den Teilnehmern durch den Mix von bootsbaulicher Fantasie und sportlichem Ehrgeiz, den Zuschauern durch farbenprächtige, originelle Wasserfahrzeuge und die eine oder andere

DEUTSCHLAND

Extratipp

Weihnachtsdorf Waldbreitbach Der kleine Ort an der Wied hält gerade in der Adventszeit viel Sehenswertes bereit: Die größte Naturwurzelkrippe der Welt, einen überdimensionalen Adventskalender und den idyllischen Christkindchenmarkt am 3. Adventswochenende sowie eine ca. acht Meter hohe Pyramide und sechs lebensgroße Holzfiguren aus dem Erzgebirge. Weitere Attraktionen sind die Krippenausstellung im weihnachtlichen Waldbreitbach und die Waldbreitbacher Krippenwege. Ab dem 1. Advent kann ein Teil des großen Krippenweges zum Marienhaus bis 21 Uhr über den beleuchteten »Stern von Bethlehem« erwandert werden.
Internet: www.weihnachtsdorf-waldbreitbach.de

unfreiwille Bade-Einlage von Mannschaftsmitgliedern Spaß bereiten. Ein Motorantrieb ist für die Wasserfahrzeuge nicht zugelassen. Reine Muskelkraft mit Rudern und Paddeln aller Art oder auch mit den Händen ist angesagt!

Der Rhein von seiner schönsten Seite

Romantische Loreleyfahrt

Im Jahr 2002 hat die UNESCO das Obere Mittelrheintal als eine der ältesten Kulturlandschaften in die Reihe der Welterbestätten aufgenommen. Von der alten Römerstadt Koblenz bis zum Mäuseturm in Bingen reiht sich in den Steillagen der bekannten Rheinweine Burg an Burg. Ein mächtiger Schieferfelsen erhebt sich 130 Meter über dem Wasserspiegel. An dieser engsten Biegung des Rheins gefährdeten bis ins 19. Jahrhundert Felsklippen und Stromschnellen die Schiffer und Flößer. Wegen des speziellen Echos an der Stelle entstand die berühmte Sage von der verführerischen Loreley, die durch ihre Gesänge die Schiffer ablenkte, so dass ihre Schiffe im Strom zerschellten. Die sehr empfehlenswerte Route führt von Rüdesheim zur Loreleystadt St. Goarshausen vorbei an idyllischen Weinorten, steil abfallenden Weinbergen und mittelalterlichen Burgen. Die Fahrzeit beträgt ca. 4 Stunden. Rundfahrt ab Rüdesheim 15,50 €.
Bingen-Rüdesheimer Fahrgastschifffahrt, Rheinkai 10, 55411 Bingen am Rhein; Tel. 0 67 22/29 72

Service

Angebot für Gäste
Eigene Bildungsveranstaltungen zu den Schwerpunktthemen Erholung, soziale Kompetenz, Glaubens- und Lebensfragen, Kultur im Kloster.
Z.B. Qi-Gong-Grundkurse, Fastenwochen, Führungskompetenztraining für Frauen, diverse Exerzitien

Gottesdienste
7 Uhr Laudes, 7.30 Uhr Messe (außer Do), So 10.30 Uhr Hochamt, 18 Uhr Vesper (Do mit Hl. Messe)

Unterkunft
Bildungs- und Tagungshaus: Alle Zimmer mit Dusche/WC, Komfortzimmer mit TV und Balkon. Preis für Ü/VP ab 53 € pro Person.
Haus Bethanien: Preisermäßigung gegen Mithilfe bei der Zimmerreinigung. Möglichkeit zur Selbstversorgung.
Franziskushaus: Raum für Familien in Mehrbettzimmern: Erwachsene 28 €, Kinder bis 12 Jahre 13 €; Erwachsene im DZ inkl. Vollpension 31 €, Jugendliche bis 27 Jahre 23 €

Verpflegung
Mahlzeiten im Franziskushaus bzw. im Restaurant »Klosterbergterrassen«

Einkaufsmöglichkeiten
Klosterladen: Transfair-Produkte, Lebens- und Heilmittel aus der Produktion verschiedener Klöster, Buchladen, Klostergärtnerei

Reservierung
Bildungs- und Tagungshaus der Waldbreitbacher Franziskanerinnen, Margaretha-Flesch-Str. 8, 56588 Waldbreitbach; Tel. 0 26/38/81 30 30, Fax 81 30 31; E-Mail: sekretariat@btw.st-elisabeth.de; Internet: www.waldbreitbacher-franziskanerinnen.de
Haus Nazaret: Sr. Gerlinde-Maria Gard, St. Marienhaus;
Tel. 0 26 38/ 81 46 21; E-Mail: sr.gerlinde@wf-ev.de
Franziskushaus: Sr. Edith-Maria Schug, Am Lohberg 5, 56588 Waldbreitbach; Tel. 0 26 38/81 36 30;
E-Mail: franziskanerinnen.jugend@t-online.de

Kloster Triefenstein

Christusträger Bruderschaft
97855 Triefenstein
Tel. 0 93 95/77 71 10, Fax 77 71 13
E-Mail:
tr.gaeste@christustraeger.org
Internet: www.christustraeger-bruderschaft.org

Mit dem Pkw: über die A 3 Frankfurt–Würzburg bis Ausfahrt Marktheidenfeld, weiter Richtung Markt Triefenstein bis zum Kloster

Mit der Bahn: bis Bahnhof Würzburg, weiter mit dem Bus bis Marktheidenfeld. Dort Abholservice

Das Kloster

Buchsbaumgesäumte, geometrisch angelegte Wege führen zur eindrucksvollen Klosteranlage mit ihrem schönen Garten. Die Ausmaße des denkmalgeschützten Anwesens lassen erahnen, wie viel Zeit, Liebe und Anstrengung die Brüder in den Erhalt des alten Gemäuers investieren. Seit 1986 ist das im 12. Jahrhundert gegründete Kloster am unterfränkischen Main die Heimat der evangelischen Kommunität. Die täglichen Gebetszeiten werden im Winter in einer Kellerkapelle abgehalten.

Aus einer religiösen Kommune entstanden eine Schwestern- und eine Bruderschaft, die sich in der Gestalt des heiligen Christopherus wiederfinden und ihr Leben nach den Evangelischen Räten (Ehelosigkeit, Armut und Gehorsam) gestalten. Einige der Brüder engagieren sich in medizinisch-diakonischen Projekten in Afghanistan und arbeiten in kongolesischen Missionskrankenhäusern. Sie leben nach dem Evangelium und pflegen liturgische Gebetszeiten, lassen aber auch Raum für das freie Gebet. So machte sich die erste Generation mit melodiöser Evangelisierung einen Namen, setzte verstärkt auf zeitgenössische Musikstile. Noch heute ist Musik ein essenzieller Bestandteil im Alltagsleben der Triefensteiner Brüder. Die hauseigene Band tourt gelegentlich durchs Land und verleiht ihrer Gottesbegeisterung musikalischen Ausdruck.

Die Brüder nehmen bis zu 90 Gäste auf und teilen ihr Haus, ihre Kirche und den Speisesaal mit ihnen. Der ausgesprochene Schwerpunkt der Gästearbeit liegt bei Freizeiten für Kirchengemeinden und kirchliche Gruppen, daneben werden auch einzelne thematische Seminare angeboten. Die Möglichkeit, als »stiller

Gast« im Kloster Abstand vom Alltag zu gewinnen, besteht ebenfalls das ganze Jahr über.

Das Angebot der Christusträgerbruderschaft umfasst Einkehrzeiten und kontemplative Tage der Stille

Kellerkapelle

und des Schweigens mit geistlichen Impulsen. Am Stundengebet und am brüderlichen Alltag darf jederzeit teilgenommen werden. Wer möchte, meldet sich zur tatkräftigen Mitarbeit beim Frühjahrsputz im März, im Garten oder den Werkstätten; der Aufenthalt im Kloster ist dann kostenlos.

Die Spuren vergangener Jahrhunderte verleihen den Gästezimmern einen besonderen Charme. Gästen stehen außerdem Gruppenräume, die Kellerkapelle zur stillen Einkehr, eine Cafeteria und ein Spielplatz für Kinder zur Verfügung.

Als Gast im Kloster

In Triefenstein geht man feinfühlig auf die Bedürfnisse der Gruppen und Seminarteilnehmer ein, so dass man sich in dem wunderbaren Ambiente des ehrwürdigen Anwesens von Anfang an wohl fühlen wird. Mit etwas Glück kann man frisch geschlüpfte Turmfalken beobachten!

Rund um das Kloster

Homburger Papiermühle

Seit der Mitte des 19. Jahrhunderts wurden in der Fachwerkmühle Papiere und Pappen produziert. Heute beherbergt das Haus ein Industriemuseum und eine Manufaktur für handgeschöpftes Büttenpapier. Gartenstr. 11, 97855 Markt Triefenstein; Tel. 0 93 95/9 92 22

Wertheim

Wertheim liegt eingebettet zwischen Odenwald und Spessart. Radeln Sie auf dem hervorragenden Wegenetz an Main und Tauber, entspannen Sie nach einer Wanderung bei einem tauberfränkischen Bocksbeutel oder besuchen Sie das Glasmuseum mit Glasbläservorführungen und das Grafschaftsmuseum, wo Besucher ihre eigene Silhouette als Scherenschnitt herstellen können. »Weinproben nach Goethes Geschmack« werden im historischen Gewölbekeller des Museums angeboten.

Service

Angebot für Gäste
Wanderexerzitien
Tage der Stille und des Schweigens
Einkehrtage
Seminare für Einzelgäste
»Stiller Gast« im Kloster

Gottesdienste
Mi 18 Uhr öffentliches Abendgebet mit liturgischem Singen

Unterkunft
Seminarkosten verstehen sich inkl. Unterkunft und Verpflegung
Ü/VP im EZ (Etagenbad) 36 €, DZ 31 €
Leihbettwäsche 5 €
Zuschlag bei einem Aufenthalt unter 3 Tagen: 10 €

Verpflegung
Essenszeiten: 8.30 Uhr Frühstück, 12.15 Uhr Mittagessen, 18.30 Uhr Abendessen (nach dem Abendgebet)
Cafeteria

Reservierung
Christusträger Bruderschaft Gästebüro, 97855 Triefenstein; Tel. 0 93 95/77 71 10, Fax 77 71 13; E-Mail: tr.gaeste@christustraeger.org, Internet: www.christustraeger-bruderschaft.org

Toplage

Hans-Asmussen-Haus

Gichenbacher Str. 9
36129 Gersfeld-Dalherda
Tel. 0 66 56/50 36 70
E-Mail:
hans-asmussen-haus@web.de
Internet: www.asmussenhaus.de

Mit dem Pkw: Autobahn A 7, Ausfahrt Fulda-Süd, auf B 27 Richtung Gersfeld bis Döllbach, auf B 279 Richtung Gersfeld, bis Ebersburg-Schmalnau, danach rechts ab nach Dalherda

Mit der Bahn: Bahnhof Fulda, weiter mit dem Bus bis Dalherda

Das Kloster

Das Hans-Asmussen-Haus liegt in dem Dorf Gersfeld im Herzen der hessischen Rhön, in der Nähe von Fulda. In Dalherdas wechselvoller Geschichte wurde während des Nationalsozialismus aus dem armen Korbflechter-Bergdorf ein Truppenübungsplatz der Wehrmacht. Doch davon sieht man heute nichts mehr.

Ursprünglich als Haus zur Einkehr für Theologen gedacht, entwickelte sich das alte Bauernhaus seit 1973 zu einem ökumenischen Tagungshaus, das von Schulklassen, Familien und Gruppen genutzt wird. Es ist nach dem evangelischen Theologen Hans Christian Asmussen (1898–1968) benannt, der als Vorkämpfer der »Bekennenden Kirche« die Auseinandersetzung zwischen Kirche und Nationalsozialismus eröffnete.

Gästen steht in den beiden Selbstversorger-Häusern – der neueren »Eremitage« und dem alten »Bauernhaus« – ein Mehrzwecksaal, ein Seminarraum und die Hauskapelle zur Verfügung. Darüber hinaus verfügen die Häuser über Küchen mit Speiseraum und eine Bibliothek mit Plüschsesseln, Fernseher und Musikanlage. Auf der großen Wiese am Haus kann man zelten und grillen. Kinder können hier wunderbar spielen. Für Tischtennis-Turniere ist eine Platte vorhanden, Schläger und Bälle können ausgeliehen werden.

Das Hans-Asmussen-Haus ist grundsätzlich ein Selbstversorgerhaus. Bei Bedarf kann eine Mittagsverpflegung über eine Gaststätte in der Nähe organisiert werden. Ein eigenes Seminarprogramm wird zurzeit nicht aufgelegt, jedoch sind die Angebote des Trägervereins »Bund für evangelisch-katholische Einheit« öffentlich (Internet: www.bund-fuer-evangelisch-katholische-Einheit.de).

Als Gast im Kloster

Im Winter ist der höchste Ort Hessens schneesicher – Dalherda empfiehlt sich also für einen Skiurlaub. Da die Zufahrt zum Hans-Asmussen-Haus steil ist, sollte man an Winterausrüstung auch für das Auto denken. Kaminfeuerromantik garantiert!

Rund um das Kloster

Museumsdorf in Fladungen

Bäuerlich-ländliches Bauen und Wohnen ist der Schwerpunkt des seit 1990 zugänglichen Freilandmuseums. Man kann den Bauern bei der Arbeit zusehen und sich ein Bild von den früheren Arbeitstechniken und Lebensgewohnheiten machen. Das Flechten von Körben gehört hier ebenso dazu wie das Dengeln einer Sense. Die Gebäude verfügen über eine nahezu komplette Inneneinrichtung; an den gedrungenen Räumlichkeiten lässt sich erkennen, dass ländlich-bäuerliches Bauen mit städtischen Baustilen nicht zu vergleichen ist. Die ausnahmslos aus Fachwerk bestehenden Häuser, Scheunen und Ställe veranschaulichen frühe handwerkliche Geschicklichkeit.
Fränkisches Freilandmuseum Fladungen, Bahnhofstr. 19, 97650 Fladungen; Tel. 0 97 78/9 12 30; Internet: www.freilandmuseum-fladungen.de; Öffnungszeiten: April–Nov. Di–So 9–18 Uhr

Schwarzes Moor

Das Schwarze Moor ist das eindrucksvollste Hochmoor der Rhön. Es liegt in unmittelbarer Nähe des Dreiländerecks Bayern, Hessen und Thüringen. Ein drei Kilometer langer Bohlenpfad mit Informationstafeln, die anschaulich über die Entstehung des Moores und seine Pflanzen- und Tiervielfalt informieren, führt durch die verschiedenen Moorbereiche und vorbei an einem typischen Moorauge. Wollgras, Beersträucher, Karpatenbirke und Sonnentau sind charakteristische Pflanzen für das Moor. Hier befindet sich auch ein Rückzugsgebiet für Birkhuhn und Bekassine. Das Moor ist zu jeder Jahreszeit ein außergewöhnliches Erlebnis, vor allem wenn Nebelschwaden das Moor überziehen.

Wasserkuppe

Der neben dem Kreuzberg wohl bekannteste Berg der Rhön und zugleich der höchste ist die Wasserkuppe, beliebt im Winter zum Ski- und Snowboardfahren. Vor allem aber zieht sie Segelflieger an. Oben gibt es ein Restaurant und eine Sommer-Rodelbahn. Die Ausläufer der Wasserkuppe, die Abtsrodaer Kuppe, der Schafstein, der Pferdskopf und die Eube lassen sich bequem zu Fuß umrunden.

Service

Angebot für Gäste

Wandern/Exkursion in der Rhön: (6 Tage) Preis inkl. VP 218 €
Geistliche Rüstzeit: eine Woche inkl. VP im DZ 325 €, im EZ 375 €

Gottesdienste

Von Montag bis Freitag (außer feiertags) werden in der Hauskapelle Gebetszeiten gehalten. Außerdem findet einmal im Monat ein Gottesdienst statt. Zeiten siehe Aushang.

Unterkunft

Übernachtung 14.50 € inkl. Energiepauschale
Endreinigung 4,50 € einmalig pro Person
Leihgebühr für Bettwäsche 5 € pro Set

Verpflegung

Selbstversorgerhaus. Bei Gruppen über 15 Personen werden Küchenkräfte vermittelt

Reservierung

Hans-Asmussen-Haus, Gichenbacher Str. 9, 36129 Gersfeld-Dalherda; Tel. 0 66 56/50 33 84; E-Mail: hans-asmussen-haus@web.de; Internet: www.asmussenhaus.de

Benediktinerabtei Maria Laach

56653 Maria Laach
Tel. 0 26 52/5 90, Fax 5 93 59
E-Mail: abtei@maria-laach.de
Internet: www.maria-laach.de

Mit dem Pkw: über die A 61 Ludwigshafen–Krefeld bis zur Ausfahrt Mendig/Maria Laach

Mit der Bahn: auf der Linie Frankfurt–Köln bis Bahnhof Andernach, weiter mit dem Bus

Das Kloster

Die Abtei Maria Laach befindet sich in der Vulkaneifel. Schon im Mittelalter haben die Benediktiner das feuchte Land im Laacher Seetal trocken gelegt, um es landwirtschaftlich nutzen zu können. Dabei schufen sie in einer beachtenswerten technischen Bauleistung einen unterirdischen Bergkanal. Heute ist der Laacher See mit seinen schilfbewachsenen Uferzonen ein Paradies für Wasservögel. Kornblumen, Mohn und Margeriten zieren im Sommer Felder und Wegränder.

1093 gründete Pfalzgraf Heinrich II. von Laach das Kloster, und die Bauarbeiten an der eindrucksvollen, düster-romanischen Kirche aus heimischer Basaltlava und Eifeltuff begannen. Neben Orgelkonzerten, Orchester- und Kammermusik gibt es dort regelmäßig große Oratorienaufführungen. Der Kunstverlag ars liturgica stellt eine Vielfalt an Bronze-Kreuzen, Karten, Kalendern sowie religiöse Bildtafeln und Schmuckkerzen her. Zwei Künstler-Mönche arbeiten in der Kunstschmiede-Werkstatt, wo sie Holzschnitte und Ikonen anfertigen und Kinderbücher illustrieren. Das landwirtschaftliche Anwesen dient dem Anbau von Weizen und Roggen, Wintergerste und Mais werden als Viehfutter verwendet, die Sommergerste wird zur Bierherstellung verkauft. Was das Kloster hervorbringt, wird in der Küche zu Spezialitäten verarbeitet.

Im Gästeflügel sind die Zimmer vornehmlich für Gäste reserviert, die an Exerzitien oder Seelsorgeprogrammen teilnehmen. Urlauber wohnen herrlich mit Blick auf den See im »Seehotel Maria Laach«. Das Frühstück wird dort übrigens im Rosengarten eingenommen. Angeln ist vom Ufer aus in den freigegebenen Zonen möglich. Angelscheine sind nach Vorlage des amtlichen Fischereischeines an der Klosterpforte erhältlich.

Als Gast im Kloster

Im Klostergarten wachsen »Auferstehungspflanzen«, die eindrucksvolle romanische Kirche betritt man durch die Vorhalle des »Paradieses«, vorbei am »Brunnen des Lebens«. Das Kloster zeichnet sich durch die großartige Lage am See aus und ist von einem schönen Landschaftsgarten umgeben.

Rund um das Kloster

Naturkundemuseum

Auf über 1000 Quadratmeter Ausstellungsfläche werden Säugetiere, Vögel, Schmetterlinge und Insekten aus aller Welt gezeigt. Ferner ist eine umfangreiche Stein- und Mineraliensammlung aus dem Laacher See-Gebiet zusammengetragen worden. In zahlreichen Dioramen, Rekonstruktionen eines Ausschnittes aus der Natur, sind einheimische Tiere in ihrem Lebensraum zu sehen.
Naturkundemuseum St. Winfried, 56653 Maria Laach; Öffnungszeiten: März–Okt. tgl. 9.30–18, Nov.–Jan. tgl. 9.30–17 Uhr; 16. Jan.–28. Feb. geschl.

Römerbergwerk Meurin

Auf dem Gelände der Trassgrube Meurin bei Kretz haben Besucher die Möglichkeit, in die unterirdische Arbeitswelt römischer Zeiten zu blicken. Enge Gänge, schlechte Lichtverhältnisse und staubige Luft prägten den Alltag der Untertagearbeiter. Ein quadratisches Areal ist überdacht und schützt einen kleinen Teil des ehemals größten römischen Tuffbergwerkes nördlich der Alpen vor Witterungseinflüssen. Hinter dem Bergwerk wird derzeit ein römischer »Spielplatz« errichtet, der nicht nur jüngeren Besuchern den Kontakt mit Steinen, Werkzeugen und Gebäuden der römischen Epoche gestattet.
Führungen nur nach vorheriger Anmeldung: Tel. 01 80/1 88 55 26 oder E-Mail: info@vulkanpark.com

Service

Angebot für Gäste

Exerzitien
Tage im Kloster (nur für Männer)
Im »Seehotel Maria Laach«: Badestube mit Sauna und Fitness
Kurzfilm zu Geschichte und Leben im Kloster

Gottesdienste

Wo 5.30 Uhr Hore, 7.30 Uhr Konventamt, 11.45 Uhr Hore, 17.30 Uhr Vesper, 19.45 Uhr Komplet
So 5.30 Uhr Hore, 9 Uhr Konventamt, 14.30 Uhr Hore, 17.30 Uhr Vesper, 19.45 Uhr Komplet

Unterkunft

Gästetrakt der Abtei: kein fester Tagessatz, sondern Spende je nach finanziellen Möglichkeiten des Gastes. Bei Vollverdienst ca. 30 € für Ü/VP
Seehotel Maria Laach: Übernachtung inkl. Vollpension im EZ 127 €, im DZ 108–138 €
Seehotel Maria Laach, 56653 Maria Laach; Tel. 0 26 52/58 40, Fax 58 45 22; E-Mail: seehotel@maria-laach.de, Internet: www.seehotel-maria-laach.de

Verpflegung

Restaurants im Seehotel Maria Laach: Restaurant/Café »Schilfbucht«, Restaurant »Seespiegel«, Restaurant »Rosengarten«, Sommerterrasse, Bier- und Weinstube

Einkaufsmöglichkeiten

Klostergärtnerei: Topf- und Beetpflanzen, Sträucher, Weinreben, Äpfel, Kräuter.
Öffnungszeiten: Mo–Sa 9–17.30 Uhr
Hofladen: frisches Fleisch aus eigener Tierhaltung, Getreide, Obst und Gemüse, Weine, Säfte, kunsthandwerkliche Produkte und Geschenkartikel.
Buch- und Kunsthandlung ars liturgica
Öffnungszeiten: Mo–Sa 9–18 Uhr
Online-Shop: www.ars-liturgica.de

Reservierung

Benediktinerabtei Maria Laach, 56653 Maria Laach; Tel. 0 26 52/5 93 17, Fax 5 93 59; E-Mail: guests@maria-laach.de, Internet: www.maria-laach.de

Aktiv

Kloster Arenberg

Cherubine-Willimann-Weg 1
56077 Koblenz
Tel. 02 61/64 01 20 90,
Fax 64 01 34 54
E-Mail: info@kloster-arenberg.de
Internet: www.kloster-arenberg.de

Mit dem Pkw: über die A 3 bis zur Abfahrt Montabaur, an »Koblenz«-Beschilderung orientieren. Rechts ab auf die B 255, weiter auf der B 49 Richtung Koblenz. 15 km bis zum Kloster

Mit der Bahn: bis Koblenz Hauptbahnhof, weiter mit Bus Linie 460 Richtung Montabaur bis Haltestelle »Koblenz-Arenberg Kloster«

Das Kloster

Auf der rechten Rheinseite, oberhalb der Feste Ehrenbreitstein im kulturträchtigen Mittelrheintal, liegt Arenberg, das seit 1970 zu Koblenz gehört. An der Stelle des heutigen Backsteinanwesens mit seinem herrschaftlichen Terrassenaufgang befand sich im 13. Jahrhundert das Wasserschloss der Ritter von Mühlenbach, das im Dreißigjährigen Krieg zerstört wurde. Mitte des 19. Jahrhunderts legte der Pfarrer Johann Baptist Kraus den Grundstock zur heutigen neuromanischen Kirche und dem großartigen Klosterpark, den Feuchtbiotope, Wildblumenwiesen und Obstbäume zieren. Dort können Gäste ihre Geschicklichkeit bei einer Partie Außenschach oder Minigolf unter Beweis stellen. Ringelblumen, Spitzwegerich und Lavendel im Kräutergarten inspirieren zum Sehen (Apothekergarten), Riechen (Duftgarten) und Schmecken (Aromagarten) – zudem unterweisen kundige Schwestern die Gäste in der Verwendung von Heilkräutern. Während der »Kräuterwoche« können Sie darin baden, sie trinken, essen und ihre gesundheitsfördernde Wirkung spüren.

Den Gast begrüßt ein großzügiges, freundliches Foyer. Doch es ist nur ein Vorgeschmack auf die hellen Gästezimmer mit ihren lauschigen Lesefauteuils, Extrakissen und stimmungsvollen Lampen. Ebenso wohl fühlen werden Sie sich in der Bibliothek und dem Lesezimmer, bei meditativer Musik in der Gästekapelle, im Meditationsraum, im Schwimmbecken und natürlich im großen Vitalbereich. Aktive trainieren ihre Muskeln im Fitness- und Gymnastikraum. Abends klingt der Tag gemächlich bei einem Glas Wein im

»Klosterkeller« aus – aber erst, nachdem man von der Dachterrasse des Klosters aus den Sonnenuntergang betrachtet hat.

Dreimal täglich werden in den lichtdurchfluteten Speisesälen reichhaltige Büffets aufgebaut; dabei legt man im Dominikanerinnenkloster Wert auf naturbelassene Ernährung und bietet daher viel Salat, Obst und Gemüse teils aus dem eigenen Garten an. Das Serviceteam berät Gäste gerne bei speziellen Diäten oder Fragen zu gesunder Ernährung.

Das Angebot dieses Verwöhnklosters inspiriert all Ihre Sinne. Beginnen Sie den Tag mit dem morgendlichen Tautreten im nassen Gras mit anschließendem Walking durch den Klosterpark, einer Kneipp-Anwendung oder einer Stunde »Aquafitness«. Während der kalten Jahreszeit lässt das Programm »Eingepackt in den Winter« den Schnupfenviren keine Chance, wenn Sie Ihr Immunsystem mit dem geballten Vitalprogramm auf Vordermann bringen.

Im Kräutergarten

Das Filmseminar für Menschen in der Lebensmitte, das im Frühjahr angeboten wird, trägt den schönen Titel »Mit 40 hat man noch Träume«. Blumenfreunde erlernen die asiatische Kunst des Ikebana, während Outdoor-Liebhaber auf meditativen Wanderungen hilfreiche Tipps zu vernünftigem Zeitmanagement, Kommunikation, Sport und notwendigen Pausen erhalten.

Gästezimmer in Arenberg

Als Gast im Kloster

Das bestimmende Element dieses Wohlfühlklosters ist das warme Licht. Es durchflutet alle Zimmer des anheimelnden Gebäudes, sorgt im Crystal-Bad für wohlige Entspannung und taucht – gebrochen durch das Laub der Bäume – Park und Blumen in zauberhafte Farben. Ehrensache, dass der Eiskaffee auf der Sonnenterrasse serviert wird!

Rund um das Kloster

Fort Asterstein

Asterstein wurde 1818 in strategisch günstiger Lage als Befestigung auf der Pfaffendorfer Höhe errichtet, um der Stadt und der Festung Ehrenbreitstein Schutz zu bieten. Das klassizistische Fort bestand aus einer Wallanlage mit vorgelegtem trockenen Graben. Im Lauf seiner Geschichte vollzog sich eine Wandlung für die Nutzung und den Bestand der Befestigungsanlagen. Im Zuge der Entmilitarisierung verließ 1918 der letzte Soldat die alte Garnisonsstadt Koblenz. Seither wird das Fort nicht mehr für militärische Zwecke, sondern als Büro des Mittelrhein-Verlages und seit 2003 für die jährliche Kinderstadtranderholung der Arbeiterwohlfahrt genutzt.

Führungen nach persönlicher Absprache möglich; tel. Anmeldung bei Manfred Böckling: 0170/3462382; Internet: www.fort-asterstein.org

Nachtführung durch Koblenz
Erleben Sie mit dem bekannten Gästeführer Manfred Gniffke ab 22 Uhr Koblenz bei Nacht. Sie werden mit einem Trompetensolo und einem »kleinen Klaren« begrüßt. Auf seine mit »Stekkelcher« gespickte Art bringt Manfred Gniffke den nächtlichen Wanderern die Stadtgeschichte nah und führt sie durch die romantischen Gassen zwischen der Basilika St. Kastor und der Liebfrauenkirche, vorbei am Kaiser-Wilhelm-Denkmal und zum Wahrzeichen der Stadt, dem Schängelbrunnen am Rathaus. Im Florinsgarten erwartet Sie bei romantischer Beleuchtung ein Glas Sekt. Den Abschluss bildet die Mitternachtssuppe im traditionellen Gasthaus »Deutscher Kaiser«.
Preis pro Person: 17 € (inkl. Getränke und Suppe); Anmeldung/Ticketverkauf: Tourist-Information Hauptbahnhof; E-Mail: info-hbf@touristik-koblenz.de

Restaurant »Auf der Festung«
Die Festungsanlage Ehrenbreitstein wurde im 19. Jahrhundert hoch über Koblenz und dem Rhein von den Preußen errichtet. Die Sonnenterrasse gewährt unter schattigen Kastanienbäumen nicht nur einen grandiosen Blick auf die Landschaft, sondern auch auf das berühmte »Deutsche Eck«, an dem Rhein und Mosel zusammenfließen. Hinter dicken Festungsmauern wird nach einem alten Westerwälder Rezept »Weinkäs´ und Käsetaler mit Zwiebel-Kräutermusik« serviert. Mit dem schönsten Ausblick über Koblenz ist die Lage des Restaurants einzigartig.
Festung Ehrenbreitstein, 56077 Koblenz; Tel. 02 61/9 73 09 16; Öffnungszeiten: tgl. 11–23 Uhr

Festung Ehrenbreitstein

Schloss Stolzenfels
Seit dem 19. Jahrhundert ist das Schinkelschloss Stolzenfels unverzichtbarer Teil der Rheinromantik. Mit seinen Flachdächern, Pergolen und Terrassen strahlt es südländische Heiterkeit aus. Das Schloss liegt südlich von Koblenz über dem Rhein. Serpentinen führen den Besucher durch eine bewaldete Schlucht, vorbei an einem Wasserfall über eine steinerne Brücke zum Schloss. Die 1250 erbaute ehemalige Zollburg wurde im Pfälzischen Erbfolgekrieg zerstört. Nachdem die Stadt Koblenz die Ruine dem preußischen Kronprinzen geschenkt hatte, wurde sie 1842 nach Entwürfen des Berliner Baumeisters Karl Friedrich Schinkel wiederaufgebaut. Das mit wertvollen Möbeln ausgestattete Schloss ist ein Beispiel für Wohnkultur und Geistesgeschichte des 19. Jahrhunderts, wie die Führung in Filzpantoffeln beweist.

Extratipp

Im Rahmen des »Arenberger Musikfestivals« findet jedes Jahr im Juli eine »Nacht der Klänge« und »Kino in der Kirche« statt. Livemusik, Illuminationen, Lichtspiele, ausgesuchte Spiel- und Stummfilme sowie ein kleines Feuerwerk bilden das Rahmenprogramm dieses stimmungsvollen Spektakels in Arenberg, dem Kloster des Lichts.

Schloss Stolzenfels, 56075 Koblenz; Tel. 02 61/5 16 56; Öffnungszeiten: April–Sept. tgl. außer Mo 10–18, Okt.–März tgl. außer Mo 10–17 Uhr, im Dez. geschl.

Stolzenfels: beste Rheinlage

Weingut Wagner
Das Weingut Wagner wurde 1020 vom Kurfürsten zu Trier gegründet. Im größten zusammenhängenden Weingut am Mittelrhein werden zwölf verschiedene Rot- und Weißweinrebsorten vom Qualitätswein bis hin zur Trockenbeerenauslese und ausgezeichnetem Eiswein verschiedener Jahrgangsstufen angebaut. Familie Wagner führt Weinproben im historischen Felsenkeller sowie Weinbergs- und Kellerführungen durch. Verkostet werden Koblenzer Gutsweine, Winzersekt, Spirituosen und internationale Weine. In der Weinhandlung erhalten Sie Weinpräsente, Rot- und Weißweine, Schnäpse, Liköre und Speisen um den Wein. Als besondere Spezialität bietet die Gaststätte des Weinguts mit romantischem Garten original hausgemachten »Wagner's Gerupften« an, eine Käsespezialität der besonderen Art. Wein-Lieferservice bis zur Haustür.
Weingut Wagner, Mühlental 23, 56077 Koblenz; Tel. 02 61/7 36 14; E-Mail: info@wein-wagner.de; Internet: www.wein-wagner.de; Öffnungszeiten: Di–So

Service

Angebot für Gäste
Tautreten/Walking
Nordic Walking
Aquafitness
Kneipp-Anwendungen
Wirbelsäulengymnastik
Zeitmanagementkurse
Ikebana
Ernährungsvorträge
Kräuterwoche
Wohlfühlwochen mit Brandungsbad, Crystal-Bad, Aromamassagen, Fußpflege, Aquafitness, und Infrarot
Meditative Wander- und Ferientage
Teilnahme an der christlichen Liturgie
Einblicke in den Klosteralltag
Kurse zur Trauerarbeit
Aktuelles Programm im Internet

Gottesdienste
Wo 6.30 Uhr Laudes (Mo, Mi, Fr, Sa), 11.30 Uhr Mittagshore, 18 Uhr Vesper (Mo, Mi, Fr, Sa), 18.50 Uhr Komplet (Di 21.15 Uhr)
So 7 Uhr Laudes, 12 Uhr Sext, 17.30 Uhr Vesper, 18.50 Uhr Komplet
Eucharistiefeier So 9.30 Uhr, Mo, Mi, Fr und Sa 7 Uhr, Di und Do 17.30 Uhr

Unterkunft
Übernachtung inkl. Vollpension im Zimmer mit Parkett, Balkon und Komfortbad 92 €, einfacheres Zimmer ab 81 €
Aufschlag bei bis zu 2 Übernachtungen 10 € pro Nacht
Im Zimmerpreis enthalten: Vollpension, Benutzung von Schwimmbad, Fitness-/Gymnastikraum, Minigolfanlage, spezielle Programmangebote

Verpflegung
Tgl. drei Büffets mit Getränken
Klostercafé: Kaffee und Kuchen, Eis, Getränke
Klosterkeller: Weine

Einkaufsmöglichkeiten
Klosterladen: Marmelade, Apfelsaft, Klosterkräuter, Klosterlikör, Honig, Kartensortiment, Handarbeiten, Bücher, Musik-CDs, Kunstkalender, Kneipp-Badezusätze, Salben, Kerzen.
Öffnungszeiten: tgl. 9–11.30 und 14–17.30 Uhr

Kommunität Gnadenthal

Jesus-Bruderschaft
65597 Hünfelden
Tel. 0 64 38/8 13 00, Fax 8 13 10
E-Mail: info@jesus-bruderschaft.de
Internet: www.jesus-bruderschaft.de

Mit dem Pkw: über die A 3 Frankfurt–Köln bis zur Ausfahrt Bad Camberg, weiter Richtung Hünfelden-Gnadenthal

Mit der Bahn: auf der Linie Frankfurt–Limburg bis zum Bahnhof Bad Camberg, von dort Abholservice gegen Unkostenbeitrag

Das Kloster

Gnadenthal ist ein winziges malerisches Dorf im Taunus. Dort ist das ehemalige, 1235 gegründete Zisterzienserinnen-Kloster das Zentrum der Jesus-Bruderschaft. Diese erwarb 1969 den »Welsch-Hof« im hinteren Teil der Klosteranlage und errichtete Gemeinschaftshäuser und das »Haus der Stille«.

Die Kommunität besteht heute aus zölibatären Brüdern und Schwestern sowie einigen Familien, die oft in drei Generationen in kleinen Wohn- und Hausgemeinschaften zusammenleben. Dabei knüpfen sie an die Tradition von Orden und geistlichen Gemeinschaften an und sind von Impulsen aus dem Lebenswerk Dietrich Bonhoeffers und Martin Bubers inspiriert. Als die Kommunität 1984 die alte Klosteranlage erneut aufbaute, wurde die zum Kuhstall zweckentfremdete alte Klosterkirche wieder zum Ort der Gebete. Gleichzeitig entstanden verschiedene Betriebe wie z. B. die nach Bioland-Richtlinien geführte Landwirtschaft, die Käserei, der Gnadenthaler Hofmarkt, der Präsenz-Verlag, die Kunstgalerie, die Buchhandlung, die Schreinerei und das Ingenieurbüro. Für die Wiederherstellung des klösterlichen Ambientes und des Gnadenthaler Dorfbildes wurde der Kommunität 1993 der Hessische Denkmalschutzpreis verliehen.

Für Gäste stehen zwei Häuser, das »Haus der Stille« und der »Nehemia-Hof«, zur Verfügung. Neben den Zimmern sind hier die Cafeteria mit Balkon, der Seminarraum und Gruppenräume untergebracht. Bei schönem Wetter flaniert man wunderbar durch die große Gartenanlage mit Teich, abends sorgt ein Lagerfeuer, bei dem Stockbrot gebacken wird, für Romantik. Die Kommunität lädt Gäste zur Teilnahme an Seminaren und Retraiten ein. Während der »Stillen Wochenenden« wird zwei volle Tage durchgängig geschwiegen. Bei Seminaren zur Umweltbildung können Gäste selbst aus dem großen Themenkatalog wählen. So erfährt man etwa bei der Kartoffelernte mit eigenen Händen alles über Anbau und Verwendung der Kartoffel, kann gemeinsam ein Schaf scheren oder Erlebnisexkursionen zum Thema »Lebensader Wasser« unternehmen. Besucher können auch für kürzere oder längere Zeit in der Kommunität mitleben. Für junge Leute zwischen 16 und 27 Jahren besteht in Gnadenthal die Möglichkeit zum Kloster auf Zeit, zum Zivildienst oder zum »Freiwilligen Sozialen oder Ökologischen Jahr«.

Als Gast im Kloster

Wer nach Gnadenthal fährt, sollte unbedingt zuvor eine der Themenführungen zur Umweltbildung buchen. Wann darf man sonst schon selbst ein Schaf scheren? Hübsch gelegenes Haus mit heimeliger Familienatmosphäre.

Steinstelen im Park

Rund um das Kloster

Schloss Braunfels

Sieht aus wie im Märchen, ist aber wahr: Schloss Braunfels gibt es wirklich und zwar schon seit über 750 Jahren. Natürlich hat sich die einstige Burg seit damals etwas gewandelt. Im Laufe der Jahrhunderte ist sie immer weiter um- und ausgebaut worden. Doch die Fundamente der alten Kernburg sind bis heute erhalten. Die Geschichte des Schlosses und seiner Bewohner wird durch eine Dia-Schau in der Schlosskirche lebendig. Bei einer unterhaltsamen Führung besichtigt man den Schlosshof, den romantischen Rittersaal und die schönsten Räume des Schlosses. Zum Abschluss genießt man vom Kanonenplatz bei schönem Wetter einen herrlichen Ausblick über Stadt und Land. Das Märchenschloss

Braunfels: wie aus einem Ritterfilm

Extratipp

Eine »Karre Mist« im Hotel Waldschloss Idyllisch am Stadtwald und im Naturpark Hochtaunus liegt direkt am Anfang der Hochtaunusstraße das 1907 errichtete und sorgsam restaurierte Hotel Waldschloss. Als Spezialität des Hauses wird überraschten Gästen eine »Karre Mist« – ein Hackfleischauflauf in einem kleinen Holzwagen – serviert. Doch nicht nur der Name dieser hessischen Besonderheit ist außergewöhnlich: Rezept und Zubereitungsanleitung für die »Karre Mist« existieren nur in Gedichtform!

An der Hochtaunusstraße, 65520 Bad Camberg im Taunus; Tel. 0 64 34/93 07 40; Internet: www.hotel-waldschloss.de

Braunfels wird auch als »Schloss Neuschwanstein Hessens« bezeichnet.
Infos: Tel. 0 64 42/50 02, Internet: www.schloss-braunfels.de; Öffnungszeiten: April–Okt. 9–18 Uhr, Nov.–März am Wochenende ab 11 Uhr, Mo–Fr nach Voranmeldung

Taunus Wunderland bei Wiesbaden
Der Vergnügungspark liegt mitten im Wald und bietet ein märchenhaftes Ambiente. Für Nervenkitzel sorgt die Wildwasserbahn. Ein Handpuppentheater spielt für kleine Märchenfreunde, während die Mutigen in der »Wilden Maus« durch den Wald flitzen. Es gibt einen Märchenwald mit Geisterschloss, einen Streichelzoo, einen gepolsterten Turm zum Klettern, ein Meer von weichen Bällen, Karussells, Achterbahnen und ein Rutschenparadies.
Taunus Wunderland, 65388 Schlangenbad; Tel. 0 61 24/40 81; Internet: www.tauntuswunderland.de; Öffnungszeiten: März–Okt. tgl. 9.30–18 Uhr

Vier-Burgen-Wanderung in Neckarsteinach
Romantiker, denen beim Anblick mittelalterlicher Burgen und Ruinen sofort Minnesänger und Schlossfräulein in den Sinn kommen, sind in der »Vierburgenstadt« Neckarsteinach am richtigen Ort. In den dicht bewaldeten Berghöhen oberhalb der Stadt haben sich die Edelfreien von Steinach ihre uneinnehmbaren Residenzen gebaut. Wer sich über die Schlosssteige auf den Weg macht, ist gut beraten, einen Burgenführer mitzunehmen, der die romantischsten Plätze kennt und so manche Anekdote aus dem Leben der Ritter zu berichten weiß.
Führungen: Stadtverwaltung Neckarsteinach; Tel. 0 62 29/9 20 00; E-Mail: info@neckarsteinach.de

Auf Burgenwanderung

Service

Angebot für Gäste
Stille Wochenenden
Umweltbildungsseminare zu speziellen Themen
Schäferwochen
Wochenenden zum Innehalten
Ehe-Seminare
Einkehr-Tage
Teilnahme an Gottesdiensten

Gottesdienste
Mo, Di, Do–Sa 7.15 Uhr Gottesdienst, Mo–Sa 12 Uhr Mittagsgebet, Mo–Fr 18 Uhr Abendgebet.
So 10 Uhr Hauptgottesdienst im Brüderhaus

Unterkunft
Haus der Stille:
EZ »A« inkl. Frühstück (mit Dusche/WC) 60 €; EZ »B« inkl. Frühstück (Dusche/WC auf dem Flur) 45 €; bei nur einer Übernachtung Aufpreis von 10 €
Nehemia-Hof:
EZ/VP 62 €, DZ/VP 55 €, Mehrbettzimmer/VP 52 €, Aufpreis für nur eine Übernachtung: 8 €; Bettwäsche kann ausgeliehen werden (3 €)

Verpflegung
In den Gästehäusern

Einkaufsmöglichkeiten
Gnadenthaler Hofmarkt: Bioprodukte aus eigener Herstellung
Präsenz-Buchhandlung/Präsenz-Verlag, Kunstgalerie: Aquarelle, Holzschnitte, Lithografien

Reservierung
Jesus-Bruderschaft, Gästepforte, 65597 Hünfelden; Tel. 0 64 38/8 12 00, Fax 8 13 77; E-Mail: info@jesus-bruderschaft.de

DEUTSCHLAND

Stille & Rückzug

Benediktinerinnenabtei Engelthal

63674 Altenstadt/Hessen
Tel. 0 60 47/9 63 60, Fax 6 88 08
E-Mail: Abtei-Engelthal@t-online.de
Internet:
www.abtei-kloster-engelthal.de

Mit dem Pkw: über die A 45 Gießen-Hanau bis Ausfahrt Altenstadt, dann B 521 in Richtung Altenstadt

Mit der Bahn: bis Frankfurt Hauptbahnhof, dann Nahverkehrszug Richtung Bad Vilbel-Stockheim bis Bahnhof Altenstadt, von dort ca. 3 km zur Abtei (Taxi wird auf Wunsch bestellt)

Das Kloster

Zwischen Feldern am Ortsrand von Altenstadt, in der Nachbarschaft nur eine Hand voll Bauernhöfe, liegt die Abtei Engelthal in der Wetterau zwischen Vogelsberg und Taunus in der Nähe von Frankfurt. Alle Gebäude der Klosteranlage sind von alten Mauern umgeben.

1268 stifteten die Ritter von Buches und Karben auf ihrem an der Nidder gelegenen Besitz ein Zisterzienserinnenkloster. Im Dreißigjährigen Krieg mussten die Schwestern 1622 fliehen, der Klosterkomplex wurde völlig zerstört. Bis 1750 wurde das Kloster auf den alten Grundmauern im spätbarocken Stil wieder aufgebaut. 1961 erwarb das Bistum Mainz den gesamten Klausurbereich und bot es den 20 Benediktinerinnen der Abtei vom Hl. Kreuz für eine Neugründung an, die sie schließlich 1962 besiedelten. In den folgenden Jahren wuchs die Gemeinschaft stark an, so dass neue Konventräume und Zellen für die Schwestern geschaffen wurden.

Das Gästehaus besteht aus zwei aus der Barockzeit stammenden Gebäuden: dem großen Äbtissinnengebäude und dem kleineren »Alten Torhaus«, in dessen Erdgeschoss die Buch- und Kunsthandlung, im Dachgeschoss einige Gästezimmer und ein Gebetszimmer mit Ikonen im alten Gewölbekeller untergebracht sind. Die »Pilgerrast«, ein Anbau an der Ostseite der Mauer, bietet Platz für Kurse, Gruppen und Tagungen. Im Gästehaus St. Gabriel, dem früheren Äbtissinnenbau, befindet sich der Großteil der hellen Gästezimmer mit Sitzecke, außerdem die Speisesäle, ein Aufenthalts- und ein Meditationsraum. Im sonnigen Gästegarten sitzt man herrlich im Grünen.

Im Kursangebot der Engelthaler Benediktinerinnen befinden sich Impulsexerzitien mit gemeinsamer Meditation, persönlichen Gebetszeiten und durchgehendem Schweigen, Kontemplationskurse mit stillem Sitzen, meditativem Gehen, Körperarbeit und Schweigen sowie die »Einführung ins gregorianische Psalmensingen« und das Seminar »Bibel und Märchen« zum Thema Segen. In den »Ignatianischen Einzelexerzitien« werden persönliche Gebetszeiten, Begleitgespräche, volles Schweigen und eutonische Körperübungen angeboten. Gemeinsam mit den Schwestern beten und arbeiten können Gäste während der »Ora et labora«-Woche. Bei »Au-pair-Aufenthalten« dürfen junge Frauen gegen Mitarbeit im Garten und auf der Obstplantage für einen geringen Unkostenbeitrag wohnen. Beliebt sind die jährlichen »Engelthaler Sommerserenaden« mit Bachmotetten und Rosenkranzsonaten.

Als Gast im Kloster

Aufgrund des stillen Charakters des Hauses ist Kloster Engelthal für Familien mit kleinen Kindern, Jugendgruppen und Aktivurlauber wenig geeignet. Aber für diejenigen, die Ruhe suchen, ist es ein Eldorado.

Rund um das Kloster

Büdingen

Das mittelalterliche Staufer-Städtchen Büdingen weist ein einmaliges Ensemble historischer Gebäude auf. Im Zentrum der Stadtanlage befindet sich die 13-eckige Wasserburg, die eine ausgezeichnete Kulisse für Ritterfilme abgeben würde. Das Schlossrestaurant bietet eine hervorragende Küche – speziell die Gerichte mit Wild aus dem Büdinger Forst sind erstklassig.
Schloss Büdingen, Schlossgasse 2, 63654 Büdingen; Tel. 0 60 42/88 92 40; Internet: www.schloss-buedingen.de

Service

Angebot für Gäste
Impulsexerzitien
Meditation
Kontemplationskurs
Gregorianik
Bibel und Märchen
Ignatianische Einzelexerzitien
Kloster auf Zeit
»Ora et labora«-Woche
Begleitgespräche
Geistliche Gartentage
Tage der Stille (Schweigetage)
Tage für SeniorInnen und Senioren
Au-pair-Aufenthalt
Gruppenaufenthalt
Jahresprogramm kann angefordert werden

Gottesdienste
Wo 6 Uhr Laudes, 8 Uhr Konventamt, 12 Uhr Mittagshore, 18 Uhr Vesper, 20.20 Uhr Komplet & Vigilien
So 6 Uhr Laudes, 9 Uhr Konventamt, 12 Uhr Mittagshore, 17 Uhr Vesper, 20.20 Uhr Komplet & Vigilien

Unterkunft
EZ/VP mit Bad 45–48 €, EZ/VP ohne Bad 30–35 €
DZ/VP mit Bad 42,50 €, DZ/VP ohne Bad 32,50 €
Aufenthalt erst ab zwei Übernachtungen möglich

Verpflegung
In den Speisesälen des Gästehauses
Essenszeiten: Frühstück 7.55 Uhr, Mittagessen 12.30 Uhr, Abendessen 18.15 Uhr

Einkaufsmöglichkeiten
Buch- und Kunsthandlung
Öffnungszeiten: werktags (außer Mo) 9.30–11.45 und 15–17.40 Uhr,
Sa 10–11.45 und 15–17.40 Uhr,
So 10.30–11.45 und 15–16.40 Uhr

Reservierung
Benediktinerinnenabtei Kloster Engelthal, Gästehaus, 63674 Altenstadt/Hessen; Tel. 0 60 47/98 79 03 05, Fax 6 88 08; E-Mail: Gaestehaus.Engelthal@t-online.de; Internet: www.abtei-kloster-engelthal.de

DEUTSCHLAND

Aktiv

Communität Christusbruderschaft Selbitz

Wildenberg 23
95152 Selbitz
Tel. 0 92 80/6 80 (Ordenshaus),
0 92 80/68 50 (Gästehaus),
Fax 68 68
E-Mail: gaestehaus@christusbruderschaft.de
Internet:
www.christusbruderschaft.de

Mit dem Pkw: A 9 München–Berlin, Ausfahrt Naila/Selbitz, Richtung Hof, nach ca. 200 m nach Selbitz abbiegen

Mit der Bahn: Strecke Hof/Saale-Bad Steben, Station Selbitz. Auf Wunsch Abholservice nach Voranmeldung

Das Kloster

Im Frankenwald am Döbraberg liegt die vom Pfarrerehepaar Hümmer 1949 gegründete Christusbruderschaft Selbitz. Sie gehört zur evangelisch-lutherischen Kirche in Bayern und unterhält in Selbitz bei Hof ihr Zentrum. Die Communität richtet ihr Leben an den drei Evangelischen Räten aus: Armut, Keuschheit und Gehorsam. Neben der Gästearbeit ist der diakonische Dienst an alten und kranken Menschen einer ihrer Schwerpunkte. Zur Communität gehören 120 Schwestern, sieben Brüder und 78 Tertiären. Die Bruderschaft unterhält u. a. ein Haus der Begegnung und Einkehr, ein Alten- und Pflegeheim, einen Verlag für Eigenpublikationen und einen Konvent in Zululand (Südafrika). Sehenswert sind einige der künstlerisch ausgestalteten Räume. Neun Zimmer können als Familienapartments genutzt werden. Ferner gibt es behindertengerechte Zimmer und Mehrbettzimmer für jüngere Gäste. Den Besuchern stehen in Selbitz zwei Kapellen, Gruppenräume, ein Seminar- und ein Clubraum, ein Spielzimmer für Kinder und mehrere Teeküchen zur Verfügung sowie im Außengelände ein Sport- und ein Kinderspielplatz und ein Grill.

Für Gäste wird eine gute Auswahl an Seminaren und Veranstaltungen angeboten, wie etwa Kloster auf Zeit für die ungewöhnlich lange Dauer von bis zu fünf Monaten, Retraiten, Freizeiten, Gesprächsbegleitung und Möglichkeit des Mitlebens für Schüler und Studenten. Im Angebot der Christusbruderschaft sind zudem enthalten: Mutter-Kind-Freizeit mit

Kinderprogramm, Frauenwochenenden, spirituelle Körperarbeit, Kinder- und Teenie-Freizeiten, Einzelexerzitien, Männerwochenenden, Wanderretraite, meditativer Tanz sowie Sabbatzeiten im Kloster.

Als Gast im Kloster

Die Atmosphäre im Kloster erinnert in ausgesprochen sympathischer Weise an Klassenfahrten ins Landschulheim. Einzelgäste sind das ganze Jahr über willkommen, geistliche Begleitung nach Anfrage möglich. Hobbymusiker: unbedingt Instrumente einpacken!

Rund um das Kloster

Altes Zollhaus Carlsgrün

Der Geheimtipp unter den Biergärten des Frankenwaldes! Das stilvoll restaurierte alte Haus im Ortsteil Carlsgrün ist auf Anhieb nicht so leicht zu finden. Doch die Suche lohnt sich, und einmal angekommen erwarten Sie die stets frisch zubereiteten Spezialitäten des Hauses: frische Forellen auf mindestens zehn unterschiedliche Zubereitungsarten und delikate Pfannengerichte.

Altes Zollhaus Carlsgrün, Siemesweg 9, 95138 Bad Steben/Carlsgrün; Tel. 0 92 88/17 90, Fax 17 73

Landgasthof Sellanger

Lassen Sie sich von der bodenständigen fränkischen Küche mit einem Schuss Nouvelle Cuisine verwöhnen. Bereits das Frühstück überrascht mit einem reichhaltigen Büffet mit gesunder Bio-Ecke. Auch bei den übrigen Mahlzeiten wird viel Wert auf gesunde Zutaten gelegt.

Familie Benker, 95152 Selbitz-Sellanger; Tel. 0 92 80/10 03; E-Mail: info@sellanger.de

Modellbahnausstellung LOK LAND

Auf 500 qm Hallen- und 150 qm Anlagenfläche finden Sie die faszinierende Welt der H0-Modelleisenbahn. Hier geht so mancher Kindertraum in Erfüllung. Über 60 Zuggarnituren mit mehr als 50 Wagen vermitteln dem Besucher eine realistisch gestaltete Bahnlandschaft mit allem, was der Liebhaber erwartet. Für Kinder stehen zusätzlich Spiel- und Bastelecken zur Verfügung.

LOK LAND, Hofer Str. 14, 95152 Selbitz, nur 2 km von der A 9/A 72, BAB-Dreieck Bayerisches Vogtland Ausfahrt Naila/Selbitz; Tel. 01 71/5 33 98 70, 0 92 52/9 22 94, Fax 91 65 20; E-Mail: info@lokland.de; Internet: www.lokland.de

Service

Angebot für Gäste

Mutter-Kind-Freizeit
Kloster auf Zeit
Einzelexerzitien
Männer- und Frauenwochenenden
Wanderretraite
Familien-Wochenenden
Tanz und Körperarbeit
Tage der Einkehr und Besinnung
Verwöhntage für Frauen
Sabbatzeit im Kloster

Gottesdienste

So 9.30 Uhr mit Eucharistie, Segnungsgottesdienste, 3 Gebetszeiten täglich (8, 12 und 17.20 Uhr)

Unterkunft

52 Zimmer. Übernachtung inkl. Vollpension im Zimmer mit DU/WC 38–45 €, ohne Dusche/WC 32–41 €. Mehrbettzimmer 27 €
Spezielle Preise für Kinder
Spenden zur Deckung der Unkosten willkommen

Einkaufsmöglichkeiten

Produkte aus dem eigenen Buch- & Kunstverlag

Reservierung

Communität Christusbruderschaft, Gästehaus, Postfach 1260, 95147 Selbitz/Ofr; Tel. 0 92 80/68 50, Fax 98 46 01; E-Mail: gaestehaus@christusbruderschaft.de; Internet: www.christusbruderschaft.de

Architektur & Baukunst

Zisterzienserabtei Himmerod

Himmerod
54534 Großlittgen
Tel. 0 65 75/9 51 30, Fax 95 13 20
E-Mail:
verwaltung@kloster-himmerod.de
Internet: www.kloster-himmerod.de

Mit dem Pkw: A 48 Koblenz–Trier, Ausfahrt Manderscheid, weiter in Richtung Großlittgen

Mit der Bahn: von Köln-Hbf. die Rheinstrecke bis Wittlich

Das Kloster

In »die grünen Falten am fließenden Wasser der Salm« schickte der hl. Bernhard von Clairvaux 1134 seine geistlichen Söhne, die grauen Zisterziensermönche, so begeistert war er von der wildromantischen Landschaft im noch nicht urbar gemachten Talkessel zwischen Kunowald und Salm. So wurden die hochgebildeten Zisterzienser bald zu Pionieren bei der Trockenlegung und Rodung (= »Himmerod«) von unerschlossenen Gebieten. Zunächst zogen die Mönche in spartanische, hölzerne Gebäude. 1179 folgte die Weihe der romanischen Basilika. Himmerod entwickelte sich vor allem im 12. und 13. Jahrhundert zu einem geistigen und kulturellen Zentrum, was hauptsächlich auf das Konto der bemerkenswerten Bibliothek und des Skriptoriums im 15. Jahrhundert ging. Die 1751 geweihte und von dem sächsischen Architekten Kretschmar erbaute Barockkirche und die anderen Konventsgebäude wurden nach der Zerstörung aufgrund der Säkularisation als Steinbruch ausgeschlachtet und erst 1919 wieder besiedelt. Noch immer umfassen die Klausurmauern aus dem 14. Jahrhundert die Gesamtanlage. Die Anlage folgt architektonisch dem Strukturprinzip der konzentrischen Kreise, wie z.B. das Wappen, das auf Bernhard von Clairvaux zurückgeht. Im Außenbereich ordnen sich Gästehaus, Werkstätten, Mühle, Buchladen und Gasthof um einen Mittelpunkt, im inneren Bereich liegen Kirche und Klostergebäude, Klausur und Quadrum. Ausgedrückt werden soll mit diesem Bauprinzip die Konzentration auf das Wesentliche. Wie etwa die Brüderlichkeit, der sich Bruder Stephan Reimund Senge in seiner »Initiative Sudan« verschrieben hat, wo er seelsorgerisch tätig ist und Hilfsprojekte organisiert.

In der Abtei wird seit dem 12. Jahrhundert Fischerei betrieben, heute gehören zehn Zuchtbecken und vier Fischweiher zu Himmerod. Eine Erlebnisfischerei, bei der man die Entwicklung von der befruchteten Brut bis zur ausgewachsenen Forelle verfolgen kann, wird neu gebaut. Die vorzüglichen Fischspezialitäten aus eigener Zucht werden in der Klostergaststätte serviert und direkt in der Fischerei verkauft. Im Übrigen bietet die gutshofähnliche Klostergaststätte einen deftigen klösterlichen Eintopf.

In der internationalen Begegnungsstätte »Alte Mühle«, einer Kornspeichermühle aus dem 17. Jahrhundert mit Emailkunst-Museum, finden Ausstellungen und Seminare statt; dort kann man sich auch mit einem Videofilm über die Klostergeschichte informieren. In den beiden Gastflügeln der Abtei erhalten Einzelpersonen ebenso Unterkunft wie Ehepaare, Familien oder Gruppen, um im Kloster einige Tage des Abschaltens zu erleben. Sie können an den Gebetszeiten der Gemeinschaft sowie an der Morgen- und Abendmeditation teilnehmen. Auf Wunsch bieten die Zisterzienser Einzelexerzitien an. Zahlreiche Zimmer stehen im Exerzitienhaus zur Verfügung. Kunstseminare des »Creativ-Kreis-International« finden regelmäßig statt.

Als Gast im Kloster

Im zisterziensischen Konvent sind dem menschlichen Körper verschiedene klösterliche Funktionen und Räumlichkeiten zugeordnet: Im Osten der Kopf mit den geistigen Funktionen, in der Mitte der Rumpf mit Refektorium und Lavabo, im Westen die Füße: Cellarium und Ein-

Tafelrunde im Speisesaal

und Ausgang. Ebenso bietet Himmerod etwas für alle Wünsche und Interessen der Gäste und sorgt so für ein behagliches Gefühl rundum!

Rund um das Kloster

Die Eifel hat für jeden etwas zu bieten

Ursprüngliche Natur, viele Rad- und Wanderwege, Kirchen, Klöster, Seen,

DEUTSCHLAND

Extratipp

Eifelgeysir »Wallender Born« Wer etwas Geduld mitbringt, kann auch außerhalb Islands ein wunderbares Naturschauspiel erleben. Alle 35 Minuten schäumt das Wasser im »Wallenden Born«. Pünktlich bildet es dann Blasen und steigt etwa einen Meter hoch. Dabei hört man ein rauschendes und leicht grollendes Geräusch. Der »Wallende Born« ist in Deutschland der einzige tätige Geysir. Diese natürlichen Springbrunnen entstehen nur auf vulkanischen Böden. In Hohlräumen sammelt sich Wasser und Kohlensäure an. Sobald das Gas Überdruck erreicht, schießt das Wasser nach oben.

Wallenborn in der Eifel, nahe dem »Landhaus am Brubbel«, Weidenbacherstr. 3 a, 54570 Wallenborn

Talsperren, Burgen und Schlösser, Action und Fun, Sport, Wellness und reizvolle Städte – die Zeit wird nicht annähernd ausreichen, um das vielfältige Angebot auch nur halbwegs auszuschöpfen.

Maarmuseum Manderscheid
Die Maare, einzigartige Archive für vergangene Zeiten, zeigen sich im Maarmuseum Manderscheid von ihrer transparenten Seite. Ein Highlight der Ausstellung ist das begehbare Großmodell eines Maares mit integrierten audio-visuellen Darstellungen. Betrachten Sie dazu die Rekonstruktion dieser ehemals tropischen Eifel-Landschaft. Vergleichend wird die heutige Pflanzen- und Tierwelt der Eifel-Maare lebensnah präsentiert. Zu sehen sind auch die Fossilien des ca. 45 Millionen Jahre alten Eckfelder Maares, allen voran das berühmte »Eckfelder Urpferdchen« und die »älteste Honigbiene der Welt«.
Maarmuseum Manderscheid, Wittlicherstr. 11, 54531 Manderscheid; Tel. 0 65 72/92 03 10; Internet: www.maarmuseum.de; Öffnungszeiten: März–Okt. Di–Sa 10–12 und 14–17 Uhr, So 13–17 Uhr, Mo geschl., Gruppen ganzjährig auf Anfrage

Burg Eltz
Der Name der Burg erklärt sich aus ihrem Standort am Elzbach, dem nahe gelegenen Moselzufluss. Das vom 11. bis 16. Jahrhundert erbaute Märchenschloss Burg Eltz, 20 Kilometer nordöstlich von Cochem, Inbegriff einer mittelalterlichen Burg, ragt in einem waldreichen Seitental auf einem Felsen empor. Einen reizvollen Anblick bieten die verschiedenen Baustilelemente, Dächer, Türmchen und Erker. Die Häuser und Wohntürme innerhalb der Burgmauer stammen aus verschiedenen Jahrhunderten. In zwei Gaststätten erwarten die Besucher kleine Gerichte sowie Kaffee und Kuchen. Probieren Sie den Eltzer Wein und genießen den unvergleichlichen Blick ins Elztal.
Burg Eltz, 56294 Münstermaifeld; Tel. 0 26 72/95 05 00; Internet: www.burg-eltz.de; Öffnungszeiten: 1. April–1. Nov. tgl. 9.30–17.30 Uhr

Service

Angebot für Gäste
Kloster auf Zeit
Einkehr- und Exerzitienangebote
Orgelkonzerte
Meditationswandern

Gottesdienste
Wo 7.30 Uhr Konventamt, 17.45 Uhr Vesper, 19.30 Uhr Komplet.
So 8 und 10 Uhr lateinisches Choralamt, 17 Uhr Vesper, 19.30 Uhr Komplet

Unterkunft
In der Abtei bzw. im Gästehaus. Für Unterkunft und Verpflegung existiert kein Festpreis, eine Spende, die den Unkosten und Möglichkeiten entspricht, wird erwartet.

Verpflegung
Für Hausgäste im Kloster
Klostergaststätte: Tel. 0 65 75/95 13 44; Öffnungszeiten: Sa und So 10–19, Mo–Fr 10–18 Uhr

Einkaufsmöglichkeit
Buch- und Kunsthandlung:
Steinofenbrot und Kuchen aus dem Ofen der »Alten Mühle«
Bücher
Honig, Apfelwein, Abteibier, Kräutertee (alles aus eigener Produktion), Ikonen, Keramik, Devotionalien, selbst gebrannter Klosterlikör
Musik-CDs (Himmeroder Orgelmusik)
Klosterfischerei: tagesfrische Räucherforelle, Lachsforelle, Wels, Aal, Barsch und Karpfen, Flusskrebse nach Saison

Reservierung
Pater Stephan, Gäste- und Exerzitienhaus, Abtei Himmerod, Himmerod 3, 54534 Grosslittgen; Tel. 0 65 75/95 13 21, Fax 95 13 54; Internet: www.kloster-himmerod.de

Karmelitenkloster Springiersbach

Karmelitenstr. 2
54538 Bengel
Tel. 0 65 32/9 39 50, Fax 93 95 80
E-Mail:
Karmel.Springiersbach@t-online.de
Internet: www.karmelitenorden.de/klosterspringiersbach.html

Mit dem Pkw: über die A 48 bis Ausfahrt Mehren, weiter auf der B 421 nach Kinderbeuern, dort auf der B 49 über Bengel nach Springiersbach

Mit der Bahn: Linie Koblenz–Trier bis Bahnhof Bengel oder Bullay (Abholservice von Bengel)

Das Kloster

Die Chronik des Klosters Springiersbach beginnt um 1100 mit einer klösterlichen Niederlassung. In dem kleinen Konvent leben heute sechs Karmeliten. Im Exerzitienhaus »Carmel Springiersbach« steht Gästen der neue Meditationsraum im ausgebauten Dachgeschoss zur Verfügung, ebenso wie die Hauskapelle und verschiedene Aufenthaltsräume. Die Karmeliten bieten ganzjährig diverse Kurse und Aufenthaltsformen an. Das Kloster ist ein Ort der Erholung und Stille. Musikveranstaltungen mit bekannten Solisten und Orchestern in der Kirche und dem spätromanischen Kapitelsaal vereinen optischen und akustischen Genuss. Von Bengel aus ist der Naturpark Saar-Hunsrück sehr schnell zu erreichen. Lohnend ist auch ein Besuch im historischen Dachschieferbergwerk Fell bei Trier.

Service

Angebot für Gäste
Impulstage
Tage der religiösen Vertiefung und Lebensorientierung
Geistliche Begleitung im Karmel
Stille Tage
Vortrags- und Einzelexerzitien
Urlaub im Kloster

Gottesdienste
Sa 17 Uhr Vorabendmesse;
So 10.30 Uhr Eucharistiefeier, 18 Uhr Vesper; Mi, Do, Fr 7.30 Uhr Eucharistiefeier, Di 19 Uhr

Unterkunft
Ü/VP im EZ mit Dusche 44 €

Reservierung
Pater Theo Vreeswijk; E-Mail: thvreeswejk@t-online.de

Kulinarisch

Benediktinerinnenabtei St. Hildegard

Klosterweg
65385 Rüdesheim am Rhein
Tel. 0 67 22/49 90, Fax 49 91 78
E-Mail: bendiktinerinnen@abtei-st-hildegard.de
Internet: www.abtei-st-hildegard.de

Mit dem Pkw: über die Autobahn Frankfurt–Wiesbaden über Koblenz nach Rüdesheim

Mit der Bahn: bis Bahnhof Rüdesheim am Rhein

Das Kloster

Oberhalb von Rüdesheim am Rhein und des Hildegard-von-Bingen-Klosters Eibingen liegt heute die neue, ab 1904 erbaute Benediktinerinnenabtei St. Hildegard. Ihr Gründer, Fürst Karl zu Löwenstein, war eine der führenden Persönlichkeiten des deutschen Katholizismus im 19. und 20. Jahrhundert. Aus dem Felsen oberhalb des Bauplatzes wurde das Baumaterial gebrochen – ein von Quarzit durchsetzter roter Sandstein. Die neoromanische Abteikirche entstand 1908 nach dem Vorbild der alten Basiliken und war innen im Stil der Beuroner Kunstschule bemalt. Diese ist aber nach einer Restaurierung in den 60er-Jahren nicht mehr ursprünglich erhalten.

Bis ins Mittelalter reichen die Wurzeln des Klosterweingutes zurück, dessen Weinberge sich vorwiegend in Rüdesheimer Lagen rings um die Abtei gruppieren. Die ausgebildeten »Winzerschwestern« Andrea und Thekla haben erst im Kloster ihre Liebe zum Wein entdeckt – kein Wunder, bei den vorzüglichen, mehrfach prämierten Rieslingen und Spätburgundern. Die klostereigene Firma »Dinkel & Likör« versorgt Besucher mit Dinkelprodukten, Klosterlikör und Klosterbitter. Sakrale Kunst und moderner Schmuck wird von Sr. Judith, der Goldschmiedemeisterin, hergestellt und umgearbeitet. Auch ein Ikonenatelier gibt es.

Gäste sind im Kloster willkommen, um zu beten, ins Gespräch zu kommen oder eine individuell gestaltete »Zeit der Stille« zu verbringen. Konfession und weltanschaulicher Hintergrund der Gäste spielen dabei keine Rolle. Die Zimmer sind einfach ausgestattet. Zupackende Mithilfe in den klösterlichen Betrieben ist meistens möglich, ebenso wie eigens zu vereinbarende Exerzitienaufenthalte und Einkehrtage.

Rund um das Kloster

Kabinenseilbahn zum Niederwald-Denkmal

Zu den Höhepunkten eines Aufenthaltes in Rüdesheim am Rhein gehört eine Fahrt mit der Kabinenseilbahn zum Niederwalddenkmal. Der herrliche Panoramablick auf die Rüdesheimer Altstadt und den silberglänzenden Rhein mit seinen grünen Inseln macht das ruhige Schweben über den Weinbergen zu einem besonderen Erlebnis. Die Talstation liegt mitten in der Fußgängerzone Oberstraße.
Preis: Hin- und Rückfahrt 6,50 €.
Oberstr. 37, 65385 Rüdesheim am Rhein; Tel. 0 67 22/24 02; Internet: www.seilbahn-ruedesheim.de

Rheingauer Weinmuseum Brömserburg

Weinkultur und Geschichte präsentieren sich auf einzigartige Weise in der über 1000-jährigen Brömserburg, einer der ältesten Burgen am Mittelrhein. Das Museum zeigt 2000 Exponate rund um das Thema Wein von der Antike bis zur Neuzeit. Nicht nur für Weinkenner.
Rheingauer Weinmuseum, Rheinstr. 2, 65385 Rüdesheim am Rhein;
Tel. 0 67 22/23 48; Internet: www.rheingauer-weinmuseum.de;
Öffnungszeiten: 1. April–Ende Okt. tgl. 10–18 Uhr; Eintritt 5 €

Rüdesheimer Winzerexpress

Der Rüdesheimer Winzerexpress führt interessante Besichtigungsfahrten durch die Weinberge mit Erklärungen über Weinbau und Sehenswürdigkeiten durch. Abfahrtsstelle ist in der Fußgängerzone Oberstraße vor »Siegfried's Mechanischem Musikkabinett«.
Wilhelmstr. 27, 65385 Rüdesheim am Rhein; Tel. 0 67 22/23 76; Internet: www.winzerexpress.de; Preis 5 €.
Abfahrtszeiten auf einem Schild vor dem »Musikkabinett«.

Service

Angebot für Gäste
Zeit der Stille
Exerzitien
Mitleben im Kloster
Einkehrtage
Hildegard-Meditationen
Konzerte
Vorträge

Gottesdienste
Wo 5.30 Uhr Laudes, 7.30 Uhr Terz und Hochamt, 11.45 Uhr Sext, 13 Uhr Non, 17.30 Uhr Vesper, 19.20 Uhr Komplet und Vigilien
So 6 Uhr Laudes, 8.15 Uhr Terz und Hochamt, 12 Uhr Sext, 13.20 Uhr Non, 17.30 Uhr Vesper, 19.20 Uhr Komplet und Vigilien

Unterkunft
Tagessatz (Übernachtung und vier Mahlzeiten) 43–48 €; Schüler/Studenten 24 €

Verpflegung
Gästespeiseraum bei der Klosterpforte

Einkaufsmöglichkeiten
Vinothek, Öffnungszeiten: werktags und Sa 9.30–11.45 und 14–17 Uhr; Weinversand ins In- und Ausland, Geschenksendungen; Tel. 0 67 22/ 49 91 16
Klosterladen: Dinkelprodukte, Klosterlikör, Klosterbitter.
Literatur zu Religion, Spiritualität, Theologie, religiöses Kinder- und Jugendbuch, Lebensberatung.
Religiöse und profane Kunst: Kreuze, Ikonen, Kalender, Keramik, Kunstpostkarten und Kerzen, Heiligenfiguren.
Öffnungszeiten: Mo–Sa 9.30–11.45 und 14–17 Uhr.
Goldschmiede: sakrale Kunst, Kelche, Kreuze und Patenen, moderner Schmuck, Ketten, Ohrringe, Ringe und Armbänder.
Öffnungszeiten: Mo–Sa 9–11.30 und 14.30–16.30 Uhr

Reservierung
Gastschwester Sr. Agatha;
Tel. 0 67 22/49 91 22; E-Mail: gaeste@abtei-st-hildegard.de

Aktiv

Benediktinerabtei Münsterschwarzach

Schweinfurter Str. 40
97359 Münsterschwarzach
Tel. 0 93 24/2 00, Fax 2 02 11
E-Mail:
gh@abtei-muensterschwarzach.de
Internet:
www.abtei-muensterschwarzach.de

Mit dem Pkw: über die Autobahn A 3 Würzburg–Nürnberg bis zum Bibelrieder Kreuz, Ausfahrt Schwarzach

Mit der Bahn: bis Bahnhof Kitzingen, weiter mit dem Bus Richtung Volkach bis Schwarzach (ca. 10 km)

Das Kloster

Die Benediktinerabtei an der Mündung der Schwarzach in den Main gehört zu den ältesten Klöstern Frankens, errichtet um 788 als Frauenkloster mit karolingischer Kirche. Nach seinem Erlöschen wurde es 877 von Mönchen übernommen.

Nach wechselvoller Geschichte wurde die barocke Klosteranlage mit der Abteikirche von Balthasar Neumann 1803 im Zuge der Säkularisation aufgehoben und in den folgenden Jahren weitgehend zerstört. 1913 besiedelten die Missionsbenediktiner von St. Ottlien das Gut, wurden aber während des Nationalsozialismus 1941 erneut vertrieben. Die mächtige viertürmige – 1935 bis 1938 von Prof. Albert Boßlet erbaute – Abteikirche erinnert an romanische Dome. Das Gästehaus Münsterschwarzach steht Einzelgästen und Gruppen offen. Für die Gäste sind drei Speiseräume, eine Anbetungskapelle, ein Meditationsraum und ein Lesezimmer eingerichtet. Von der Küche werden Sie mit vier Mahlzeiten pro Tag versorgt. Dabei stammen die Nahrungsmittel zum größten Teil aus den klostereigenen Betrieben, der Metzgerei, Bäckerei, Landwirtschaft und Gärtnerei. Kaffee und Getränke bekommen Sie rund um die Uhr. Schulklassen und Jugendgruppen bietet die neue »Münsterklause« eine sonnendurchflutete Unterkunft: Das Dach hat eine Glasfront, die Helligkeit und Wärme in das Gebäude bringt. Die lichten Räume spiegeln das Konzept der Münsterklause wider: offen zu sein nach außen für Fragen der »hellen Köpfe«. Vom »gläsernen« Speisesaal blickt man beim selbst gekochten Mittagessen auf das Maintal. Für Außenaktivitäten stehen die Sportplätze des Klostergymnasiums zur Verfügung. Im Ateliergebäude neben der Druckerei zeigt eine Galerie Arbeiten der Patres Meinrad Dufner und Polykarp Uehlein. Bischofsringe und Armbänder, aber auch Kronen für Weinköniginnen werden in der Gold- und Silberschmiede hergestellt. Die Münsterschwarzacher Benediktiner führen den bedeutenden Ordensverlag »Vier Türme«, in dem zahlreiche Titel des Paters Anselm Grün erschienen sind, der seit über 40 Jahren der Bruderschaft angehört. Gastgruppen bieten die Brüder Kirchen- und Klosterführungen an, stehen für Gruppengespräche zur Verfügung und gestalten Besinnungstage.

Junge Männer, die Chorgebet, Arbeit und Mahlzeiten der Mönche teilen möchten, sind zum »Kloster auf Zeit« eingeladen. Weiterhin werden Ikebanakurse angeboten, »Einkehrtage« zur Betrachtung der eigenen Lebenssituation und Kontemplationsseminare. Ruhe finden Gäste durch meditative Übungen, stille Arbeit und Gebärdentanz bei den »Wegen ins Schweigen«.

Als Gast im Kloster

Die Abtei Münsterschwarzach bietet einen ausgesprochen undogmatischen Rahmen für das gut ausgewählte, motivierende Kursprogramm.

Rund um das Kloster

Weinlandkreis Kitzingen

Die »Bocksbeutelstraße« zu Orten bekannter fränkischer Weinlagen führt durch die Marktgemeinde Schwarzach a. Main. In Kitzingen-Repperndorf haben Sie die Möglichkeit, sich bei einem erholsamen Spaziergang auf dem Wein- und Naturlehrpfad durch die Weinberge anhand vieler Informationstafeln mit der landschaftlichen und naturgegebenen Besonderheit des Repperndorfer Berges vertraut zu machen.

Service

Angebot für Gäste
Kloster auf Zeit
Ikebana
Wege ins Schweigen
Tage im Kloster für junge Männer bis 35 Jahre
Kontemplation
Gregorianischer Choral
Fasten und Stille
Einkehrwochenenden
Meditationsseminar
Anmeldung bitte schriftlich

Gottesdienste
Wo 5.05 Uhr Vigil & Laudes, 6.15 Uhr Konventamt, 12 Uhr Mittagshore, 18 Uhr (Do 17.30) Vesper, 19.35 Uhr (Mi 19.10 Uhr) Komplet
So 6.10 Uhr Vigil & Laudes, 9 Uhr Konventamt, 11.45 Uhr Mittagshore, 17.45 Uhr Vesper, 19.30 Uhr Komplet
Eucharistiefeiern: So in der Abteikirche 7.30 Uhr, 10.30 Uhr; wochentags in der Krypta 7 Uhr.

Unterkunft
Gästehaus: 51 Zimmer. Tagessatz inkl. Vollpension im EZ 32–39 €, im DZ 36 €
Kostenreduzierung durch Mitarbeit
Münsterklause: Mehrbettzimmer (4–6 Personen) mit Dusche/WC auf den Fluren.
Zuschlag für Einzelübernachtung 5 €

Verpflegung
Speisen aus eigener Herstellung (Bäckerei, Metzgerei, Gärtnerei)
Essenszeiten: Frühstück 7.45 Uhr, Mittag 12.20 Uhr, Kaffee 13.30 Uhr bis 16.30 Uhr, Abendessen 18.40 Uhr.

Einkaufsmöglichkeiten
Buchhandlung mit Goldschmiede, Öffnungszeiten: Mo–Fr 8.30–17.30 Uhr, Sa 8.30–12 und 13–17 Uhr, Ostern–Weihnachten auch So 10.30–12 und 13–17 Uhr
Klosterladen (Fleisch- und Backwaren), Öffnungszeiten: Di, Mi 7.30–13, Do, Fr 7.30–17.30, Sa 7.30–12 Uhr
Makondeladen (Waren aus der Dritten Welt), Öffnungszeiten: Mo–Fr 9.30–17.30, Sa 9.30–12 und 13–17, So 10–12 und 13–17 Uhr

Aktiv

Communität Casteller Ring

97348 Rödelsee
Tel. 0 93 23/3 20, Fax 32 20 9
E-Mail: ccr@schwanberg.de
Internet: www.schwanberg.de

Mit dem Pkw: Autobahn Frankfurt–Würzburg, Ausfahrt Bibelried, auf der B8 durch Kitzingen Richtung Rödelsee zum Schwanberg

Mit der Bahn: Bahnhof Iphofen, weiter mit dem Taxi (Vorbestellung Tel. 0 93 23/16 49) oder Mietwagen zum Sonderpreis

Das Kloster

Die Communität hat sich 1950 aus dem Bund Christlicher Pfadfinderinnen herausgebildet. Die Frauen der geistlichen Gemeinschaft der Evangelisch-Lutherischen Kirche leben in Anlehnung an die Regel des heiligen Benedikt. Der heutige Eigentümer, Radulf Graf zu Castell-Rüdenhausen, hat Schloss Schwanberg 1957 an die Communität verpachtet, die es zu einer Tagungsstätte umgestaltet und modernisiert hat. Umgeben von Wald und Weinbergen liegt Schloss Schwanberg oberhalb des Mains im Naturpark Steigerwald. Es steht auf dem Platz einer keltischen Fliehburg, von der Teile in das Schloss Schwanberg, um 1230 erstmals urkundlich erwähnt, integriert wurden. Schlossgarten und Ecktürmchen verleihen der Gesamtanlage einen feudalen Charakter. Die rote Klinkerkirche St. Michael, 1987 vom Architekten Alexander Freiherr von Branca gestaltet, ist im Stil der Festungsarchitektur gebaut. Fehlende Fenster, Oberlicht und Mauerflächen ohne Binnengliederung lassen sie nach außen verschlossen wirken.

Minimalistische Möblierung, reduzierte Formen und klare Farben, einfach gestaltete Räume sowie der Meditationsgarten tragen zur Konzentration auf das Wesentliche bei. Mithelfende Gäste sind im Gutshof untergebracht, Jugendliche und Familien im Jugendhof. Abends sitzt man in den zwei alten Gewölben gemütlich am offenen Kamin oder in der Turmstube zusammen. Das »Schwanberg Café & Wein« (Terrasse und Innenhof) versorgt die Gäste mit herzhaften oberfränkischen Spezialitäten. In der eigenen Vinothek wird eine Auswahl erlesener Frankenweine angeboten.

Auf dem Schwanberg können Sie Ikonenmalkurse, Meditations- und

Kontemplationskurse bei strengem Schweigen besuchen, an Einzel- und Gruppenexerzitien teilnehmen, Einzelgespräche mit den Schwestern vereinbaren und eine Zeit lang im Konvent leben und halbtags in der Tagungsstätte mitarbeiten. Weiterhin werden Sommerfreizeiten für Familien angeboten. Im Dachgeschoss des über 100 Jahre alten »Forsthauses« auf dem Schwanberg werden drei urgemütliche Ferienwohnungen

Meditationsraum

vermietet. Weinproben und fränkische Kulturabende finden regelmäßig im »Café & Wein« statt. Auf der Theaterbühne wird z. B. das »Hadeloga Puppenspiel« zum Besten gegeben, das die Gründungssage der Kreisstadt Kitzingen vorstellt.

Als Gast im Kloster

Der Schwanberg ist durch sein Angebot und seine ruhige, in sich geschlossene Lage äußerst familienfreundlich. Theater- und Regieinteressierte kommen in »Bibliodrama-Kursen« und auf der Bühne des »Café & Wein« auf ihre Kosten. Meditative Atmosphäre im Innern.

Rund um das Kloster

Kirchenburgmuseum Mönchsondheim

Bauern-/Handwerksmuseum unter freiem Himmel. In der historisch gewachsenen Dorfanlage steht noch alles an seinem ursprünglichen Ort, z.B. die Schule von 1927, das Mesnerhaus von 1837, das frühere Wohnhaus der Dorflehrer und Mesner, ein historischer Gasthof von 1790, das Rathaus mit Bäckerei und Schmuckfachwerk von 1557. In der so genannten »Kirchenburg« aus der Zeit vom 15. bis 18. Jahrhundert sind 17 verschiedene Handwerksberufe vorgestellt. Hier befindet sich auch die Kellerschänke, in der man Kesselfleisch und fränkische Weine probieren kann.

Kirchenburgmuseum Mönchsondheim, 97346 Iphofen-Mönchsondheim; Tel. 0 93 26/12 24; E-Mail: kirchenburgmuseum@kitzingen.de, Internet: www.kirchenburgmuseum.de; Öffnungszeiten: Juni–Okt. Di–Sa 10–18, So 11–18, März–Mai und Nov. Di–Sa 13.30–17, So 11–17 Uhr

Museum Malerwinkelhaus Marktbreit

Die drei aneinander gebauten Häuser waren Sitz eines bedeutenden Spezereiwarenhandels in Marktbreit. Die Ausstellung in verwinkelten Zim-

DEUTSCHLAND

Extratipp

Römerrundweg in Marktbreit 1985 wurde auf dem Kapellenberg ein römisches Legionslager aus augusteischer Zeit entdeckt. Mit ca. 37 Hektar war es eines der größten römischen Lager überhaupt. Der gut drei Kilometer lange Rundweg, beginnend und endend am Mainkran, ist mit acht Tafeln bestückt, die mit Text und Bild das Lager sowie das Leben der römischen Legionäre darstellen. Wer auf diesem Römerrundweg wandert, erweitert seinen geschichtlichen Hintergrund auf angenehme Weise und genießt einen herrlichen Ausblick in das Maintal, der für die körperliche Anstrengung reichlich belohnt.

merfluchten führt dem Betrachter die gesellschaftliche Situation der Bürgerfamilie und das erstrebte Ideal der Hausfrau und Mutter vor Augen. Exponate zeigen, wie Mäd-

Malerwinkelhaus

chen in Familie und Schule auf diese Rolle vorbereitet wurden, sowie die harte, Zeit raubende Arbeit, die sie ohne elektrische Hilfsmittel verrichten mussten. Um sich die Annehmlichkeit der »stillen Örtchen« heute bewusst zu machen, ist eine Besichtigung des über dem Breitbach außen schwebenden Toilettenhäuschens mit Fenster empfehlenswert. Von dort haben Sie einen guten Ausblick auf den malerischen Ort.
Bachgasse 2, 97340 Marktbreit; Tel. 0 93 32/4 05 46; Internet: www.marktbreit.de; Öffnungszeiten: Di–Do 10–12, Fr–So 14–17 Uhr, Mitte Juli–Mitte Sept. und Mitte Jan.–Mitte März geschl.

Weingut Thomas Mend
Kennen Sie «Blaue Zipfel«? Im stilvollen Wintergarten-Ambiente können Sie diese und andere fränkische Spezialitäten zusammen mit einem Gläschen Wein genießen. Weinproben und Weinbergsführungen organisiert der Besitzer Thomas Mend.
Weingut Thomas Mend, Weinbergstr. 13, 97346 Iphofen; Tel. 0 93 23/30 13; Weinverkauf: Mo–Fr 9–12 und 13–18, Sa 10–17, So 11–16 Uhr; Weinstube nach Vereinbarung geöffnet

Service

Angebot für Gäste
Einzelexerzitien nach Absprache
Mitleben auf Zeit für Frauen ab 18 Jahren
Gruppenexerzitien Termine siehe Jahresprogramm
Meditatives Malen jeweils Samstag um 9.30 Uhr
Kontemplationskurs
Kreative Schreibwerkstatt
Meditationstage
Fasten und Wandern
Urlaub im Schloss
Ikonenmalkurs
Sommerfreizeit für Familien während der Sommerferien
Seminare zu unterschiedlichen Themen (Homöopathie bis Tanz)
Theaterbühne »Café & Wein«: Infos bei Doris Paul; Tel. 0 93 23/3 21 30
Anmeldung schriftlich

Gottesdienste
Wo 6.30 Uhr Laudes, 12 Uhr Mittagsgebet, 18 Uhr Vesper, 20 Uhr Komplet
So 6.30 Uhr Laudes, 9 Uhr Sakramentsgottesdienst, 12 Uhr Mittagsgebet, 17 Uhr Vesper
Sakramentsgottesdienste während der Woche: Di 20 Uhr, Fr 6.30 Uhr

Unterkunft
Tagungsstätte Schloss Schwanberg: EZ/VP mit Dusche/WC 47,50 €, DZ/VP mit Dusche/WC 44,50 €
Zimmer in der Grafenetage mit Landblick: EZ mit Dusche/WC 56,50 €, DZ mit Dusche/WC 51 €
Haus St. Michael: EZ/VP mit Nasszelle 50,50 €
Apartments im Forsthaus ca. 50 € pro Person inkl. VP, 35–40 € für Selbstversorger

Reservierung
Sr. Ursula Teresa Buske, Geistliches Zentrum Schwanberg, 97348 Rödelsee; Tel. 09 23/3 20, Fax 3 21 16
Haus St. Michael, E-Mail: haus-st-michael@schwanberg.de
Tagungsstätte Schloss Schwanberg, E-Mail: schloss@schwanberg.de
Jugendhof, E-Mail: jugendhof@schwanberg.de

Kloster Schwarzenberg der Franziskaner-Minoriten

Klosterdorf 1
91443 Scheinfeld
Tel. 0 91 62/92 88 90, Fax 4 48
E-Mail:
info@kloster-schwarzenberg.de
Internet:
www.kloster-schwarzenberg.de

Mit dem Pkw: über die Autobahn Nürnberg–Frankfurt bis zur Ausfahrt Schlüsselfeld, weiter Richtung Süden nach Scheinfeld

Mit der Bahn: auf der Linie Würzburg–Nürnberg bis Bahnhof Markt Bibart (Abholservice) oder weiter mit dem Bus bis Scheinfeld

Das Kloster

Scheinfeld liegt im fränkischen Wald in dem Dreieck zwischen Bamberg, Würzburg und Nürnberg. Das Kloster Schwarzenberg mit seinem Bildungshaus ist ein Konvent der Franziskaner-Minoriten. Der Ursprung der Gnadenstätte Maria-Hilf, der das spätere Kloster seinen Standort verdankt, ist ungewiss. Anfang des 17. Jahrhunderts soll die Gräfin von Schwarzenberg die Verehrung der Muttergottes an einer Bildeiche südöstlich der heutigen Wallfahrtskapelle gefördert haben. Entsprechend mittelalterlicher Bautradition bildet die alles andere überragende Kirche einen Flügel des Klostergevierts – ein geschlossener Bau aus verputzten Quadersteinen. Asketisch wirkt die nur von aufgereihten, hohen Rundbogenfenstern gegliederte Nordseite. Im Innern verweisen die klassizistische Klarheit der Form sowie der Verzicht auf ornamentalen Schmuck auf den Charakter der Bettelordensarchitektur. Idyllisch wirken hingegen die Ziegen auf der Obstwiese und der Klostergarten mit seinem meditativ-kreisförmig angelegten Weg und den Obstbäumen.

Das Elisabeth-Haus – ruhig am Waldrand gelegen – bietet einen erholsamen Unterkunftsort für die Gäste des Klosters. Die Zimmer wirken aufgrund der Ausstattung mit Holz freundlich und warm. Es gibt einen eigenen Aufenthalts- und einen Speiseraum. Wer Stille sucht oder Gebetsgemeinschaft mit dem Konvent wünscht, wird sich im Elisabeth-Haus wohl fühlen.

Die Franziskaner-Minoriten bieten Fastenseminare an, die den »inneren Arzt« aktivieren sollen. Gleichzeitig übt man Konsumverzicht und löst sich von Reizüberflutung. Im Kurs »Tanz als Gebet« wird versucht, Bewegungselemente, z. B. die Verneigung oder den Einzug der Gemeinde in die Kirche, in den Gottesdienst einzubringen. Das Seminar »Ikonenmalerei« findet in einer Atmosphäre der Meditation und der Ruhe statt.

Kloster Schwarzenberg bildet den idealen Ausgangspunkt für Ausflüge in den Naturpark Steigerwald mit seinen anmutigen Laub- und Mischwäldern, den verträumten Tälern und Wiesengründen. Urlauber können auf dem Keltenerlebnisweg wandern und Schloss Schwarzenberg mit seinen Renaissancemusik-Konzerten und dem Schlossgasthof besuchen.

Als Gast im Kloster

Die Veranstaltungen des Bildungshauses sind von stark spirituellem Charakter. Wer eine wirkliche Rückzugsmöglichkeit sucht, ist in diesem abgelegenen Kloster im Wald auf das Beste versorgt.

Rund um das Kloster

Naturpark Steigerwald

Der Naturpark Steigerwald gilt als das »grüne Herz Frankens«. Von Norden her wird er von einem großen Mainbogen eingefasst. Seine markantesten Bergkuppen erreichen Höhen zwischen 450 und 500 Meter. Ausgedehnte Laubwälder, anmutige Bachtäler und die Weingärten an den westlichen Steilhängen geben der vielgestaltigen Landschaft ihren besonderen Charakter. Auf dem Keuperboden der sonnigen Hänge gedeihen bekannte Frankenweinsorten.

Hauptstraße 1, 91443 Scheinfeld; Tel. 0 91 62/1 24 24; Internet: www.steigerwald-info.de

Schloss Schwarzenberg

Die ehemalige mittelalterliche Höhenburg wurde nach einem verheerenden Brand im Jahre 1607 als märchenhaftes Renaissanceschloss neu aufgebaut. In den »Scheinfelder Heimatstuben« findet sich neben stadtgeschichtlichen Exponaten vor allem Kunsthandwerk aus der Region präsentiert. Zu besichtigen sind weiterhin die Schlosskirche mit Florentiner Renaissancealtar und ein mittelalterlicher Wehrgang. Es finden auch regelmäßige Renaissancemusik-Konzerte statt.

91443 Scheinfeld; Tel. 0 91 62/24 34; Schlossgasthof Tel. 0 91 62/92 24 96; Führungen Mai–Okt. So und Feiertag 14 Uhr; Tel. 0 91 62/9 29 11 31

Service

Angebot für Gäste

Teilnahme an den Gebets- und Gottesdienstzeiten der Konventsgemeinschaft
Ikonenmalerei
Fastenseminare
Tanz als Gebet
Persönliche Besinnungstage
Kreativseminare
Seminare zur Lebensorientierung
Wohlfühl-Wochenenden

Gottesdienste

Wo 6.45 Uhr Laudes, 7 Uhr Eucharistiefeier, 12 Uhr Sext, 18 Uhr (Sa 16 Uhr) Vesper
So 7, 9 Uhr Eucharistiefeier, 18 Uhr Vesper

Unterkunft

Im Haupthaus: EZ mit Nasszelle inkl. Vollpension 43 €, ohne Nasszelle 38 €
Im Elisabethhaus: Zimmer mit Nasszelle inkl. Vollpension 43 €
Bei Aufenthalt länger als eine Woche Ermäßigung für Einzelgäste

Reservierung

Bildungshaus Kloster Schwarzenberg, Klosterdorf 1, 91443 Scheinfeld; Tel. 0 91 62/92 88 90, Fax 4 48; E-Mail: info@kloster-schwarzenberg.de; Internet: www.kloster-schwarzenberg.de

Benediktinerabtei St. Mauritius

Im Kloster 1, 66636 Tholey
Tel. 0 68 53/9 10 40, Fax 92 26 70
E-Mail: abteitholey@t-online.de
Internet: www.abtei-tholey.de

Mit dem Pkw: A 1/E 422 – B 269 Trier – Saarbrücken, Ausfahrt Tholey

Mit der Bahn: Bahnstation St. Wendel (Strecke Saarbrücken–Pirmasens–Mainz). Abholservice

Das Kloster

Inmitten des waldreichen Naturparks Saar-Hunsrück liegt die kleine Gemeinde Tholey, eingebettet in die sanften Hügel des St. Wendeler Landes. Am besten lassen sich die bedeutenden Kulturstätten in dieser geschichtsträchtigen Gegend zu Fuß erkunden. Denn so begegnen Sie nicht nur den historischen Denkmälern der Kelten- und Römerzeit hautnah. Sie haben auch die Gelegenheit, vom 571 Meter hoch liegenden Schaumbergplateau aus den atemberaubenden Ausblick über das Saarland zu genießen. Von hier aus fällt bereits die charakteristische Turmhaube von St. Mauritius ins Auge, die das Ortsbild von allen Seiten beherrscht. Klostergebäude und Kirche stehen auf Fundamenten einer römischen Poststation am quellenreichen Südhang des Schaumbergs. Die Ursprünge des Klosters reichen bis ins 6. Jahrhundert zurück. Erstmals erwähnt wird es 634 in einem Testament. Damals lebten die ersten Mönche nach irofränkischer Klosterregel. Schon Anfang des 9. Jahrhunderts wurde Tholey zur Benediktinerabtei und gilt heute als ältestes Kloster Deutschlands.

Eine Besonderheit der gotischen Abteikirche sind ihre Bildfenster. Ihr Sinn erschließt sich nur in der verweilenden Stille. Entrückt lächelt der »Engel von Tholey« vom Hauptchor herab, deren beeindruckender Barockprospekt noch erhalten ist.

Neben den handwerklichen Arbeiten einiger Patres im klostereigenen Garten oder der Schreinerei betätigen sich die Priestermönche vornehmlich als Seelsorger am Ort. Zudem verwalten sie die Gaststätte und den Aussichtsturm auf dem Schaumbergplateau.

Im Gästehaus St. Lioba befinden Sie sich an einem Ort der vollkommenen Entspannung und Erholung. Fragen Sie schon bei der Buchung nach einem der drei Doppelzimmer mit Balkon und genießen Sie dort in Ruhe den Blick auf die idyllische Umgebung. Endlich darf man aufatmen, denn Tholey ist ein Luftkurort!

Als Gast im Kloster

Wer sich sowohl in sich selbst als auch in die deutsche Geschichte vertiefen möchte, ist in Tholey gut aufgehoben. Im ältesten Kloster Deutschlands finden Sie eine gelungene Verbindung von Klausur, Natur und Kultur.

Rund um das Kloster

Johann-Adams-Mühle

Malerisch in einem Wiesental gelegen, beherbergt die Johann-Adams-Mühle aus dem 18. Jahrhundert heute ein Mühlenmuseum und eine Landgaststätte. Dort werden in ursprünglichem Ambiente regionale Spezialitäten serviert, im Sommer auch im Biergarten. Regelmäßig finden Brotbackkurse statt.

Johann Adams Mühle, 66636 Tholey-Theley; Tel. 0 68 53/96 16 96 (ganzjährig geöffnet)

Römischer Vicus Wareswald

Eine Ausgrabungsstätte zum Mitmachen ist der Römische Vicus Wareswald. Hobby-Archäologen können helfen, das Rätsel um den Namen der versunkenen römerzeitlichen Kleinstadt zu lösen! »Schnuppergrabung« inkl. Führung: ca. 3 Stunden, Kosten: 3 €.

Informationen unter Tel. 0 68 53/ 50 13 51 oder Internet: www.wareswald.de

Schaumbergbad

Spaß und Erholung pur im Schaumbergbad mit einem Schwimmbecken im Freien und einer Riesentunnelrutsche ist nicht nur für die Kleinen ein besonderes Erlebnis. Wunderbar entspannt man in der Blockhaus-Sauna mit Bio-Lichttherapie oder im Duft- und Musik-Ruheraum. Im direkt angeschlossenen Erlebnispark Schaumberg (Eintritt frei) regen der Barfuß-Pfad, der »Garten der Düfte« und ein Bewegungslabyrinth alle Sinne an.

Zur Schwimmhalle, 66636 Tholey; Tel. 0 68 53/91 11-0; Öffnungszeiten: Mo–Fr 9.30–22 Uhr, Sa, So, Feiertags 8–20 Uhr

Service

Angebot für Gäste

Für Einzelgäste auf Anfrage geistliche oder lebensbezogene Begleitung
Gruppengespräche zu individuell vereinbarter Thematik
Teilnahme an den Gottesdiensten
Einkehrtage
Exerzitien
Mitarbeit im Garten und im Haus
Kulturhistorisches Museum »Theulegium« mit Abteilungen zur lokalen Geologie, Vor- und Frühgeschichte der Abtei St. Mauritius sowie der Geschichte des Schaumburger Landes

Gottesdienste

5.35 Uhr Matutin/Laudes, 7.15 Uhr Konventamt, 12.05 Mittagsgebet, 17.30 Uhr Vesper, 19.45 Uhr Komplet

Unterkunft

In der Klausur nur für Männer. Kosten: Spende nach eigenem Ermessen.
Im Gästehaus St. Lioba (direkt neben der Abtei) 29 Betten:
EZ/VP 70 €, DZ/VP 60 €
Alle Zimmer mit Dusche/WC, Telefon und TV

Verpflegung

Im Gästehaus

Einkaufsmöglichkeiten

Klosterbuchhandlung: Devotionalien und Kerzen

Auskunft und Reservierung

Pater Mauritius Choriol OSB, Gästehaus St. Lioba der Benediktinerabtei St. Mauritius, 66636 Tholey; Tel. 0 68 53/91 04 23, Fax 91 04 47; E-Mail: Chormau@hotmail.com

Benediktinerabtei Neuburg

Stiftweg 2
69118 Heidelberg
Tel. 0 62 21/89 50, Fax 89 51 66
E-Mail: kloster@abtei-neuburg.de
Internet: www.abtei-neuburg.de

Mit dem Pkw: A 5 bis Autobahnkreuz Heidelberg-Mitte, von dort in Richtung Innenstadt bis Autobahnende. Wegweiser nach Handschuhsheim. Nach der Neckarbrücke erste Straße rechts zur Abtei Neuburg (Hinweisschild nach ca. 4 km)

Mit der Bahn: bis Heidelberg Hbf. Von dort weiter mit dem Taxi (ca. 13 €) oder Bus 34 Richtung Ziegelhausen bis zur Haltestelle »St. Paulusheim«. Fußweg ca. 5 Minuten

Das Kloster

Die Benediktinerabtei Neuburg liegt seit 1130 am Rand der Universitätsstadt Heidelberg. Heute leben 16 Benediktiner innerhalb der alten Klostermauer, wo Gärtnermönche die Tradition der Klostergärten fortführen. Das fürstliche Kloster kann eine lange Liste berühmter Besucher vorweisen, etwa Stefan George, Klaus Mann und Clemens Brentano. Noch heute sind nur Männer in das Gästehaus eingeladen. Mönchen wie Gästen werden Forellen aus eigener Zucht und selbst gemachter Klosterlikör serviert. Wer zum Ausgleich in einem der klösterlichen Betriebe mithelfen möchte, kann das vorab mit dem Gastpater vereinbaren. Heidelberg lädt zu traumhaften Spaziergängen ein.

Service

Angebot für Gäste
Ora et labora
Kloster auf Zeit
Tage der Stille

Gottesdienste
Wo 8.15 Uhr Terz und Hochamt,
18 Uhr lat. Vesper, 20 Uhr Komplet
So 9.30 Uhr Terz und Hochamt,
16 Uhr lat. Vesper, 20 Uhr Komplet

Unterkunft
Preise nach Absprache
Kosten für Unterkunft und Verpflegung nach Vereinbarung mit dem Gastpater

Einkaufsmöglichkeiten
Klosterladen: Terrakotta-Töpfe und Gartenaccessoires, Bücher und Kunstkarten.
Hofladen: Lebensmittel aus eigenem Anbau, Blumen, Stauden, Weihnachtsbäume

Aktiv

Kloster St. Dominikus, Missionsdominikanerinnen

Am Jägerberg 2
93426 Roding-Strahlfeld
Tel. 0 94 61/9 11 20, Fax 91 12 33
E-Mail: Begegnung.klosterStrahlfeld @t-online.de
Internet: www.kloster-strahlfeld.de

Mit dem Pkw: über die Autobahn A 3 bis Regensburg, weiter auf der A 93 bis zur Ausfahrt Schwandorf, dann B 85 Richtung Roding

Mit der Bahn: Linie Schwandorf–Furth im Wald bis Bahnhof Roding

Das Kloster

Eingebettet in Wälder und Wiesen liegt das Kloster der Missionsdominikanerinnen am Regen. Der geschützte Innenhof des Klosters und die schönen Gartenanlagen mit Kräuterbeeten vermitteln eine geborgene Atmosphäre. Drei Häuser mit unterschiedlichen Seminar-, Gruppen- und Freizeiträumen bieten Möglichkeiten der Begegnung, Erholung und des Gesprächs in Fachtagungen, Seminaren und Kursen. Einige Gästezimmer sind zu Zweier-Apartments zusammengeschlossen, die sich ein Bad teilen. Kloster Strahlfeld ist weithin für seine ausgezeichnete Küche bekannt. Die Umgebung bietet mit den Falkensteiner Burghofspielen und dem Städtchen Cham etliche Ausflugsmöglichkeiten.

Service

Angebot für Gäste
Yoga und Meditation
Meditativ–Kreativtage–Oasentage
Wohlfühltage
Wohlfühl-Fußreflexzonen-Massage

Gottesdienste
Wo 6.35 Uhr Laudes, 18 Uhr Vesper
So 7.30 Uhr Laudes, 17.45 Uhr Vesper
Eucharistiefeier: So 8.30 Uhr (Kirche), 10.45 Uhr (Kapelle); Wo 7 Uhr

Unterkunft
Haus der Begegnung: Ü/VP 38,50 €
(Ermäßigung mögl.)
Zuschlag bei nur einer Übernachtung: 5 €

Verpflegung
Klosterstüberl
Bistro
Cafeteria

Einkaufsmöglichkeiten
Klosterladen: Meditations-Kassetten und CDs, T-Shirts, Töpferwaren, Kerzen, Kräutermischungen

Benediktinerabtei Plankstetten

Klosterplatz 1
92334 Berching
Tel. 0 84 62/20 60, Fax 20 61 21
E-Mail:
info@kloster-plankstetten.de
Internet:
www.kloster-plankstetten.de

Mit dem Pkw: A 9 München–Nürnberg, Ausfahrt Greding. Auf der B 229 nach Süden Richtung Neumarkt bis Berching

Mit der Bahn: Strecke München-Passau-Nürnberg, Bahnhof Neumarkt/Oberpfalz, dann Bahnbus Richtung Dietfurt, Haltestelle Plankstetten, 5 Minuten Fußweg zum Kloster

Das Kloster

Kloster Plankstetten wurde 1129 im oberpfälzischen Sulztal als Hauskloster der Grafen von Hirschberg gegründet. Bereits 1525 richtete der Bauernkrieg schwere Verwüstungen an, und 1632 wurden die Klosterbauten durch schwedische Truppen völlig zerstört. Ab 1694 entstanden Neubauten im Stil des Barock. Die dreischiffige Kirche mit Türmen aus dem 12. Jahrhundert ist nach dem romanischen Vorbild von Cluny in Burgund erbaut. Ausgestattet ist sie innen mit barocken Deckengemälden, geschnitzter Kanzel und Rokoko-Chorgestühl. Zur selbstständigen Abtei wurde Plankstetten 1917 erhoben. Heute hat sich das Kloster mit Leib und Seele der ökologischen Landwirtschaft verschrieben, um einen Beitrag zur Erhaltung der göttlichen Schöpfung zu leisten. In Schreinerei und Schlosserei halten die Mönche das Kloster selbst in Stand. Klostergarten, Imkerei, Metzgerei und Bäckerei ermöglichen eine nahezu unabhängige Lebensmittelversorgung. So interpretieren die Plankstettener Benediktiner das traditionelle klösterliche Autarkiekonzept auf modernste Weise.

Die Konventgebäude zeichnen sich durch ihre barocke Gestalt und den charakteristischen Eckturm aus. Im Innenhof der Abtei befindet sich die gut sortierte Klosterbibliothek mit 60 000 Bänden. Als Aufenthaltsraum für Gäste dient ein romanisches Gewölbe aus dem 12. Jahrhundert, das im Einklang mit der stilvollen Einrichtung dieses ästhetisch ungemein ansprechenden Klosters steht. Auch die Verpflegung lässt keine Wünsche offen: In Klosterschenke und Gästehaus kommen nur Erzeugnisse aus eigener Herstellung wie ökologisch gebrautes Bier, Brennnesselbaguette und naturgereifter Klosterschinken auf den Tisch.

Das Gästehaus St. Gregor steht Einzelgästen für »Tage im Kloster« zur individuellen Gestaltung zur Verfügung. Männer können bei »Ora et labora« mit den Mönchen arbeiten und beten. Angeboten werden weiterhin thematische Klosterführungen wie z. B. »Das ökologische Kreislaufkonzept« oder »Bibliothek«. Das ganze Jahr über finden Ikonenmalkurse, Gregorianikkurse, Malkurse, Kalligrafie-Werkstätten und Gesundheitsseminare statt. Auch Aufenthalte zu Einzelexerzitien und Familienfreizeiten sind möglich.

Als Gast im Kloster

Rundum gesund – hier werden Sie hervorragend versorgt mit hochwertigen Nahrungsmitteln aus ökologischem Umfeld ohne Chemie. Dieses Biotop unter den Klöstern sollten Sie genauer unter die Lupe nehmen!

Rund um das Kloster

Fossiliensteinbruch im Apfeltal

Einer besonderen Aktivität kann man im Naturpark Altmühltal nachgehen: In den dortigen Steinbrüchen machen

Kleiner Fossiliensucher

sich Amateurgeologen auf die Suche nach versteinerten Lebewesen. Mit etwas Glück, Geduld und einem Meißel fördern Sie auf dem Fossilienerlebnisplatz im Apfeltal bei Mörnsheim aus dem Jurakalk ein Urzeittier zu Tage. Werkzeug verleiht der Gasthof »Zum Brunnen« in Mörnsheim. Keine Gebühr.

Infotelefon: 0 84 21/9 87 60 oder Internet: www.naturpark-altmuehltal.de

Historisches Treideln in Mühlhausen

Beim Treideln zieht ein Pferd vom Ufer aus einen Lastkahn über das Wasser. Sachte schippert man an grünen Baumalleen, Obstpflanzungen und Wasservögeln vorbei und durchfährt eine handbetriebene

Extratipp

Tropfsteinhöhle Schulerloch Das Schulerloch war vor etwa 60 000 Jahren eine Wohnhöhle von Neandertalern und eiszeitlichen Tieren. Heute leben zwischen den ungewöhnlichen Tropfsteinbildungen nur noch Fledermausfamilien. Im keltischen Druidentempel finden regelmäßig Didgeridoo- oder Urtoninstrumente-Konzerte statt. Außerdem besteht die Möglichkeit, Räume in der Höhle zu mieten und dort bei Kerzenschein zu essen. Der perfekte Ort für einen Heiratsantrag? Da die Höhlentemperatur konstant bei 9 Grad liegt, sollte man sich aber warm anziehen und wegen der Wassertropfen eine Kopfbedeckung tragen.

Nov.-März wegen Fledermausüberwinterung geschlossen. Tägliche Führungen, vorher nach Öffnungszeiten erkundigen. Oberau 1, 93343 Essing; Tel. 0 94 41/32 77; Internet: www.schulerloch.de; Eintritt für Erwachsene 3,50 €

Schleuse. Diese Art der Fortbewegung im Wasser geht auf den Plan des Bayernkönigs Ludwig I. zurück, mit dem Donau-Main-Kanal Europa zu verbinden. Dauer der Treidelfahrt ca. 2 Stunden jeweils am ersten und dritten Sonntag im Monat.
Buchungen und Informationen unter Tel. 09 41/85/9 41 70, 0 84 62/5 81 oder Internet: www.muehlhausen-sulz.de

Schloss Hexenagger
Vor dem romantischen Jagdschloss zwischen Altmannstein und Riedenburg grasen Wildschafe auf einer

Hexenagger im Altmühltal

Wacholderheide. Im Renaissancegarten wird Tee im Pavillon getrunken, in dem sich die Fürstin von Portia einst zu Tête-à-Têtes traf. Jedes Frühjahr besuchen zahlreiche Gäste die Gartenausstellung im Schlosshof, im Sommer finden Hexentreffen und Ritterturniere mit mittelalterlichem Spektakel statt, im Winter gibt es einen Weihnachtsmarkt vor zauberhafter Märchenkulisse. Beim festlichen Candlelight Dinner in der Schlossgaststätte dürfen Sie das über offenem Feuer gebratene Wildschwein mit den Fingern essen!
Schloss Hexenagger, Schlossbergstr. 6, 93336 Hexenagger; Tel. 0 94 42/91 83–10; E-Mail: info@hexenagger.de; Internet: www.schloss-hexenagger.de

Service

Angebot für Gäste
Kunstexerzitien
Rhetorik-Seminare
Kochkurs »Essen wie die Mönche«
Gesundheit und Lebensorientierung
Schweigeexerzitien
Gesundheitswochen
Malkurse
Fastentage
Kontemplationskurse
Gregorianischer Choral

Gottesdienste
Wo 5 Uhr Vigil, 6.25 Uhr Laudes, 7 Uhr Konventamt, 12 Uhr Mittagshore, 17.30 Uhr Vesper, 19 Uhr Komplet
So und Feiertage: 5.45 Uhr Vigil, 6.30 Uhr Laudes, 10.15 Uhr Konventamt, 11.45 Uhr Mittagshore, 17.30 Uhr Vesper, 19 Uhr Komplet

Unterkunft
85 Betten für Einzelgäste oder Kursteilnehmer
Übernachtung pro Person inkl. Vollpension im DZ mit Dusche/WC 41 €, EZ 47 €. Zuschlag für nur eine Übernachtung 5 €

Verpflegung
Haus St. Gregor, Speisen aus ökologischem Landbau

Einkaufsmöglichkeiten
Klosterhofladen: ökologische Produkte. Öffnungszeiten: Mo–Fr 9–18 Uhr, Sa 8–17 Uhr; Tel. 0 84 62/20 61 41
Klosterbuchhandlung: Bücher, Ikonen, Bilder, Kreuze, Figuren, CDs, Kunstkarten, Kerzen. Öffnungszeiten: Mo. So und Feiertage 13.30–17 Uhr, Di–Sa 10–17 Uhr; Tel. 0 84 62/20 61 50
Missionsbasar: Kunsthandwerk und Geschenkartikel aus verschiedenen Kontinenten. Öffnungszeiten: So und Feiertage 13–17 Uhr, Mo– Sa 11–17 Uhr

Reservierung
Kursanmeldung bei Frau Annelies Schweiger, Benediktinerabtei Plankstetten, Klosterplatz 1, 92334 Berching; Tel. 0 84 62/20 61 30; E-Mail: gaestehaus@kloster-plankstetten.de
Jugendhaus Schneemühle, Tel. 0 84 62/24 84

Toplage

Benediktinerabtei Weltenburg

Asamstr. 32
93309 Kelheim/Donau
E-Mail:
abtei-weltenburg@t-online.de
Internet: www.kloster-weltenburg.de

Mit dem Pkw: über die A 9 München–Nürnberg, dann A 93 Richtung Regensburg bis zur Ausfahrt Abensberg, von hier weiter über Kelheim nach Weltenburg

Mit der Bahn: auf der Linie Ingolstadt–Regensburg bis Bahnhof Abensberg, von hier mit dem Bus nach Kelheim. Schiffsverbindung nach Weltenburg von Ostern bis November

Das Kloster

Zwischen Weltenburg und Kelheim zieht sich die Donauschlucht durch eine abwechslungsreiche Kulisse aus steilen Felswänden. Zum Kloster gelangt man am besten mit dem Schiff ab Kelheim, vorbei an der Befreiungshalle Ludwigs I. durch die wildromantische Donauenge. Angelegt wird etwa 400 Meter vom Kloster entfernt. Weltenburg wurde von den Wandermönchen Eustasius und Agilus aus Luxeuil (Burgund) um 600 gegründet und ist somit die älteste klösterliche Niederlassung Bayerns. Die von den Asam-Brüdern im 18. Jahrhundert erbaute, traumhafte Abteikirche zählt zu den Spitzenleistungen des europäischen Barocks. Den Innenraum aus Weltenburger Marmor bestimmt eine theologische Konzeption, die den Kontrast zwischen Licht und Dunkel als Symbole menschlichen Suchens interpretiert.

Für das leibliche Wohl der zahlreichen Besucher sorgen in Weltenburg die Klosterbrauerei und die Klosterschenke. Einen der schönsten Biergärten Bayerns findet man inmitten der barocken Klosteranlage direkt an der Donau. Bedienungen in Tracht servieren an den Holztischen unter Kastanienbäumen Bier aus der ältesten Klosterbrauerei der Welt (seit 1050). Im Felsenkeller 40 Meter unter der Erde reift das Weltenburger Klosterbier in Ruhe zu seiner vollen Güte. Inzwischen bereitet Küchenchef Andreas Jutzas heimische Spezialitäten wie Spanferkel mit Asambockkruste, Lammkoteletts vom Altmühltaler Weidelamm oder die alte Leibspeise der Zillenfahrer, Saures Züngerl mit Semmelknödel, zu. Aufgrund der historischen Beziehungen zu Burgund hat sich die »Weltenburger Vinothek« auf die Vermittlung anspruchsvoller französischer Weinkultur spezialisiert.

Weltenburger Gäste wohnen hübsch mit Blick auf den Fluss in der »Begegnungsstätte St. Georg«, der ehemaligen Landwirtschaftsschule. Dort finden auch die zahlreichen Veranstaltungen der vom Kloster getragenen »Weltenburger Akademie« statt. Einzelgästen werden zudem Exerzitien und Einkehrtage angeboten. Die Musiktradition Weltenburgs lebt in den von der »Weltenburger Musikgemeinschaft« veranstalteten Kirchenkonzerten fort. Es bestehen täglich Gelegenheiten zur Teilnahme an der Liturgie und am Stundengebet der Mönche.

Als Gast im Kloster

Märchenhaftes Kloster auf einer Felsnase direkt am Wasser und genial in die Flussschleife komponiert. Das ausgezeichnete Essen und der herrliche Blick erzeugen im Biergarten eine mindestens ebenso andächtige Stimmung wie die grandiose Asamkirche.

Rund um das Kloster

Bade- und Freizeitzentrum Keldorado

Das »Keldorado« ist ein Erlebnis-Paradies mit einer lichtdurchfluteten Panorama-Schwimmhalle, Innen- und Außenwarmbecken und einem Kinderbassin. Luftperlenbänke, Sprudel- und Massagedüsen machen den Besuch zum Urlaub vor der Haustür. Dazu gibt es Saunarium und Dampfbad. Auf dem Freigelände mit Sportbecken und Nichtschwimmerbecken kann man Großfiguren-Schach und Volleyball spielen. »Keldorado-Restaurant« mit Terrassen-Biergarten und »Bikini-Bar« am Privatstrand.

Keldorado Bäderbetriebe, Rennweg 60, 93309 Kelheim; Tel. 0 94 41/22 67; Öffnungszeiten: im Winter Mo–Fr 9–21 Uhr, Sa und So 9–20 Uhr, im Sommer tgl. 9–20.30 Uhr

Service

Angebot für Gäste
Weinprobe in der Vinothek
Exerzitien
Einkehrtage
Bildungsprogramm der Heimvolkshochschule
Kloster auf Zeit
Museum im historischen Felsenkeller
Schifffahrten auf der Donau, Anlegestelle 400 m vom Kloster

Gottesdienste
Wo 7 Uhr Konventmesse, 18 Uhr Vesper
So 7.30 Uhr Frühmesse, 10.30 Uhr Konventamt, 17.45 Uhr Vesper

Unterkunft
Begegnungsstätte St. Georg: 37 Zimmer
Übernachtung inkl. Vollpension im EZ mit Bad 51 €, im DZ 46 €
Bei einmaliger Übernachtung werden 5,50 € Wäschezuschlag erhoben.

Verpflegung
Klosterbrauerei
Klosterschenke, Öffnungzeiten: tgl. 8–19 Uhr, im Nov. und März Mo, Di geschl.; Internet: www.klosterschenke-weltenburg.de

Einkaufsmöglichkeiten
Klosterladen: Bücher, Holzschnitzereien u. religiöse Kunst aus Bronze, Kerzen, MC und CD u. a. Glocken und Orgeln der Benediktinerabtei Weltenburg, Schmuck und Keramikwaren, Karten, Ikonen, Klosterliköre, Weltenburger Klosterbitter
Öffnungszeiten: März–Okt. 8–18 Uhr, Nov.–Feb. 9–12.30 und 13.30–16.30 Uhr
Weltenburger-Vinothek (auch Online-Shop)

Reservierung
Pater Michael Gebhart, Benediktinerabtei Weltenburg, Begegnungsstätte St. Georg, Asamstr. 32, 93309 Kelheim/Donau; Tel. 0 94 41/20 41 36, Fax 20 41 37; E-Mail: gaestehaus@kloster-weltenburg.de

Stille & Rückzug

Zisterzienserinnenabtei St. Josef

Abteistr. 1
94136 Thyrnau
Tel. 0 85 01/93 90 90, Fax 13 26
E-Mail: info@kloster-thyrnau.de
Internet: www.kloster-thyrnau.de

Mit dem Pkw: Autobahn A 3 bis Ausfahrt Passau Nord, dann B 388 Richtung Hauzenberg bis zur Abzweigung Thyrnau

Mit der Bahn: bis Passau, weiter mit dem Bus gegenüber dem Bahnhof in Richtung Hauzenberg

Das Kloster

Bereits seit der Steinzeit ist der kleine Ort Thyrnau am Rande des Bayerischen Waldes besiedelt. Das barocke Jagdschloss der Fürstbischöfe von Passau aus dem 18. Jahrhundert ist heute die Abtei St. Josef. Erst 1902 gelangte es nach einigen Umbauarbeiten in den Besitz der Zisterzienserinnen, nachdem die Schwestern ihr Kloster im schweizerischen Rathausen nach seiner Aufhebung verlassen mussten.

Von 1912 bis 1914 wurde das Kloster um die Gästezimmer und die neubarocke Kirche erweitert. In der Rokoko-Kirche St. Franz Xaver ist die »Thyrnauerin« zu besichtigen, eine lebensgroße gotische Steinmadonna von 1480. Durch ein Rosenspalier betritt man den Friedhof und gelangt zur Loretokapelle vor der Kirche, die 1622 von Urban Freiherr von Schätzl nach dem Vorbild der »Casa Santa« in dem italienischen Marien-Wallfahrtsort bei Ancona erbaut wurde.

Die Schwestern bestellen in der klostereigenen Landwirtschaft Wiesen und Felder, arbeiten in der Küche, im Garten und in der Wäscherei. Bekannt ist Thyrnau für seine Paramenten- und Fahnenwerkstatt, die Nachwuchs in der selten gewordenen Stickerei ausbildet.

Gäste werden in einfachen Zimmern des angebauten bzw. separaten Gästehauses aufgenommen, die Mahlzeiten finden dort im für Gäste vorgesehenen Speisezimmer statt. Für Besucher gibt es Aufenthalts- und Fernsehräume sowie einen sehenswerten Garten mit Pergola. Das Gästehaus der Abtei kann für reine Urlaubsaufenthalte oder zur eigenen freien Programmgestaltung genutzt werden. Die Zisterzienserinnen bieten zwar keine speziellen Kurse an, stehen jedoch für Gespräche jederzeit gerne zur Verfügung.

Als Gast im Kloster

In der Abtei mit dem herrschaftlichen Äußeren lebt man betont kontemplativ und streng zurückgezogen. Wer nicht gerne stickt, sollte sich für die Freizeit überlegen, welchen persönlichen Vorlieben er in dieser stillen Welt nachgehen will.

Rund um das Kloster

Graphitbergwerk Kropfmühl

Im Besucherbergwerk geht es mit Helm und Schutzanzug unter Tage. Mit seinem Besucherstollen, dem »Geopfad Kropfmühl« und der glitzernden Mineralienausstellung gewährt das Museum Einblicke in den Graphitbergbau, der im Raum Kropfmühl bis in das hohe Mittelalter zurückgeht. Die Tour in den kühlen Stollen zeigt geheimnisvolle Gänge, alte Fördermaschinen und die dampfende Wärme, die dem Besucher die harte Arbeit des Bergmannes vor Augen führt. Wieder zurück an der Oberfläche, empfiehlt sich ein Spaziergang auf dem rund 4,5 Kilometer langen »Geopfad«, der Wissenswertes zu Geologie, Landschaftskunde, Vegetation und über den Graphitbergbau vermittelt. Am Ende hat man auf alle Fälle mehr gelernt als nur, woher der Graphit in den Bleistiften kommt.

Graphit Kropfmühl AG, Langheinrichstr. 1, 94051 Hauzenberg; Tel. 0 85 86/ 6 09-1 47, Fax 6 09-11 12; Internet: www.graphite.de; Öffnungszeiten: Mai–Okt. Di–Sa 10–15, So 12–15 Uhr

Nixenskulpturen entlang der Donau

Der Sage zufolge stand einst am Jochenstein, einem aus der Donau aufragenden Felsblock, ein prächtiges Märchenschloss, in dem die Nixe Isa herrschte. Sie erschien in hellen Mondnächten den Fischern. Doch wer ihrem betörenden Gesang folgte, der wurde für immer in ihren Bann geschlagen. Heute sind vier Nixenskulpturen des Holzbildhauers Edd Harrison zwischen Passau und Jochenstein zu bewundern. Kurz nach Passau flussabwärts in der Nähe der Löwmühle zeigt eine Skulptur den Beginn des Feriengebietes der Donau-Perlen an. Eine aus Lindenholz gearbeitete Nixe findet man am Ortsrand der Gemeinde Obernzell. Das aus Holz und Kupfer gefertigte »Nixentor Isa« befindet sich kurz vor dem Donaukraftwerk Jochenstein. In Jochenstein, am Uferbereich entlang des Donauradweges, steht die letzte Skulptur gegenüber dem Felsen.

Donauperlen-Radrundweg, Info: Passau Tourismus, 94032 Passau; Tel. 08 51/95 59 80; E-Mail: tourist-info@passau.de; Internet: www.passau.de

Nixe am Jochenstein

Extratipp

Für Ausflüge in die Umgebung lohnt sich die Passau-Card. Mit dem Erlebnispass haben Sie freien Eintritt z. B. zu den Thermen in Bad Füssing, Museen, Sportanlagen und Freizeitparks. Außerdem berechtigt die Karte zur Fahrt mit öffentlichen Verkehrsmitteln, sogar der Deutschen Bahn. Ein Reiseführer mit vielen Tipps und Hinweisen ist ebenfalls im Preis enthalten. Die Karte ist in zahlreichen Hotels und bei Tourismusinformationen erhältlich.

Info: Tel. 0 18 05/10 14 24 oder Internet: www.passaucard.de

Passau – Veste Oberhaus Kunst- und kulturhistorisches Zentralmuseum
In den Gemäuern der mächtigen Burg von 1219 werden verschiedene Kapitel der mittelalterlichen Passauer Stadtgeschichte aufgeschlagen. Die Veste Oberhaus war zur Zeit der Fürstbischöfe Herrschaftszentrum und Verwaltungsmittelpunkt, bis sie 1822 zur Militärstrafanstalt umfunktioniert wurde. Bis 1918 war sie unter dem Beinamen «Bastille Bayerns« bekannt und gefürchtet. Die Ausstellungen verschaffen dem Besucher einen Einblick in das Alltagsleben auf einer Burg, in die Ursachen für Rheumaerkrankungen bei Rittern oder in die Handelsbeziehungen einer mittelalterlichen Stadt. Wie früher der Fürstbischof überblickt man von der Veste aus das Treiben der Salzschiffe, Säumerpferde und Händler in Passau.
Tel. 08 51/4 93 35 12; Internet: www.oberhausmuseum.de; Öffnungszeiten: 15. März–15. Nov. Mo–Fr 9–17, Sa, So und Feiertage 10–18 Uhr

Schmugglersteig Untergriesbach
Das Dreiländereck zwischen der kaiserlich-österreichisch-böhmischen und der königlich-bayerischen Grenze war einst ein Eldorado für Schmuggler und Schwarzhändler. Heute ist es das für jeden Wanderliebhaber. Über historische Schmugglerwege und grüne Grenzen in den romantischen Donauhängen Bayerns und Österreichs führen die umweltverträglichen Erlebniswanderungen. An bestimmten Stempelstellen erhalten Sie bei Vorweisen des Passes einen speziellen Schmugglerstempel. Der Besitzer des Passes bekommt gegen Vorlage von mindestens sechs eingetragenen Stempeln schließlich ein Überraschungsgeschenk. Bei einer Streckenlänge von rund zwölf Kilometern beträgt die Gehzeit ca. 3,5 Stunden.

Service

Angebot für Gäste
Kein Kursprogramm. Teilnahme am Chorgebet möglich.

Gottesdienste
Chorgebet: 5.25 Uhr Vigil/Laudes, 6.30 Uhr Eucharistiefeier, 10.25 Uhr Mittagsgebet, 17 Uhr Vesper, 19 Uhr Matutin/Komplet

Unterkunft
Übernachtung im Gästehaus inkl. Vollpension 31 € (Aufpreis für weniger als 5 Übernachtungen: 3 €); Zimmer mit Dusche/WC

Verpflegung
Eigener Speisesaal im Gästehaus

Reservierung
Frau Äbtissin Mechthild Bernart, Zisterzienserinnenabtei St. Josef, 94136 Thyrnau; Tel. 0 85 01/ 9 39 09 12, Fax 13 26; E-Mail: info@kloster-thyrnau.de

Historischer Schmugglerweg Untergriesbach, »Haus am Strom«, Umwelt-Erlebnishaus am Donaukraftwerk Jochenstein; Am Kraftwerk 4, 94107 Untergriesbach; Tel. 0 85 91/91 28 90; E-Mail: info@hausamstrom.de; Öffnungszeiten: tgl. 9–18 Uhr, außerhalb der Saison eingeschränkte Öffnungszeiten

Westernstadt Pullman City
Im Freizeitpark in Eging am See werden Besucher Teil der lebenden Westernstadt mit Saloon, Sattlerei und originalgetreu nachgebauten Indianer-Tipis. Lernen Sie die Welt der Trapper, Indianer und Cowboys kennen und pirschen Sie durch den Wald zur Hudson Bay Handelsstation, wo man sein Glück im Goldwasch-Camp versuchen kann.
Pullman City, Ruberting 30, 94535 Eging am See; Tel. 0 85 44/9 74 90; E-Mail: info@pullmancity.de; Internet: www.pullmancity.de; Öffnungszeiten: April–Nov. tgl. 10–1 Uhr

Benediktinerabtei Braunau

Abt-Dominik-Prokop-Platz 1
93352 Rohr
Tel. 0 87 83/9 600-0, Fax 9600-22
E-Mail: kontakt@kloster-rohr.de
Internet: www.kloster-rohr.de

Mit dem Pkw: auf der A 93 (Regensburg-München) bis Ausfahrt Abensberg oder B 16 (Ingolstadt-Regensburg) bis Abzweigung Reißing

Mit der Bahn: Linie Regensburg–Ingolstadt bis Bahnhof Abensberg, weiter mit dem Bus nach Rohr

Das Kloster

Der niederbayerische Markt Rohr befindet sich südwestlich von Regensburg am Rand der Hallertau. Im Jahr 1133 schenkte der Edle Adalbert von Rohr nach kinderloser Ehe seinen Besitz dem Bischof von Regensburg, um in Rohr ein Augustiner-Chorherrenstift zu gründen. Es entstand eine romanische Basilika, deren massiver Turm bis heute die Silhouette des Ortes bestimmt. Bis in den Dreißigjährigen Krieg blühte das Kloster aufgrund seiner gelehrten Pröpste, dann wurde es durch Brand und Plünderung stark beschädigt. Im 18. Jahrhundert beauftragte der Propst von Rohr Egid Quirin Asam mit dem Neubau der Klosterkirche. Sie wurde zu einem spätbarocken Gesamtkunstwerk. Die berühmte Kirche Mariae Himmelfahrt ist innen und auch außen verhältnismäßig schmucklos gestaltet. Wunderbar und eindrucksvoll wirkt die Hochaltarkomposition, eine riesige barocke Schaubühne, die die Aufnahme Marias in den Himmel durch Stuckfiguren als dynamisches Theatrum sacrum darstellt. Während der Säkularisation wurde der Großteil der Konventgebäude zerstört. 1946 zogen die aus Nordböhmen vertriebenen Benediktiner der Abtei Braunau in die verlassenen Räume des Chorherrenstifts ein. Sie führen ein Gymnasium mit Internat; ihnen ist die Seelsorge in der Pfarrei des Marktes übertragen; sie veranstalten Konzerte und betreuen Gäste bei »Tagen im Kloster« und im Tagungshaus. Die Mönche von Rohr bewahren außerdem die Tradition der mittelalterlichen Oberuferer Spiele (Paradeis- und Christgeburtsspiel), der einzigen bis in unsere Zeit unmittelbar lebendig gebliebenen »deutschen« Dramen. In Oberufer, einem ehemals deutschen Dorf nahe Bratislava, wurden die Spiele in Abständen von mehreren Jahren zwischen dem ersten Advent und Dreikönigstag von den dortigen Bauern aufgeführt. In altertümlicher Sprache stellen die Schauspieler, Mönche und Schüler aus Rohr, in streng reglementierten Gesten und Schrittfolgen die Schöpfungsgeschichte sowie die Geburt Jesus als erzählendes Lied dar.

Das Deutsch-Tschechische Begegnungs- und Kulturzentrum mit Tagungsräumen, guter Unterbringung einer reichhaltigen Bibliothek und Ansprechpartnern von Seiten des Klosters bietet Raum für vielfältige Aktivitäten bei Tagungen und Familientreffen. Am Klosterleben interessierten Männern werden Zimmer in der Klausur angeboten. Turnhallen, Hallenbad und Sportplätze können von den Gästen mitbenutzt werden. Im Dachgeschoss steht ein Meditationsraum zur Verfügung.

Als Gast im Kloster

Kein Urlaubskloster im eigentlichen Sinne, da im Konvent selbst nur Männer wohnen können, die sich für das Mönchsleben interessieren. Das Kulturzentrum St. Adalbert bemüht sich um die deutsch-böhmische Freundschaft.

Rund um das Kloster

Donaudurchbruch mit dem Kanu

Für einen kräfteschonenden Ausflug in Fließrichtung der Donau sind Neustadt/Donau oder Hienheim gute Ausgangspunkte. Zunächst paddelt man mit Kanu, Kajak oder Schlauchboot flott Richtung Kloster Weltenburg. Hier lohnt eine Rast nicht nur wegen der wunderbaren Asamkirche, sondern auch wegen des dunklen Klosterbieres. Bei der Weiterfahrt durch den spektakulär schönen Donaudurchbruch fällt der Blick auf Jurafelswände, durch die sich der Fluss in Jahrtausenden sein Bett gesucht hat. An Wipfels Furt, der seichtesten Stelle, wird ein Badestop eingelegt. Kurz darauf rückt die Befreiungshalle bei Kelheim ins Bild. Sie wurde von König Ludwig I. als Mahnmal zur Erinnerung an die Befreiungskriege gegen die napoleonische Herrschaft errichtet. Die Tagestour beinhaltet den Transport von Kelheim zur Ablegestelle, ein zünftiges Mittagessen und natürlich die Paddeltour; Preis pro Erwachsener ca. 45 €; zu buchen bei

Altmühltaler Erlebniswelt, Herr Brünnig, Tel. 01 79/5 00 72 67;
Nautilus Kanuverleih, Embacher Str. 10, 93083 Niedertraubling;
Tel. 0 94 01/5 12 95; E-Mail: nautilus@kanu-outdoor.de

Service

Angebot für Gäste

Einkehrtage, Exerzitien
Im Sommer »Musica sacra«, im Winter Adventssingen.
»Kloster auf Zeit« für Männer (Unterkunft in der Klausur, Mitarbeit in der Kommunität)

Gottesdienste

Wo 6 Uhr Morgenhore und Konventamt, 7.15 Uhr Messe, 12 Uhr Mittagshore, 17.30 Uhr Vesper und Vigil, 19.45 Uhr Komplet
So 7 Uhr Morgenhore, 8.30 Uhr Konventamt, 10.30, 19 Uhr Messen

Einkaufsmöglichkeiten

Klosterbuchhandlung: Bücher, Devotionalien, Souvenirs, Dias

Reservierung

Für das Tagungshaus: P. Martin Pfister; Tel. 0 87 83/960 0-0; E-Mail: tagungshaus@kloster-rohr.de
Für »Tage im Kloster«: Frater Franz Neuhausen; Tel. 087 83/9600-0; E-Mail: fr.franz @kloster-rohr.de
Hotel Gasthof Sixt, Asamstr.1, 93352 Rohr; Tel. 0 87 83/9 69 60, Fax 96 96 30; E-Mail: info@hotel-gasthof-sixt.de; Übernachtung im EZ inkl. Frühstück 33 €, im DZ 24 €, Halbpension 10 € pro Person, Zimmer mit WC/Dusche, Telefon, Kabel-TV, Radio

Benediktinerabtei Niederaltaich

Mauritiushof 1
94557 Niederaltaich
Tel. 0 99 01/20 80, Fax 20 81 41
E-Mail:
abtei@abtei-niederaltaich.de
Internet:
www.abtei-niederaltaich.de

Mit dem Pkw: A 3 Nürnberg–Passau, Ausfahrt Hengersberg/Niederaltaich

Mit der Bahn: Strecke Nürnberg–Wien, Bahnstation Plattling, dort Anschluss nach Deggendorf, weiter mit Bahnbus oder Taxi

Das Kloster

Zwischen Regensburg und Passau liegt die Abtei Niederaltaich am Nordufer der Donau. Vom Bayernherzog Odilo 731 gegründet, ist die Benediktinerabtei das älteste Kloster Niederbayerns. Niederaltaich erlebte im 11. Jahrhundert eine Blütezeit. Besondere Sehenswürdigkeiten sind die Basilika mit ihrer berühmten Sakristei, die barocke Gesamtanlage und – als Besonderheit – die byzantinische Kirche mit Kapelle.

Männer können ohne jede konfessionelle oder sonstige Einschränkung das Leben mit den Mönchen begrenzte Zeit teilen. Auch in ökumenischer Hinsicht geht man eigene, fortschrittliche Wege, wie die Einrichtung des Ökomenischen Instituts im Hause zeigt. Einige Mönche leben im römischen, andere im byzantinischen Ritus. Katholische und orthodoxe Gottesdienste oder eine Osternacht nach byzantinischem Ritus sind beeindruckende Erlebnisse.

Im Gästehaus der Abtei »St. Pirmin« können Einzelgäste erholsame Tage verbringen, sich in das geistliche Leben einfinden und Abstand von der Tageshektik gewinnen. Dort stehen minimalistisch ausgestattete Zimmer, Konferenz-, Seminar- und Lese- sowie Aufenthaltsräume zur Verfügung, in denen auch größere und kleinere Gruppen Platz finden. Zweimal im Jahr, meist im Frühjahr und Herbst, können etwa 20 Männer zwei Wochen lang das »Kloster auf Zeit« erleben und in Stille, im Gebet, im Gespräch und in geistlicher Unterweisung zubringen. 1962 wurde diese Art von Auszeit im Kloster übrigens hier zum ersten Mal in Deutschland angeboten. Zusätzlich stehen Meditationskurse, Einzel- und Gruppenexerzitien und byzantinische Seminare im Programm.

Rund um das Kloster

Ausflüge mit der Donaudampfschifffahrtsgesellschaft

Unter dem Motto »Auf fröhlicher Welle« startet die Donauschifffahrt ihre vergnüglichen und erlebnisreichen Ausflugsfahrten auf der Donau. Die beschauliche Fahrt vermittelt vielfältige Eindrücke vom Wasser aus. Zu Landausflügen und Besichtigungen ist der Ausstieg an allen Anlegestellen möglich, später steigt man mit dem Rundreiseticket wieder zu. Ab Deggendorf bieten sich verschiedene Kombinationen an: Deggendorf – Vilshofen – Passau, Ripperl-Essen mit Livemusik auf dem Schiff oder eine Tour, bei der man den letzten frei fließenden Abschnitt und die gestaute Donau erleben kann. Ein erholsames, erfrischendes und zugleich kulinarisches Erlebnis, empfehlenwert auch für Familien mit Kindern.

Anmeldung unter Donauschifffahrt Gebr. Wurm & Co., Höllgasse 26, 94032 Passau, Tel. 08 51/92 92 92; Internet: www.wurm-koeck.de

Besucherbergwerk Silberberg

Viele Attraktionen unter Tage bietet der Silberberg für die ganze Familie. Durch einen 600 Meter langen Stollen gelangt man tief ins Innere bis zu einer gewaltigen Höhlung. Ein unterirdischer See und das Silberberg-Museum runden den Besuch ab. Man kann aber auch 600 Meter Fahrspaß auf der Sommerrodelbahn genießen. Den Abschluss des Ausflugs bildet eine gemütliche Einkehr in der Panoramagaststätte »Bergmannschänke« oder in der »Silberberg-Alm« an der Talstation. Ein Spielplatz mit Streichelzoo befindet sich direkt nebenan.

Historisches Besucherbergwerk Bodenmais, Barbarastr. 1, 94249 Bodenmais; Tel. 0 99 24/3 04;
Tel. Bergbahn: 0 99 24/94 14 11;
Internet: www.silberberg-online.de

Service

Angebot für Gäste

»Kloster auf Zeit« für Männer
Programm zu Kirchenjahrsfesten
Meditationskurse
Ikonenmalkurs
Klosterarbeiten-Werkstatt
Chorsingen und Stimmbildung
Geistliches Schauspiel
Stille und Meditation
Exerzitien
Byzantinische Seminare
Tage der Besinnung für Einzelgäste

Gottesdienste

Wo 5.30 Uhr Hore, 12 Uhr Hore, 17.40 Uhr Vesper, 19.30 Uhr Komplet
So 8 Uhr Laudes, 9.30 Uhr byzantinische Liturgie, 10.30 Uhr lat. Choralamt, 17.30 Uhr Vesper, 19.30 Uhr Komplet
Sa 6.30 Uhr Hore, 12 Uhr Hore, 17.40 Uhr Vesper, 19.30 Uhr Vigil

Unterkunft

Gästehaus: Ü/VP inkl. Nachmittagskaffee im EZ mit Nasszelle 52 €, im DZ mit Nasszelle 50 €, Wochenendpauschale (Fr–So) EZ 101,50 €, DZ 97,50 €

Verpflegung

Im Gästehaus

Einkaufsmöglichkeiten

Klosterbuchhandlung: Bücher, CDs, landw. Produkte, Klosterlikör, Duftöle, Ikonen, Glaskunst aus dem Bayerischen Wald

Reservierung

Haus St. Pirmin der Abtei Niederaltaich, 94557 Niederaltaich; Tel. 0 99 01/2 08-6, Fax 208-250; E-Mail: st.pirmin@abtei-niederaltaich.de

Deggendorfer Knödelsage

In der nahe gelegenen niederbayerischen Stadt Deggendorf kann man sich auf die Spuren der »Knödelsage« begeben. Besucher sollten sich die Brunnenfigur der Knödelwerferin im Altstadtviertel ansehen und die Praline »Deggendorfer Knödelchen« naschen und zum Kaffee Knödel aus Biskuitteig probieren.

Zisterzienserinnenabtei Lichtenthal

Hauptstr. 40
76534 Baden-Baden
Tel. 0 72 21/50 49 10, Fax 5 04 91 53
E-Mail: kontakt@abtei-lichtenthal.de
Internet: www.abtei-lichtenthal.de

Mit dem Pkw: über die Autobahn A5 Karlsruhe–Basel bis zur Ausfahrt Baden-Baden, weiter auf der B 500 durch den Michaelstunnel, danach beschildert

Mit der Bahn: auf der Linie Mannheim–Basel bis zum Bahnhof Baden-Baden, weiter mit dem Bus Nr. 201 bis »Klosterplatz«

Das Kloster

Die unprätentiöse Klosteranlage am Stadtrand von Baden-Baden ist nicht durch eine Mauer, sondern durch die kreisförmige Anordnung der Gebäude gewissermaßen »von sich selbst umzingelt«.

Gästen des seit 1248 bestehenden Klosters stehen ausgesprochen wohnliche Gästezimmer mit Fachwerkgebälk, Meditations- und Tagungsräume zur Verfügung. Sie können in Haus und Garten mitarbeiten, persönliche Gespräche mit den Schwestern führen und die Gottesdienste mitfeiern. Das Highlight der beliebten »Lichtenthaler Klosterkonzerte« ist die atmosphärische Lautenmusik bei Kerzenschein. Das Freizeitangebot ist groß: Besuchen Sie das Schloss Favorite mit seinem englischen Landschaftsgarten, den sagenumwobenen Mummelsee oder den Geroldsauer Wasserfall im romantischen Grobbachtal.

Service

Angebot für Gäste
Ora et labora
Tage im Kloster
Tonbildschau
Gespräche mit den Schwestern

Gottesdienste
6.15 Uhr Terz, 6.30 Uhr Eucharistiefeier, 12.45 Uhr Sext und Non, 17 Uhr Vesper

Unterkunft
Ü/VP im EZ mit/ohne Dusche/WC 47/40 €, im DZ mit/ohne Dusche/WC 38/43 €

Reservierung
Gästeschwester der Zisterzienserinnenabtei Lichtenthal, Hauptstr. 40, 76534 Baden-Baden; Tel. 0 72 21/ 5 04 91 19; E-Mail: gaeste@abtei-lichtenthal.de

Toplage

Benediktinerabtei Schweiklberg

Schweiklberg 1
94474 Vilshofen
Tel. 0 85 41/20 90, Fax 20 91 74
E-Mail: prior@schweiklberg.de
Internet: www.schweiklberg.de

Mit dem Pkw: über die Autobahn A 3 bis Ausfahrt Garham/Vilshofen

Mit der Bahn: auf der Linie Passau–München bis Bahnhof Vilshofen

Das Kloster

In den Zwiebelhaubentürmen der Benediktinerabtei Schweiklberg schlugen 2004 die sechs Glocken zum 100-jährigen Bestehen. Die umweltbewussten Mönche decken ihren Strombedarf durch ein umweltfreundliches Wasserkraftwerk. Aus der klostereigenen Gärtnerei beziehen sie frisches Gemüse. Als Hausmittel gegen verschiedenste Unpässlichkeiten brauen die Benediktiner seit Jahrzehnten den bekannten »Schweiklberger Geist«.

Im St. Beda Haus stehen Gästen verschiedene Tagungs- und Gruppenräume zur Verfügung. Neben Gruppen werden auch Einzelgäste aufgenommen, die Stille suchen und das Kloster kennen lernen möchten. Abstand vom Alltag gewinnen Sie während der »Tage im Kloster«. Um die Dreiflüssestadt Vilshofen herum können Sie schöne Wanderungen durch den Nationalpark Bayerischer Wald machen oder an der Glasstraße einkaufen.

Als Gast im Kloster

Ökologisch ausgerichtetes, ländliches Kloster in wunderbarer Lage, die vielfältige Ausflugsmöglichkeiten bietet. Golfschläger, Badeanzug und Wanderstiefel nicht vergessen!

Service

Angebot für Gäste
Tage im Kloster
Kloster auf Zeit
Diverse Kurse, Exerzitien

Gottesdienste
Wo 6.15, 7.15 Uhr
So 6.30, 7.30, 9 Uhr

Unterkunft
Gästehaus St. Beda: Ü/VP 30 €

Einkaufsmöglichkeiten
Klosterladen & Buchhandlung

Reservierung
St. Beda Haus: Tel. 0 85 41/20 92 10

Benediktinerabtei zum Heiligen Kreuz

Schyrenplatz 1
85298 Scheyern
Tel. 0 84 41/75 20, Fax 75 22 10
E-Mail: info@kloster-scheyern.de
Internet: www.kloster-scheyern.de

Mit dem Pkw: Autobahn München–Nürnberg bis Ausfahrt Pfaffenhofen/Ilm, über Niederscheyern zum Kloster

Mit der Bahn: Strecke München–Ingolstadt bis Bahnhof Pfaffenhofen/Ilm, weiter mit dem Bus oder Abholservice

Das Kloster

Die Benediktinerabtei zum Heiligen Kreuz steht auf einer Anhöhe in der gefälligen Landschaft der Hallertau, dem berühmten Hopfenanbaugebiet. Die Anfänge des Klosters Scheyern liegen in Bayrischzell am Fuß des Wendelsteins, wo Gräfin Haziga 1077 zwei Einsiedlern ein Waldstück schenkte. 1119 besiedelten die Mönche dann die ehemalige Stammburg der Grafen von Scheyern-Wittelsbach und wandelten sie in ein Kloster um. Scheyern ist seit über 800 Jahren ein viel besuchter Wallfahrtsort, nachdem der letzte Graf von Dachau dem Kloster eine bedeutende Kreuzreliquie vererbte, die nach der Form des byzantinischen Patriarchen-Kreuzes gefasst ist. 1980 wurde der Abteikirche von Papst Johannes Paul II. die hohe Auszeichnung einer »Basilica minor« verliehen.

Die dreischiffige romanische Basilika aus dem 12. Jahrhundert wurde durch Brände mehrmals beschädigt. Nur sehr zurückhaltend fanden Rokoko-Elemente bei Restaurierungsarbeiten im 18. Jahrhundert Eingang. Im 19. Jahrhundert wandelte sich das Gesicht der Kirche durch eine gravierende Umgestaltung im Stil der Neuromantik. An den Wänden des Mittelschiffes zeigt ein Freskenzyklus verschiedene Szenen und Wunder aus dem Leben des heiligen Benedikt. Die Basilika ist durch die Kreuzkapelle, in der sich das »Heilige Kreuz von Scheyern« befindet, mit dem gotischen Kreuzgang verbunden. Im 18. Jahrhundert wurden dem damaligen Geschmack entsprechend Rokokofenster eingesetzt und Stuckaturen hinzugefügt. Heute befindet sich im Kreuzgang auch die viel besuchte Jahreskrippe. Von dort gelangt man in die Johanneskirche mit Königskapelle, Kapitelsaal und der ehemaligen Familiengrabstätte der Wittelsbacher, deren Besichtigung sich lohnt.

Gäste genießen das wunderschöne Ambiente der Benediktinerabtei mit ihrem friedlichen Innenhof. Basilika und Kreuzgang können tagsüber jederzeit besichtigt werden. Die Verpflegung der Gäste übernimmt die »Klosterschenke« im Hotel Schyrenhof, die sich seit 1841 an der Stelle der alten Tafernwirtschaft aus dem 16. Jahrhundert befindet. Seit der Errichtung des Klosters wird bereits das Scheyrer Klosterbier gebraut. In der Schenke wird nur Fleisch von frei laufenden Schweinen und ungespritzter Spargel angeboten. Probieren Sie die Holledauer Biersupp'n, die wie in alten Zeiten in Emailleschüsseln serviert wird. Dazu passt ein naturtrübes Hopfenzupferbier in der Bügelflasche, das seit der Einrichtung des Klosters gebraut wird.

Männer können bei »Stillen Tagen im Kloster« die Osterliturgie in der Karwoche oder die Jahreswende mitfeiern. Angeboten werden in Scheyern auch Jugendwallfahrten, Orgelkonzerte sowie ein stimmungsvoller Christkindlmarkt im Klosterhof. Schulklassen können von Mai bis September im »Grünen Klassenzimmer« in kurzen Exkursionen die umliegende Natur erkunden. Auf dem Kunsthandwerksmarkt »Kunst im Gut« Anfang Mai präsentieren über 100 Aussteller ihre Werke.

Als Gast im Kloster

Ausnehmend schöne und friedliche Anlage, in die Gäste zum wirklichen Mitleben eingeladen sind, nicht als »Klostertouristen«. In der Schenke vorzügliche Bier- und Hopfenspezialitäten.

Rund um das Kloster

Lothar's alte Nähfabrik, Schrobenhausen

Die Räumlichkeiten einer alten Nähfabrik sind zur Erlebnisgastronomie umfunktioniert: Ein romantisches Tête-à-Tête erlebt man beim Dinner im »Kaminzimmer«, wo im Hintergrund ein Feuer knistert, verwegene Cocktails, in der originell eingerichteten »Colonial Bar« gemixt, während bequeme weiße Clubsessel in »Joe's Garage« einen guten Blick auf das Fußballspiel auf der Großleinwand ermöglichen. Außerdem finden regelmäßige kulinarische Themenwochen, z. B. »Schrobenhausener Spargel« oder »Bärlauchwochen«, sowie Comedy Open Air und Musikveranstaltungen statt.

Lothar's alte Nähfabrik, Gaisbergweg 6, 86529 Schrobenhausen;
Tel. 0 82 52/8 23 92; Internet: www.naehfabrik.com

Extratipp

Hopfenmuseum Wolnzach Der Hopfen, eine der wichtigsten Kulturpflanzen, erhielt ein eigenes Museum in Wolnzach, der Hopfenmetropole im Herzen der Hallertau. Mit allen Sinnen können Besucher die Vielseitigkeit dieser Pflanze hier informativ und interaktiv erleben. Zum ersten Mal stellt ein Museum die gesamte Geschichte des Hopfenbaus in Deutschland vor und berichtet von heilkundigen Klosterbewohnern, von aufgeklärten Fürsten und von findigen Ingenieuren. Das Museumsgebäude ist in Form eines stilisierten Hopfengartens gebaut, mit Stahlträgern, die an das Nebeneinander der Hopfensäulen erinnern. Für die kleinen Besucher gibt es spezielle Angebote.

Deutsches Hopfenmuseum Wolnzach, Elsenheimerstr. 2, 85283 Wolnzach; Tel. 0 84 42/75 74; Internet: www.hopfenmuseum.de; Öffnungszeiten: Di–So 10–17 Uhr

Trabrennbahn Hopfenmeile
Trotz ihres Namens misst die seit 1981 bestehende Trabrennbahn in Pfaffenhofen nur eine halbe englische Meile, etwa 800 Meter. Eingebettet in die Hopfenfelder und Hügel der Hallertau, läuft die Trabrennbahn Fußball- und Eishockeyveranstaltungen inzwischen den Rang ab: Mehr als 150 000 Zuschauer besuchen in einer Saison die Rennen. Statt breitkrempigem Hut wird hier Gamsbart getragen.
Oberbayerischer Trabrennverein Pfaffenhofen, Hohenwarter Str. 102, 85276 Pfaffenhofen; Tel. 0 84 41/ 8 00 80

Wandern rund um Scheyern
Ausgangspunkt ist der Parkplatz gegenüber der Klosterschenke. Von dort aus folgt man dem Weg zum Schöneck und biegt nach ca. 100 Metern halbrechts in den bergab führenden Waldweg ein. Auf diesem gelangt man zu den Klosterweihern und hat einen schönen Blick auf den Prielhof. Die große Scheune linker Hand wurde vor 100 Jahren nach den biblischen Maßangaben der Arche Noah gebaut. Im Weiher davor findet sich die so genannte Wassernuss, eine Pflanze, die bereits als ausgestorben galt und in Mitteleuropa nur noch in den Weihern des Klosters Scheyern vorkommt. Der dahinter liegende Teich lädt zum Baden ein. Nach diesem Abstecher kehrt man zum Hauptweg an der Südseite des Prielhofes, des 1758 errichteten Maierhofes des Klosters Scheyern, zurück. An seiner Rückseite führt ein Kiesweg vorbei an Obstgärten zu den »Flachweihern«. Nach Unterschnatterbach folgt man dem Höhenrücken, der herrliche Ausblicke auf den Ort mit dem alten Hauskloster der bayerischen Herrscherfamilie der Wittelsbacher bietet. Nach zehn Minuten wandert man rechts auf Wiesenwegen in Richtung Scheyern bis zum »Hohlweg«, der den Klosterberg hinauf führt. Entlang der Klostermauer gelangt man schließlich zurück zum Hauptportal.

Service

Angebot für Gäste
Jeden Sonn- und Feiertag Kirchenführung & Tonbildschau um 15 Uhr
Scheyrer Christkindlmarkt
Exkursionen auf dem Klostergut (Tel. 0 84 41/80 92 41)
Schnuppertage im Kloster
Stille Tage im Kloster
Künstlermarkt im Gut
Open-Air-Konzerte im Klosterhof

Gottesdienste
So Eucharistiefeier 7.30, 8.30, 10, 19 Uhr, Vesper 16.30 Uhr
Wo Konventamt Mo, Di, Do, Fr 17.45 Uhr, Mi 7 Uhr, Sa 6.45 Uhr

Unterkunft
Im Tagungshaus EZ/Bad 25 €, DZ/Bad 17,50 €
Im Schyrenhof: EZ ab 45 €, DZ ab 65 €

Verpflegung
Alle Mahlzeiten im Hotel Schyrenhof bzw. in der Klosterschenke.
Klosterstub'n Scheyern, Schyrenplatz 1, 85298 Scheyern; Öffnungszeiten: Mo–Sa 10.30–23, So und Feiertage 9.30–23 Uhr

Einkaufsmöglichkeit
Klosterladen Scheyern: Kunst und Bücher, Kerzen, CDs mit Musik aus der Abtei, Wallfahrtsandenken »Scheyrerkreuzerl«. Öffnungszeiten: Di–Sa 9–12, tgl. 14–17.30 Uhr
Klostergärtnerei: frisches Gemüse und Obst aus dem Klostergut

Reservierung
Benediktinerabtei zum Heiligen Kreuz, Schyernplatz 1, 85298 Scheyern; Tel. 0 84 41/75 22 30, Fax 75 22 10; E-Mail: verwaltung@kloster-scheyern.de, Internet: www.kloster-scheyern.de

»Grünes Klassenzimmer«: Ulrike Kainz; Tel. 0 84 41/63 35
Reservierung empfehlenswert

Aktiv

Berneuchener Haus Kloster Kirchberg

72172 Sulz am Neckar
Tel. 0 74 54/88 30, Fax 88 32 50
Internet: www.klosterkirchberg.de

Mit dem Pkw: A 81 Stuttgart–Singen Ausfahrt Empfingen, Richtung Renfrizhausen. Am Ortsausgang Wegweiser nach Kirchberg

Mit der Bahn: bis Bahnhof Horb; weiter mit dem Taxi (Vorbestellung unter Tel. 0 74 51/29 66)

Das Kloster

Die schlossähnliche Klosteranlage auf dem Kirchberg ist von einer Mauer umgeben. Barockgiebel zieren den breiten Konventbau, der auf einer bewaldeten Anhöhe zwischen Schwäbischer Alb und dem Schwarzwald über romantischen Flusstälern liegt. Von der gotischen Klosterkirche gelangt man durch zwei prächtige Kreuzgangarkaden mit gotischem Maßwerk zum Klausurbezirk. Ursprünglich ein Dominikanerinnenkonvent, wurde das Kloster 1237 vom Graf von Hohenberg gestiftet und fiel 1381 in österreichischen Besitz. 1806 wurde es dem Königreich Württemberg überschrieben und in der Folge säkularisiert. Seit 1958 hat der Verein Berneuchener Haus, der aus der Evangelischen Michaelsbruderschaft entstand, die Klosteranlagen vom Land Baden-Württemberg gepachtet. 1979 zerstörte ein Brand große Teile des Konventgebäudes.

Nach dem Wiederaufbau und der Sanierung der gesamten Anlage entstand das evangelische Tagungs- und Einkehrhaus. Dort finden zahlreiche Gäste Platz, die es sich tagsüber im »Stillen Garten«, abends in den alten Gewölben des »Rauchfangs«, der ehemaligen Klosterapotheke, gemütlich machen können. Das Gebäude bietet Räumlichkeiten für externe Tagungen und für das riesige Kursangebot des Berneuchener Hauses. Im Programm »Ora et labora« etwa wird täglich gemeinsam gebetet und gearbeitet. Gäste können verschiedene Formen der Meditation erlernen, mit Tanz, Bewegung oder Musik, Fastenseminare und Besinnungstage besuchen, an Gesprächen zu biblischen Themen und Lebensfragen teilnehmen oder ihren Urlaub mit der ganzen Familie auf dem Kirchberg verbringen. Zwischen getanzten Finnischen Messen und initiatischem Gebärdenspiel findet jeder Besucher seine Nische.

Rund um das Kloster

Burg Hohenzollern

Die Stammburg des ehemaligen deutschen Kaiserhauses liegt auf dem 885 Meter hohen Zollerberg der Schwäbischen Alb. Spektakulär ist der Rundblick, den schon Kaiser Wilhelm II. bewunderte: »Die Aussicht von der Burg Hohenzollern ist wahrlich eine weite Reise wert.« In der Schatzkammer befinden sich neben der preußischen Königskrone Erinnerungsstücke an Friedrich den Großen und andere Berühmtheiten der deutschen Geschichte. Der recht steile Aufstieg zur Burg dauert etwa 20 Minuten. Wer nicht so gut zu Fuß ist, kann sich mit dem Pendelbus hinauffahren lassen.

72379 Burg Hohenzollern (Gemarkung Bisingen); Tel. 0 74 71/24 28; Öffnungszeiten: Nov.–März 10–16.30, April–Okt. 9–17.30 Uhr; Restaurant »Burgschenke«, Öffnungszeiten: tgl. außer Mo 11–17 Uhr, im Sommer 10–18 Uhr; Tel. 0 74 71/23 45

Kanufahren auf dem Neckar

Eine Kanutour bietet idyllisches Naturerlebnis zwischen den steilen Felsen. Mit ein bisschen Glück beobachtet man unterwegs Graureiher, Blesshühner und Eisvögel. Nach einer guten Stunde Paddeln kommt man bei der Verleihstation in Fischingen an, wo ein angefeuerter Grill bereitsteht. Nach der Anstrengung hat man sich das Picknick verdient.

Kajak- und Kanu-Verleih Neptun, Burg-Wehrstein-Str. 55, 72172 Sulz-Fischingen; Tel. 0 74 54/96 74 55

Service

Angebot für Gäste

Tagung »Ora et labora«: Gemeinsames Beten und Arbeiten
Führung durch die Klosteranlage
Einzelexerzitien
Meditation, Tanz und Bewegung
Ikonenmalerei und Kalligraphie
Singwochen
Einkehr und Stille
Yoga
Traumtage

Gottesdienste

Wo 7.45 Uhr Morgengebet, 12 Uhr Mittagsgebet, 18 Uhr Vesper, 21 Uhr Komplet
So 9 Uhr evangelische Messe, 12 Uhr Mittagsgebet, 18 Uhr Vesper

Unterkunft

Kat. I (mit Dusche/WC) inkl. VP: DZ 53,70 €, EZ 59,85 € pro Person
Kat. II (ohne Bad) inkl. VP: DZ 44,80 €, EZ 52,85 € pro Person
Kat. III (einfach) inkl. VP: DZ 36,40 €, EZ 43 € pro Person
Zuschlag bei nur einer Übernachtung: 7,90 €

Verpflegung

Zwei Speisesäle im Konventbau und öffentliches Tagescafé

Einkaufsmöglichkeiten

Klosterladen:
Honig, Gebäck, Bücher, Fairer-Handel-Produkte, Likör
Öffnungszeiten: So 10.30-11.45 und 13–17 Uhr, Di–Sa 13.30–17 Uhr

Reservierung

Geistlicher Leiter: Peter Schwarz; Tel. 0 74 54/88 31 10
Belegung: Frau Gerke/Frau Fuggis; Tel. 0 74 54/88 31 00

Extratipp

Trommel-Wochenende Durch stilles Sitzen, meditatives Gehen und das Lauschen auf die Klänge einer koreanischen Fasstrommel wird dem »inneren Lärm« entgegen getreten, der häufig einsetzt, wenn man schweigend meditiert. Angenehme Körperübungen fördern den freien Atemfluss, das gemeinsame Schweigen befördert die Konzentration.

Aktiv

Zisterzienserinnenabtei Oberschönenfeld

86459 Gessertshausen
Tel. 0 82 38/9 62 50, Fax 6 00 65
E-Mail:
abtei@abtei-oberschoenenfeld.de
Internet:
www.abtei-oberschoenenfeld.de

Mit dem Pkw: aus Richtung Augsburg oder Ulm kommend auf der B 300 bis Gessertshausen, der Beschilderung zum Kloster folgen

Mit der Bahn: auf der Strecke Augsburg–Ulm bis Bahnhof Gessertshausen, weiter mit dem Taxi (Fa. Müller, Tel. 0 82 38/22 52) oder zu Fuß bis zur Abtei (2,5 km)

Das Kloster

Mitten im Augsburger Naturpark »Westliche Wälder« liegt die Abtei Oberschönenfeld, in der sich 1211 fromme Frauen der Beginen-Gemeinschaft niederließen. 1248 wurde das älteste Frauenkloster der Zisterzienser in Deutschland vom Papst dem Orden zugesprochen, 1262 die erste Klosterkirche geweiht. Im 18. Jahrhundert erhielten Kloster und Wirtschaftsgebäude ihre heutige barocke Gestalt. Josef Mages versah die goldgeschmückte Wandpfeilerkirche mit Fresken. Ihr Baumeister war Franz II. Beer von Bleichten, ein Vertreter des Vorarlberger Baustils. Noch heute singen die Schwestern ihr Chorgebet dort zum Teil in lateinischer Sprache. Mitte des 20. Jahrhunderts begann man, Schwestern von Oberschönenfeld aus in die Mission nach Brasilien zu entsenden. Ihre Landwirtschaft mussten die Zisterzienserinnen in den 70er-Jahren verpachten. Seit 1984 ist das Schwäbische Volkskundemuseum in Räumen der Abtei untergebracht. Es dokumentiert die Lebens- und Arbeitswelt bäuerlicher Familien zu Beginn des 20. Jahrhunderts. 1992 zog das »Naturpark-Haus« in den früheren Kuhstall. Bekannt ist Oberschönenfeld vor allem wegen seiner Holzofenbäckerei – das Rezept für das »Echte Oberschönenfelder Holzofenbrot« halten die Schwestern allerdings geheim!

Gäste werden im Gästetrakt aufgenommen und nehmen dort ihre Mahlzeiten ein. Aufs Beste verköstigt wird man auch im Klosterstüble im Torhaus mit schönem Biergarten. Dort kann man unter alten Kastanienbäumen die anheimelnde Gutshofatmosphäre der Abtei genießen. Familien mit Kindern sind im Kloster willkommen – auf der Anlage befindet sich neben dem Museumsgarten mit Kräutern, Heil- und Zierpflanzen ein großer Spielplatz mit Sonnenuhr und Windrad.

Über das Mitleben im »Kloster auf Zeit« hinaus bieten die Oberschönenfelder Zisterzienserinnen Meditationskurse, Einzelexerzitien sowie Einkehr- und Oasentage an. In Kursen können die Gäste meditativen Tanz und die Kunst des Blumenbindens »Ikebana« erlernen, meditativ tanzen oder Glasstiftperlenbilder herstellen. Durch Mitarbeit im Kloster reduzieren jüngere Gäste bei »ora et labora« ihre Aufenthaltskosten. Besonders interessant für Naturliebhaber ist das an die Abtei angeschlossene naturkundliche Informationszentrum. Eingebettet in das umfangreiche museale Angebot des Schwäbischen Volkskundemuseums findet der Besucher hier das Naturpark-Haus (mit Dauerausstellung), wo mithilfe von Ratekästen und Schnupper-Objekten die »Natur der Westlichen Wälder« »erfühlt« werden kann. Es werden eine Vielzahl von Veranstaltungen und Kurzseminaren vor allem für Kinder angeboten. Echtes »Robin Wood«-Feeling kommt auf, wenn Kinder Spieße schnitzen und Räuberbrot grillen, den Kobold der Lüfte suchen oder den Abenteuern vom fliegenden Samenmännchen lauschen.

Als Gast im Kloster

Der beschauliche, sympathisch altertümliche Charakter der schwäbischen Abtei hat sich über Jahrhunderte erhalten, zudem liegt sie ruhig und abgelegen im Wald.

Rund um das Kloster

Fuggerei Augsburg

Wie eine »Stadt in der Stadt« ist die Fuggerei angelegt, die Jakob Fugger der Reiche 1516 als Sozialsiedlung für bedürftige Augsburger Bürger gründete. In den sechs Straßen stehen 67 Häuser, deren Jahresmiete 0,88 € beträgt, eine Kirche und ein Pumpbrunnen. Wer Mieter in der Fuggerei werden will, muss geborener Augsburger, verheiratet, katholisch und arm sein. Zur Hausordnung gehört noch immer das tägliche »Vater unser« und »Gegrüßet seist du Maria« für die Stifter.

Fuggereimuseum, Mittlere Gasse 14, 86152 Augsburg; Öffnungszeiten: April–Okt. 8–20, Nov.–März 9–18 Uhr

Sozial und sehenswert: die Fuggerei

Extratipp

Helsinki Bar Augsburg In Augsburg ist der Winter zwar nicht ganz so streng wie in Finnland, trotzdem bietet die kleine Loungebar in der Altstadt Gästen wärmende Getränke wie Preiselbeerwodka und Milchkaffee mit Kardamom an. In der Kresslesmühle werden »polare Spezialitäten« wie finnische Pasteten, Piroggen und Korvapuustit, ein Hefegebäck mit Zimt-Zucker-Füllung, serviert. Damit man sich nicht verirrt, sind einzelne Gebäudeteile wie Fenster, Türen und Nischen beschriftet. Allerdings auf Finnisch.

Helsinki Bar, Barfüßerstr. 4, 86150 Augsburg; Tel. 08 21/3 72 90; Internet: www.helsinki-bar.de; Öffnungszeiten: tgl. 10–1 Uhr

Bauernmuseum (Staudenhaus)
Das kleinbäuerliche Anwesen auf dem Klostergelände der Zisterzienserinnen ist das letzte strohgedeckte Haus im Gebiet der Stauden südwestlich von Augsburg. Um es vor dem Abbruch zu retten, wurde es 1974 nach Oberschönenfeld versetzt. Die typische Hausform und seine vollständig erhaltene Einrichtung illustrieren die frühere Bauweise dörflicher Gebäude in Schwaben.

Schwäbisches Volkskundemuseum
Die Ausstellung »Vom Wohnen auf dem Lande« vermittelt Einsichten in die Arbeit der Menschen in Haus und Hof, die Verteilung der Rollen, das

Schwäbisches Volkskundemuseum

Zusammenleben; auch die Wohnkultur wird anschaulich dargestellt. Die Ausstellung lebt von sehr authentischen Inszenierungen und aussagekräftigen Texten, die auf Zeitzeugenbefragungen zurückgehen.

Besonders lebendig wird der Besuch dieser Ausstellung im Rahmen einer Erzählführung. Die Ausstellung im ehemaligen Schafstall zeigt landwirtschaftliche Geräte von der Handarbeit bis hin zur Arbeit mit Maschinen und gibt Einblicke in die bäuerliche Arbeit im Jahreslauf.

Service

Angebot für Gäste
Psychotherapeutische Gespräche und kunsttherapeutische Stunden
Meditativer Tanz
Oasentage
Kontemplation
Ikonenmalen
»Blick hinter Klostermauern« für junge Frauen«
»Zeit für mich«
Ikebanakurs
Naturpark-Haus mit Dauerausstellung über die Entstehung der Landschaft und das Verhältnis von Mensch und Natur

Gottesdienste
Wo 6.30 Uhr Laudes, 7 Uhr Eucharistiefeier, 7.50 Uhr Terz, 12 Uhr Mittagshore, 17.30 Uhr Vesper, 18.30 Uhr Vigil, 20 Uhr Komplet
So 6.30 Uhr Laudes, 8.15 Uhr Terz, 8.30 Uhr Eucharistiefeier, 12 Uhr Mittagshore, 17.30 Uhr Vesper, 18.30 Uhr Vigil, 20 Uhr Komplet

Unterkunft
Tagessatz mit Vollpension 35 € (Ermäßigungen für Nichtverdiener möglich). Jüngere Gäste können im Kloster mitarbeiten, um Kosten zu sparen

Verpflegung
Speisesaal im Gästetrakt der Abtei
Klosterstüble mit Biergarten: schwäbische Spezialitäten

Einkaufsmöglichkeiten
Klosterladen, Geschenke; Öffnungszeiten: Di–Sa 9.30–17 Uhr, So 10–17 Uhr
Brotladen, Öffnungszeiten: Di–Fr 9.30–17, Sa 9.30–13 Uhr;
Tel. 0 82 38/18 40 (zur Vorbestellung von Klosterbrot)

Reservierung
E-Mail: anmeldung@abtei-oberschoenenfeld.de, Tel. 0 82 38/96 25 27

Schwäbisches Volkskundemuseum Oberschönenfeld, 86459 Gessertshausen; Tel. 0 82 38/3 00 10; Internet: www.schwaebisches-volkskundemuseum.de. Öffnungszeiten: tgl. außer Mo 10–17 Uhr

Bildungshaus der Barmherzigen Schwestern vom hl. Vinzenz von Paul

Margarita-Linder-Str. 8
89617 Untermarchtal
Tel. 0 73 93/3 00, Fax 3 05 60
E-Mail:
bildungshaus@untermarchtal.de
Internet: www.untermarchtal.de

Mit dem Pkw: B 311 zwischen Herbertingen und Ehingen Strecke Ulm – Sigmaringen

Mit der Bahn: Strecke Ulm–Sigmaringen, Bahnhof Munderkingen

Das Kloster

Die Gründerpersönlichkeiten des Ordens, Vinzenz von Paul (1581–1660) und Luise von Marillac (1591–1660), setzten sich für hilfsbedürftige und suchende Menschen ein. In ihrer Nachfolge leben die Vinzentinerinnen ein »Christentum der Tat«, z.B. in Krankenhäusern, einer Schule für Hörgeschädigte in Schwäbisch-Gmünd oder in ihrer Missionsniederlassung in Tansania. Seit 1891 befindet sich in Untermarchtal der Sitz des Mutterhauses der Barmherzigen Schwestern. Gleichzeitig entstand das Exerzitienhaus St. Ignaz, das heute das religiöse Bildungszentrum beherbergt. In den 70er-Jahren des vorigen Jahrhunderts erbaute Professor Baur aus Basel die moderne Rundbaukirche St. Vinzenz.

Im Kloster können Gäste die Turnhalle, das Schwimmbad, zwei Werkräume und das Fernsehzimmer benutzen. In den Speisesälen und den beiden Kellerbars bieten die Schwestern eine regionale oberschwäbische Speisenkarte mit Köstlichkeiten aus größtenteils hauseigener Landwirtschaft, Gärtnerei, Bäckerei und Metzgerei an. Neben den Einzel- und Doppelzimmern stehen auch Familienapartments zur Verfügung.

Die kontemplative Atmosphäre des Hauses lädt Menschen in unterschiedlichen Lebenssituationen zur Besinnung und Erholung ein. Die Untermarchtaler Seminarangebote verstehen sich als Versuch, auf substanzielle Fragen der Gegenwart eine Antwort zu finden. Exerzitientage gestalten sich durch biblische Impulse, Besinnungs- und Gebetszeiten, Schweigen, Körperübungen, kreatives Arbeiten und persönliche Gespräche. Weiterhin finden Wanderexerzitien im Donautal statt, Besinnungstage sowie Meditations- und Ikonenmalkurse.

Junge Frauen bis 35 Jahre, die das Leben der Vinzentinerinnen kennen lernen möchten, sind zum gemeinsamen Beten und Arbeiten ins Kloster eingeladen.

Rund um das Kloster

Hängegarten Schloss Neufra

Im 16. Jahrhundert schuf Graf von Helfenstein vor Schloss Neufra mit Hilfe seiner Leibeigenen einen romantischen Hängegarten mit Blick ins Donautal. Getragen wird der Garten von einem Unterbau aus Backsteingewölben auf Säulen. Diese stellen eine Verbindung zur Bergnase her, an der der Garten »hängt«. In den Gewölben der Turm- und Gartenschänke finden regelmäßig Weinproben statt, zur Partie Schach im Garten wird ein Glas Sekt serviert.

Hängegarten Schloss Neufra; Tel. 0 73 71/57 00; Öffnungszeiten: Ostern–Ende Okt. Di–So 10.30–18 Uhr; Turm- und Gartenschänke, Öffnungszeiten: Di–So 10.30–22 Uhr

Keltisches Freilichtmuseum Heuneburg

Die Heuneburg ist das älteste massive Lehmbauwerk nördlich der Alpen. Über 2500 Jahre haben sich hier Reste einer keltischen Höhensiedlung erhalten. An historischer Stätte wurden mehrere Bauwerke originalgetreu wiedererrichtet, um einen Eindruck vom ursprünglichen Zustand zu erhalten. So etwa ein Teilstück der Lehmziegelmauer mit dem Donautor, das Herrenhaus und ein Wohnhaus mit dazugehörigem Speicher und Werkstattgebäude. Besucher des Freilichtmuseums können sich von dem hohen Niveau des Zimmermannhandwerks in keltischer Zeit überzeugen.

Heuneburgmuseum, Ortsstr. 2, 88518 Herbertingen-Hundersingen; Tel. 0 75 86/ 91 73 03; Internet: www.heuneburg.de; Öffnungszeiten: April–Nov. Di–So 10–16.30 Uhr, Juli/Aug. bis 18 Uhr

Service

Angebot für Gäste

Meditationsabende
Familienexerzitien
Fastenexerzitien
Tanz und Yoga
Leben mit den Schwestern für Frauen bis 35 Jahre. Kosten werden durch tägliche Mitarbeit gedeckt.
»Expedition Gottsuche« mit dem Fahrrad
Ikonenmalen
Wanderexerzitien
Tage im Kloster für Frauen
Klosterurlaub

Gottesdienste

Wo 6.05 Uhr Laudes, 6.30 Uhr Eucharistiefeier, 19 Uhr Vesper
So 8.15 Uhr Laudes, 8.45 Uhr Eucharistiefeier, 19 Uhr Vesper

Unterkunft

Bildungshaus Untermarchtal:
100 EZ mit Nasszelle/WC
24 DZ mit Dusche/WC
7 DZ mit Nasszelle/WC
6 Familienapartments mit Dusche/WC
Übernachtung inkl. Vollpension pro Person:
DZ mit Nasszelle/Dusche/WC 32 €, ohne Dusche/WC 28 €
EZ mit Nasszelle/WC 35 €, ohne Nasszelle/WC 29 €

Verpflegung

Drei Speisesäle. Regionale Küche aus eigener Landwirtschaft, Gärtnerei, Bäckerei, Metzgerei
Zwei Kellerbars, Getränkeautomat im Foyer

Reservierung

Bildungshaus, 89617 Untermarchtal; Tel. 0 73 93/3 02 50, Fax 3 05 64; E-Mail: bildungshaus@untermarchtal.de
Angebote für Jugendliche und junge Erwachsene, z.B. »Leben mit den Schwestern«: Sr. Elisabeth Halbmann; Tel. 0 73 93/3 00, Fax 3 03 51; E-Mail: jugendarbeit@untermarchtal.de

Anmeldungen schriftlich bis 14 Tage vor Kursbeginn

Erzabtei St. Ottilien

86941 St. Ottilien/Oberbayern
Tel. 0 81 93/7 10, Fax 7 13 32
E-Mail: kontakt@erzabtei.de
Internet: www.erzabtei.de

Mit dem Pkw: über A 96 München–Lindau bis Ausfahrt Schöffelding, 3 km bis St. Ottilien

Mit der Bahn: Auf der Linie Augsburg–Weilheim bis Bahnhof St. Ottilien oder S-Bahn (S8) ab München bis Station Geltendorf, von dort mit dem Taxi oder zu Fuß (20 Min.)

Das Kloster

Wie man nach St. Ottilien kommt? Immer dem Glockenläuten nach. Denn hier bezeichnen die Kirchenglocken jede Viertelstunde und alle Gebetszeiten, Tag und Nacht. Die ansonsten recht friedliche Erzabtei der Missionsbenediktiner liegt etwa 40 Kilometer westlich von München, umgeben von Feldern und Wiesen. Von Geltendorf aus führt eine schöne Allee zum Klosterdorf.

Die Erzabtei ist vergleichsweise jung. Sie entstand erst 1887 neben der kleinen Wallfahrtskapelle, die seit dem 14. Jahrhundert bekannt und der Äbtissin Ottilia geweiht ist. Eigentlich hatte der Beuroner Benediktiner P. Andreas Amrhein 1884 das oberpfälzische Reichenbach als Standort für eine Gemeinschaft gewählt, die nach mittelalterlichem Vorbild benediktinisches Leben mit dem Missionsauftrag verbinden wollte. Doch da dem Bischof von Regensburg die Neugründung missfiel, übersiedelte man bereits drei Jahre später ins oberbayerische Emming. Schon 1902 erhielt das Kloster den Rang einer Abtei, wurde 1914 Erzabtei und Hauptkloster der Missionsbenediktiner. 1941 hob die Geheime Staatspolizei das Kloster auf; die vertriebenen Mönche konnten erst nach Kriegsende 1945 wieder nach St. Ottilien zurückkehren. Bis 1948 diente ein Teil des Klosters als Hospital für befreite KZ-Häftlinge, wovon ein jüdischer Friedhof heute noch zeugt. Zu den Sehenswürdigkeiten zählen die neugotische Kirche mit dem weithin sichtbaren Glockenturm und ihrem goldenen baldachingedeckten Hochaltar sowie das in einem Jugendstilbau untergebrachte Missionsmuseum, in dem eine ethnografische Sammlung aus Afrika und Südostasien zu sehen ist. Schon kurz nach der Gründung des Klosters war die erste Missionarsgruppe nach

Ostafrika ausgesandt worden, weitere folgten später nach Südafrika, Korea und China. Bis heute ist St. Ottiliens größte Aufgabe die Unterstützung junger Kirchen im Aufbau und die Mithilfe bei der Einpflanzung benediktinischen Klosterlebens in überseeischen Ländern.

Glocke in St. Ottilien

Die Vielzahl der Berufe, in denen sich die autarke Mönchsgemeinschaft als Installateure, Filmemacher, Klosterfriseure und Webmaster betätigt, ist bemerkenswert. Im Fall eines Brandes tauschen die Feuerwehrmönche schon mal ihre Kutten gegen moderne Schutzanzüge und rücken zum Einsatz aus. Die drei Fahrzeuge mit 23 Mann Besatzung waren ursprünglich zum Selbstschutz für das Kloster gedacht, sind heute jedoch meistens auf der Autobahn im Einsatz. Gemeinsam mit der Feuerwehr aus Eresing rücken die Ottilianer auf der A96 zwischen Greifenberg und Landsberg am Lech aus. Die Mönche bewirtschaften zudem ein großes landwirtschaftliches Anwesen mit Hühnerhof und Gärtnerei; was übrig bleibt, wird verkauft. Im renommierten St. Ottilier EOS-Verlag ist 2003 ein Buch über die letzten Lebensstunden König Ludwigs II. im nahen Schloss Berg erschienen, das endlich das Rätsel um seinen mysteriösen Tod lösen soll. Eine weitere nützliche Publikation ist das »Handbuch der Klosterheilkunde«, in dem alte Heilverfahren auf den Prüfstand moderner Forschung gestellt werden.

Als Unterkunft dient das Gästehaus der Abtei. Von der Klostergaststätte »Emminger Hof« werden Gäste mit Delikatessen aus der altbayerischen Klosterküche und mit regionalen Fischspezialitäten bewirtet. Im Kursprogramm haben die seit 1912 angebotenen Exerzitien immer noch einen zentralen Stellenwert. Auf Anfrage können Männer und Frauen Einkehr- und Besinnungstage in der Erzabtei verbringen. Jungen Männern, die sich für ein Leben als Missionsbenediktiner interessieren, wird das »Kloster auf Zeit« nahe gelegt. Das Programm »Beten und Arbeiten« beinhaltet die Teilnahme am Chorgebet, Impulse aus der Benediktusregel und Mitarbeit im Garten. Religionsverbindend wirkt das Meditationswochenende »Zen für Christen«. Auf den »Oasentagen« kann man mit Musik, Tanz und Meditation Kraft für den Alltag tanken. Der am Ortsrand von Wessobrunn gelegene Stillerhof wird als Jugendhaus von St. Ottlien genutzt. Er ist für Gruppen von bis zu 40 Personen ausgerichtet.

Als Gast im Kloster

In der Erzabtei lebt eine ausgesprochen bunte, lebhafte und fortschrittliche Gemeinschaft von Mönchen. Gäste werden sich im schönen St. Ottilien ebenso wohl fühlen wie die glücklichen Hühner auf der klostereigenen Geflügelfarm.

Rund um das Kloster

Ammersee-Bahn

Die nostalgische Ammersee-Bahn beginnt in Mering bei Augsburg und führt zunächst zum Netzknotenbahnhof Geltendorf. In Geltendorf zweigt sie Richtung Ammersee ab,

vorbei an der Erzabtei St. Ottilien, Schondorf, Utting und dem Luftkurort Dießen nach Weilheim/Obb., wo sie nach 54 Kilometern endet. Am Wochenende besteht eine durchgehende Verbindung von Augsburg ins alpine Garmisch-Partenkirchen. Der Streckenabschnitt zwischen Geltendorf und Weilheim ist der romantischste und landschaftlich interessanteste Teil der Ammersee-Bahn. Auf dieser Etappe verlaufen die Gleise stellenweise sehr nah am Ufer des Ammersees. Ab Dießen wird das idyllische Ammermoos in Richtung Weilheim durchquert, wo man bei schönem Wetter das bayerische Alpenpanorama bewundern kann.
Fahrplan und Info im Internet:
www.ammerseebahn.de

Archäologischer Park Herrsching
Bei Bauarbeiten am Mitterweg stieß ein Bagger auf ein frühmittelalterliches Grab, in dem adelige Bajuwaren aus dem 7. Jahrhundert bestattet waren. Die anschließenden Ausgrabungen führten zur Entdeckung von elf weiteren Gräbern und eines Steinfundaments einer frühchristlichen Adelskirche.
Öffnungszeiten nach Vereinbarung (Anm. im Verkehrsbüro, Tel. 0 81 52/ 52 27)

Schloss Hohenschwangau
1832–1836 ließ Kronprinz Maximilian von Bayern die verfallene Burg Schwanstein im neugotischen Stil wieder aufbauen. Hier verlebte sein

Schloss Hohenschwangau

ältester Sohn, König Ludwig II., seine Jugend. Der große Festsaal, auch Helden- oder Rittersaal genannt, nimmt die ganze Breite des Schlosses ein. Die Decke aus Stuckgips wurde mit neugotischen Verzierungen auf rosa Grund und plastischen silbernen Sternen geschmückt. Das Hohenstaufenzimmer war der Ankleideraum von König Maximilian II. und König Ludwig II. und zudem das Musikzimmer Ludwigs.

Auf den Wandbildern sind einige von Maximilian ausgewählte besondere Ereignisse aus der Epoche der Staufer dargestellt. Die Besichtigung ist nur im Rahmen einer Führung möglich. Eintrittskarten für Hohenschwangau und das Märchenschloss Neuschwanstein sind ausschließlich im Ticket-Center erhältlich:
Ticket-Center Hohenschwangau, Alpseestr. 12, 87645 Hohenschwangau; Tel. 0 83 62/93 08 30, Fax 9 30 83 20; E-Mail: info@ticket-center-hohenschwangau.de

Extratipp

St. Ottilien online – live dabei Als Vorgeschmack auf Ihren Besuch in St. Ottilien können Sie vorab schon den berühmten Kirchenglocken und den Gesängen der Choralschola auf der Website der Abtei (www.erzabtei.de) zuhören. Mit dem Online-Stundenbuch, das die Texte zu allen Gebetszeiten und der Hl. Messe enthält, hat man zu Hause die Möglichkeit mitzubeten. Wer trotzdem den Faden verliert, kann live aus der Kirche dem Originalton folgen.

Stadt Landsberg am Lech

Bei einem Rundgang durch die historische Altstadt besucht man den Salzstadel aus dem 14. Jahrhundert, das Färbertor, den Dachlturm, den Arkadenhof, die schönste gotische Toranlage Süddeutschlands, das »Bayertor«, die schäumende Kaskade, das Lechwehr vor der Kulisse der Altstadt, das historische Schuh- und Schuhlöffelmuseum (Tel. 0 81 91/ 4 22 96) und vieles mehr.

Infos: Fremdenverkehrsamt im historischen Rathaus; Tel. 0 81 91/12 82 47, Fax 12 81 60; E-Mail: info@landsberg.de

Rathaus in Landsberg

Wieskirche

Ausgehend von den Tränen, die 1738 an der Figur des »Gegeißelten Heilands« gesehen wurden, entwickelte sich rasch eine Wallfahrtsstätte umfangreichen Ausmaßes. In der Wieskirche ist die Kunst des Rokoko zu einer einmaligen Vollendung gereift, so dass in der kunstgeschichtlichen Literatur vom »Raum-Wunder« der Wies die Rede ist. Das von den Wessobrunner Brüdern Dominikus und Johann Baptist Zimmermann geschaffene Werk wurde vor einigen Jahren von der UNESCO als Weltkulturgut ausgewiesen.

Geöffnet: Sommer 8–19, Winter 8–17 Uhr, Führungen nach Vereinbarung Tel. 0 88 62/93 29 30

Service

Angebot für Gäste

Exerzitien
Kreativkurse
Besinnungstage
Tage im Kloster
Meditationswochenende: Zen für Christen
»Ora et labora« (4 Tage)
Nordic Walking mit spirituellen Impulsen
Meditative Wandertage
Oasentage

Gottesdienste

Wo 5.15 Uhr Laudes, 6.15 Uhr Konventamt, 7 und 8 Uhr Messe, 12 Uhr Mittagshore, 18 Uhr Vesper, Vigil, 20 Uhr Komplet
So 6.30 Laudes, 7, 8, 9, 11 Uhr Messe, 14 Uhr Vesper, 18 Uhr Vigil, 20 Uhr Komplet

Unterkunft

Exerzitienhaus: Zimmer mit Dusche/WC
Übernachtung inkl. Vollpension im EZ 43 €, im DZ 38 €
Zuschlag bei nur einer Übernachtung: 3 €; Ottilienheim: Zimmer ohne Bad von 31–34 €

Zeltplatz St. Ottilien (5 Min. von der Abtei entfernt): Erwachsene 6,50 €, Jugendliche 3,50 €

Verpflegung

Klostergaststätte Emminger Hof, 86941 St. Ottilien; Tel. 0 81 93/52 38, Fax 75 05; bayerische Küche, traumhafter Biergarten
Warme Küche von 11.30–23 Uhr

Einkaufsmöglichkeiten

Klosterladen: Bücher aus dem Abteiverlag EOS, kunsthandwerkliche Arbeiten und Devotionalien
Geöffnet Mo–Fr 10–12 und 13.30–17, Sa 10–12 und 13.30–16, So 10.30–12 und 13.30–16 Uhr
Gärtnerei/Hofladen: Lebensmittel aus der eigenen Landwirtschaft

Reservierung

Exerzitienhaus, Tel. 0 81 93/7 16 00, Fax 7 16 09; E-Mail: exhaus@erzabtei.de, Internet: www.ottilien.de

Claretiner Missionshaus Dreifaltigkeitsberg

78549 Spaichingen
Tel. 07424/958350, Fax 958329
E-Mail: alois.andelfinger@claretiner-spaichingen.de
Internet: www.spaichingen-claretiner.de

Mit dem Pkw: auf der Autobahn A 81 Stuttgart – Singen bis Ausfahrt Rottweil, weiter auf der B 14 nach Spaichingen

Mit der Bahn: Bahnhof Spaichingen

Das Kloster

Der Gipfel des Dreifaltigkeitsberges, eine ehemalige Sonnenkultstätte, überragt Spaichingen mit seiner imposanten Masse. 1923 zogen zwei Claretinerpatres deutscher Abstammung aus dem Gründungsland des Ordens, Spanien, hierher. Nach der Sanierung der Gebäude stehen die Räume heute kleinen Gästegruppen zur Verfügung. In den Gängen sind besondere Lichtnischen für Bilder und Skulpturen in die Wände eingelassen, den Fliesenfußboden zieren farbige Rosetten. Sehr hübsch ist der Wintergarten am Hintereingang. Im Kloster in Spaichingen gibt es jahreszeitbezogene »Tage der Stille« mit spiritueller Begleitung, Oasentage sowie besinnliche Wochenenden zur Vorbereitung auf Weihnachten. Gäste haben Gelegenheit zu Ausflügen in den nahen Schwarzwald und auf die Schwäbische Alb.

Als Gast im Kloster

Die exponierte Lage am Berg verleiht Spaichingen seine besonders freie und doch in sich geschlossene Atmosphäre. Speziell die »Berggottesdienste« sind ein Erlebnis.

Service

Angebot für Gäste
»Frühling im Kloster«
Oasentage
Besinnungstage, Exerzitien

Gottesdienste
Wo 8 Uhr Messe
So 7, 8, 9.30 Uhr Messe, 15 Uhr Andacht

Unterkunft
Gästehaus: Übernachtung/VP 60 €

Verpflegung
Gästespeisesaal

Einkaufsmöglichkeit
Devotionalienladen: Bücher, Postkarten, Holzkreuze und -figuren, Bilder

Toplage

Benediktinerabtei Beuron

Abteistr. 2
88631 Beuron
Tel. 07466/170, Fax 17107
E-Mail:
gastpater@erzabtei-beuron.de
Internet: www.erzabtei-beuron.de

Mit dem Pkw: über die Autobahn A 81 (Stuttgart–Singen), Ausfahrt Tuningen oder Geisingen, weiter Richtung Donautal nach Beuron

Mit der Bahn: Linie Freiburg–Ulm über Tuttlingen bis Beuron (Abholservice)

Das Kloster

In einem Talkessel der Donau zeugt die Erzabtei der Benediktinerkongregation von Beuron für den frischen Geist modernen Mönchtums. Trotz der Felsen, die wie eine natürliche Mauer das Kloster umringen, herrscht reger Austausch mit der Umwelt. Graf Gerold von Bussen gründete schon 777 das ursprüngliche Kloster Beuron. Nach drei Jahrhunderten wurde es durch einen Raubzug der Ungarn zerstört. Nach dem Wiederaufbau 1077 zogen Augustiner-Chorherren in die neue Anlage, 1097 wurde die Abtei vom Papst als eines der ersten Chorherrenstifte Deutschlands anerkannt. Im Zuge der Säkularisation fielen die Besitztümer Beurons an das Haus Hohenzollern-Sigmaringen, bis die Fürstinnenwitwe Katharina das Anwesen zwei Benediktinermönchen aus Bonn überließ. Die »Beuroner Kunstschule« entwickelte sich 1868 als monumentale Antwort auf den Realismus des 19. Jahrhunderts. Neun Jahre später stieg das Kloster zur Erzabtei und Mutterkloster der Beuroner Kongregationen auf.

Im Spätbarock entstand die Abteikirche, das einzige Gebäude, das nicht der Klausur unterliegt. In der Marienkapelle finden sich zahlreiche Beispiele für den frühchristlichen Stil der Beuroner Kunstschule, z.B. Mosaiken und Wandbemalungen. Die Klostergärtnerei baut seit einigen Jahren im Garten verschiedene Heil- und Gewürzkräuter an, seit 1999 wird in Beuron Schnaps gebrannt.

Nur Männer finden im Gästetrakt der Abtei Unterkunft zu geistlichen Tagen und »Ora et labora«-Aufenthalten. Sie können die Mönche bei ihrer Arbeit unterstützen. An den Exerzitien, Kursen und Tagungen im Exerzitienhaus Maria Trost können auch Frauen teilnehmen und dort wohnen. Hauskapelle, Meditationsraum, Speisesaal, Lesezimmer und zwei Vortragssäle vervollständigen die Einrichtung. Weitere Zimmer stehen im Hotel-Restaurant Pelikan gegenüber der Klosterpforte zur Verfügung, wo Sie auch vorzüglich verpflegt werden. Eine Spezialität des Hauses ist der Beuroner Kloster-Mostbraten. Das ganze Jahr über gibt es ein umfangreiches Veranstaltungsprogramm, wie die Beuroner Bibeltage, Konzerte, Edith-Stein-Tage sowie die Beuroner Tage für Wirtschaftsethik.

Als Gast im Kloster

Aufgrund der strengen Klausur kann der Konvent nicht besichtigt werden. Im wunderschön gelegenen Exerzitienhaus gegenüber sind Gäste jeder Konfession und jeden Geschlechts willkommen.

Rund um das Kloster

Ausflugszug »Naturpark-Express«

Gönnen Sie Ihren Füßen eine Pause und genießen Sie den Ausflug in den »Naturpark Obere Donau«. Der Naturpark-Express schlängelt sich an Sommerwochenenden entlang der romantischen Bahnstrecke zwischen Sigmaringen und Immendingen durch das Obere Donautal und hält an insgesamt zehn Bahnhöfen, auch an längst stillgelegten. Fahrräder können mitgenommen werden.

Info-Tel. 0 74 66/92 80 14, werktags 8–16 Uhr sowie in der Geschäftsstelle des Naturparks Obere Donau, 88631 Beuron; Tel. 0 74 66/9 28 00

Wanderroute »Tal der Mönche«

Die reizvolle Wanderroute »Tal der Mönche« entlang der Flussschleifen bezeichnet den Streckenabschnitt vom mittelalterlichen Städtchen Fridingen flussabwärts in Richtung Sigmaringen. Informationen und Wanderkarten zur Orientierung kann man im Kloster erhalten.

Service

Angebot für Gäste

»Ora et labora« für Männer
Tonbildschau über das Kloster
Bibel- und Naturkundemuseum im Kloster
Meditationskurse (Zen)
Besinnungstage
Einkehrwochenenden

Gottesdienste

Chorgebet: 5 Uhr Morgenhore, 11.15 Uhr (So 10 Uhr) Konventamt, 18 Uhr (So 15 Uhr) Vesper, 19.45 Uhr Komplet
Messe: Wo 8 Uhr, So 6 Uhr, 7.30 Uhr, 8.30 Uhr und 11.15 Uhr

Unterkunft

Für Männer im Gästeflügel der Abtei
Gäste- und Tagungshaus Maria Trost: Preis pro Person Übernachtung inkl. Vollpension von 56–68 € (je nach Komfort).
Edith-Stein-Weg 1, Doris und Peter Zimmermann, 88631 Beuron; Tel. 0 74 66/4 83, Fax 91 04 18; E-Mail: mariatrost@t-online.de, Internet: www.mariatrost.de
Klostereigenes Hotel-Restaurant Pelikan, Fam. Arnold Schönwälder, Abteistr. 12, 88631 Beuron; Tel. 0 74 66/4 06, Fax 2 81; E-Mail: hotel@pelikan-beuron.de; EZ inkl. VP 70 €, DZ inkl. VP 65 €, Familienzimmer pro Person inkl. VP 60 €

Verpflegung

Im Gästehaus Pelikan (Restaurantbetrieb) oder in den Speisesälen des Exerzitienhauses Maria Trost

Einkaufsmöglichkeiten

Klosterladen: theologische Bücher, Souvenirs, Devotionalien
Produkte der Klostergärtnerei, -brennerei und -metzgerei: Wurst- und Fleischwaren, Beuroner Destillate, Abtei Likör, Magenbitter, Kräuterweine

Reservierung

Gastpater der Erzabtei, Beuroner Kongregation, Abteistr. 2, 88631 Beuron; Tel. 0 74 66/1 71 58, Fax 1 71 59; E-Mail: gastpater@erzabtei-beuron.de

Architektur & Baukunst

Benediktinerabtei Schäftlarn

82067 Kloster Schäftlarn
Tel. 0 81 78/7 90, Fax 79 88
E-Mail:
verwaltung@abtei-schaeftlarn.de
Internet: www.abtei-schaeftlarn.de

Mit dem Pkw: A 95 München–Garmisch, Ausfahrt Schäftlarn, dann B 11 bis Hohenschäftlarn

Mit der Bahn: ab München mit S-Bahn Linie S 7 München–Wolfratshausen. Von Station Hohenschäftlarn 20 Minuten, von Haltestelle Ebenhausen–Schäftlarn 15 Minuten Fußweg

Das Kloster

Im idyllischen Isartal, zwischen Grünwald und Wolfratshausen nahe Ebenhausen, liegt die Benediktinerabtei Schäftlarn. Das Kloster blickt auf eine lange und wechselvolle Geschichte zurück. Bereits 762 gründete der adelige Priester Waldrich ein dem heiligen Dionysius geweihtes Benediktinerkloster. Als im 10. Jahrhundert das mönchische Leben in Schäftlarn erlosch, übernahmen Kanoniker das bischöfliche Eigenkloster. Ein Großfeuer zerstörte 1527 die Gebäude. Das Kloster wurde aber bald wieder aufgebaut und bereits 1598 zur Abtei erhoben. 1632 brandschatzten Schweden die Abtei. Danach verlor Schäftlarn jegliche religiöse Bedeutung. Erst zu Beginn des 18. Jahrhunderts blühte die Abtei wieder auf. Mit der Neugründung 1866 durch Ludwig I. kehrten die Benediktiner ins Isartal zurück.

Zu den herausragenden Sehenswürdigkeiten dieses bayerischen Klosters zählt die Rokokokirche, die zunächst nach Plänen von Cuvilliés begonnen, dann aber von 1751 bis 1760 von Gunetzrhainer und seinem Schwager Fischer verändert wurde. Stuck und Fresken stammen von Johann Baptist Zimmermann. Das Hauptbild, ein Deckenfresko, entstanden von 1754 bis 1756, zeigt die Legende und Historie der Klostergründung. Die Altäre, die Kanzel und die Statuen gestaltete der Bildhauer J. B. Straub. Im Rokokorahmen der Klosterkirche finden die »Schäftlarner Konzerte« statt, die weit über Bayern hinaus wegen der renommierten Solisten und Orchester einen hervorragenden Ruf genießen.

Die Abtei beherbergt heute ein Gymnasium mit Internat, denn die Wiederbegründung des Klosters war mit der Auflage verbunden, dass die Ordensmitglieder sich fortan »der Seelsorge wie der Erziehung und Bildung der Jugend widmen solle«, wie König Ludwig I. es anordnete. Vom Biergarten des einladenden Klosterstüberls hat man eine schöne Aussicht auf Kloster, Kirche und Isartal. Innerhalb des Klausurbereichs »Tage im Kloster« können ausschließlich Männer in der Klostergemeinschaft mitleben und mitbeten.

Als Gast im Kloster

Das Traditionsbewusstsein dieses klösterlich-bayerischen Urgesteins schlägt sich leicht beschränkend auf das Gästeangebot nieder: Ins Kloster eingeladen sind nur Männer zum Mitleben und Beten. Frauen vertreiben sich die Wartezeit im eleganten Prälatengarten.

Rund um das Kloster

Bavaria Filmstadt, München-Geiselgasteig

Starten Sie zu einem Ausflug in die Welt von Film und Fernsehen. Seit über 80 Jahren werden in der Bavaria-Filmstadt Kino-Highlights und TV-Hits produziert. Besuchen Sie die Drehorte berühmter Filmklassiker, bestaunen Sie, wie während einer Stunt-Show Menschen von Hausdächern stürzen oder als brennende Fackel um ihr Leben laufen, und gruseln Sie sich im Erlebniskino. Zur Filmhandlung bewegte Sitze garantieren täuschend echte Wirklichkeitssimulation. Bitte anschnallen!

Bavaria Filmplatz 7, 82031 Geiselgasteig; Tel. 0 89/64 99 35 57; Öffnungszeiten: März–Nov. tgl. 9–16 Uhr, im Winter bis 15 Uhr

Floßfahrt auf der Isar

Genießen Sie die Flusslandschaft von Wolfratshausen bis München-Thalkirchen mal aus einem anderen Blickwinkel – nämlich vom Wasser aus. Sie werden begeistert sein vom Geschick der Flößer, von einigen »spritzigen« Abfahrten an Staustufen, von der bayerisch-deftigen Verpflegung an Bord und der musikalischen Untermalung (folkloristische Blasmusik oder New-Orleans-Jazz). Die Fahrt dauert je nach Strömung etwa 6 Stunden. Der Spaß ist nicht ganz billig (ca. 40 – 60 € je nach Angebot), aber es lohnt sich. Zu buchen über große Reiseveranstalter (z.B. DER-Tours) oder direkt bei den Flößereibetrieben in Wolfratshausen und rund um München.

Josef Seitner (Tel. 0 81 71/7 85 18)
oder Sebastian Angermeier
(Tel. 0 80 42/12 20)

Service

Angebot für Gäste
Gastaufenthalte ausschließlich für Männer
Mitfeiern der Kirchenfeste
Einzelgespräche
Kontemplationstage

Gottesdienste:
Wo 5.30 Uhr Laudes, 5.50 Uhr Konventmesse, 12.15 Uhr Mittagshore, 18 Uhr Vesper, 19.10 Uhr Vigil und Komplet
So 7.30 Uhr Messe, 10 Uhr Konventamt

Unterkunft
Nur für Männer, kein Gästehaus.
Kosten auf Anfrage.
Zimmer im Landgasthof »Klosterbräustüberl« (Tel. 0 81 78/36 94) vorhanden

Verpflegung
Bei Unterbringung im Kloster Essen im Refektorium
Klosterbräustüberl mit Biergarten

Einkaufsmöglichkeiten
Bücher, Ansichtskarten etc. an der Pforte

Reservierung
Pater Petrus Höhensteiger OSB;
Tel. 0 81 78/79 12; E-Mail: pater.petrus@abtei-schaeftlarn.de

Kulinarisch

Benediktinerkloster Andechs

Bergstr. 2
82346 Andechs
Tel. 0 81 52/37 60, Fax 37 61 43
E-Mail: info@andechs.de
Internet: www.andechs.de

Mit dem Pkw: A 96 München – Lindau bis Ausfahrt Oberpfaffenhofen, dann Richtung Herrsching

Mit der Bahn: S-Bahn (S 5) München–Herrsching, von dort weiter mit Bus oder Taxi

Das Kloster

Eines der berühmtesten Wallfahrtsziele der Welt, das Benediktinerkloster Andechs, liegt südwestlich von München, nur wenige Kilometer vom Ammersee entfernt, im hügeligen Voralpenland. Von der Klosteranlage aus hat man einen herrlichen Blick auf die gesamte Alpenkette, besonders auf das Karwendelgebirge und die Zugspitze. Von Herrsching durch das Kiental führt ein bei Einheimischen und Gästen gleichermaßen beliebter und reizvoller Wanderweg auf den »Heiligen Berg«.

Die Wallfahrtsgeschichte beginnt mit einer Hostie, die während einer Messe zu bluten begann. Schon im 14. Jahrhundert hatten sich in der Kirche durch Pilger und Kreuzfahrer so viele Heiligtümer angesammelt, dass der Burgberg als »Heiliger Berg« bezeichnet wurde. Um 1420 entstand ein Chorherrenstift, das 1455 in eine Benediktinerabtei umgewandelt wurde. Ein Blitz äscherte 1669 nahezu die gesamte Klosteranlage ein, nur der Reliquienschatz im Altar der »Schmerzhaften Kapelle« blieb verschont. Zentraler Punkt auf dem Klosterberg ist die gotische Hallenkirche mit ihrer geschwungenen Barockgalerie.

Durch ihre Brauerei sind die Benediktiner von Andechs autark: Deutschlandweit werden Filialen des »Andechser Klosterbräu« eröffnet. In Andechs selbst empfangen die Mönche im Bräustüberl und auf den Terrassen Gäste aus aller Welt mit warmem Leberkäs' und Steckerlfisch. Bei einer »Andechser Bierprobe« – serviert auf einem Brotzeitbrettl mit Radi und Schnittlauchbrot – kann man alle sechs Klosterbiere verkosten. Die angebaute Sonderkultur Senf ist der Grundstoff für den »Andechser Süßen Senf«. Der »Andechser Kräutergarten« dient als Lehrgarten, in dem zahlreiche Kräuter- und

Heilpflanzen gezeigt werden, die in Anlehnung an die »Andechser Apothekenliste« aus dem 15. Jahrhundert in der Pflanzenheilkunde und Homöopathie Verwendung finden.

Unterer Hochaltar mit Gnadenmadonna

Innerhalb der Klostermauern, im Klausurbereich, existiert zudem der traditionelle Klostergarten, der von einem Mönch bewirtschaftet wird. In der ehemaligen Schreinerei wird heute von der Klosterbrennerei die »Klosterbiene vom Heiligen Berg« mit Honig aus der eigenen Imkerei gebrannt.

Das Kloster bietet Ferienwochen für Jugendliche, »Kloster auf Zeit« und Tage der Stille und Besinnung in begrenztem Umfang an. Es finden Meditationskurse, Vorträge und Einkehrtage für Führungskräfte aus der Wirtschaft statt, die ihre Führungsqualitäten auf der Basis der Benediktusregel verbessern lernen. Die Teilnehmer sind während der Exerzitien Gäste in der Klausur des Klosters, daher können an den Exerzitien nur Männer teilnehmen. Bereits seit dem 15. Jahrhundert werden in Andechs Orgelmusik und Choralgesang gepflegt. Besonders empfehlenswert ist das »Festival Orff in Andechs« im ehemaligen Heustadl.

Als Gast im Kloster

Das weltberühmte Andechser Bier ist heute der Hauptverantwortliche für den Pilgerstrom auf den »Heiligen Berg«. Dass das leibliche Wohl hier eindeutig im Zentrum steht, beweist schon, dass der Klostergasthof älter als das Kloster selbst ist. Guten Appetit und Prost!

Rund um das Kloster

Andechser Molkerei Scheitz

Egal ob Sie Milch, Joghurt, Butter oder Käse kaufen wollen: Alle Rohstoffe und Zutaten stammen aus kontrolliert ökologischem Landbau-Bioland. Auf Wunsch werden dort

Extratipp

Bayerische Biersuppe nach Andechser Rezept

Zutaten: 1 Zitrone ungespritzt, 3 Stück brauner Würfelzucker, 1 l Andechser Hell, 2 TL Semmelbrösel, 3 TL Mehl, 3 EL Wasser, 2 Eigelb, 1 Gewürznelke, 1 Zimtstange, 1 Prise Pfeffer, 1 Prise Salz.

Zubereitung: Zitrone waschen und Zucker kräftig an der Schale reiben. Bier, Gewürze und Zucker in einen Topf geben und zum Kochen bringen. Hitze zurücknehmen und unter Rühren Semmelbrösel, Mehl und Wasser hinzugeben. Hitze wieder erhöhen und die Suppe rühren, bis sie sämig ist. Einen Spritzer Zitronensaft dazugeben. Topf vom Herd nehmen und die Suppe durch ein Sieb gießen. Eigelb unterrühren und servieren.

auch Adressen für »Urlaub auf dem Bauernhof« vermittelt.
Molkerei Scheitz, Biomilchstr. 1, 82346 Andechs; Tel. 0 81 52/37 90, Fax 37 92 01; E-Mail: scheitz@andechser-molkerei.de

Schloss Seefeld
Das Schloss ist seit Mitte des 15. Jahrhunderts im Familienbesitz der Grafen zu Toerring-Jettenbach. Heute – nach aufwendigen Renovierungs- und Revitalisierungsarbeiten im Schlossensemble – ist die Anlage eine dekorative Plattform für Künstler, Dienstleister und Gewerbetreibende. Glasbläser sind ebenso zu finden wie Kunsthandwerker aller Art, Restaurateure, Stoffläden und Schmuckgeschäfte. Zum Beispiel unterhält das Münchener Einrichtungshaus »Kokon« dort eine Filiale. Empfehlenswert ist auch ein Besuch der Schlossgaststätte mit schönem Garten im Innenhof.
Schloss Seefeld, 82229 Seefeld; Tel. 0 81 52/98 08 97; E-Mail: info@kultur-schloss-seefeld.de

Zum Silbernen Floh, Pähl
Dieses Haus bietet neben der idyllischen Lage südlich des Ammersees und der exzellenten Küche auch ein vielfältiges Programm: Jazzkonzerte, Liederabende, Kabarettaufführungen, Gastspiele ausländischer Tanzgruppen und einiges mehr. Im elegant-bayerischen Restaurant finden Sie neben der klassischen Kochkunst auch mediterrane Köstlichkeiten. Der Küchenchef Boris Varchmin, der großen Wert auf die Verwendung marktfrischer und saisonaler Produkte legt, wurde u. a. von einem Restaurantführer wegen seines Muts zu neuen Kreationen zum Aufsteiger 2003/2004 gekürt.
Zum Silbernen Floh, Ammerseestr. 3, 82396 Pähl; Tel. 0 88 08/5 94; Öffnungszeiten: Mi–So ab 18, Sa und So 12–14.30 Uhr

Service

Angebot für Gäste
Wochenenden für Männer
Kloster auf Zeit (im August)
Woche im Kloster für Männer
Ferienwochen für Jugendliche
Abende zur Vorbereitung auf Heirat und Ehe
Andechser Exerzitien für Manager
Einzelaufenthalte im Kloster »Nikolaus-Kolleg«
Einkehrtage für Männer
Bibelabende
Klosterführungen
Konzerte

Gottesdienste
Wo 7 Uhr; Mi 18 Uhr Messe in Verbindung mit der Vesper
So 9, 10.15, 11.30 und 18 Uhr

Unterkunft
15 Gästezimmer im Kloster
Pension »Romantik Villa«:
DZ inkl. Frühstück 50 € pro Person
Romantik Villa, Römerweg 6, 82346 Andechs; Tel. 0 81 52/37 22 66; Internet: www.romantik-villa.de

Verpflegung
Innerhalb der Klausur im Refektorium
Bräustüberl mit einem großen Angebot an bayerischen Spezialitäten (Grill- und Wurstspezialitäten, Schlachtschüssel)
Öffnungszeiten: tgl. 10–20 Uhr
Klostergasthof Andechs
Öffnungszeiten: tgl. 10–23 Uhr

Einkaufsmöglichkeiten
Klosterladen: Bücher, Kerzen, Glas- und Zinnwaren, Rosenkränze, Schnitzereien aus Holz, Andechser Spirituosen, Klostermetzgerei. In der Weihnachtszeit Krippen und Weihnachtsschmuck
Öffnungszeiten: Wo 10–17.30, So 9.30–17.30 Uhr
Klostermetzgerei: große Auswahl an qualitätvollen Wurstwaren
Öffnungszeiten: Fr 8–11 Uhr

Reservierung
Gastmeister Frater Lambert Stangl; Tel. 0 81 52/37 61 67, Fax 37 61 43; E-Mail: lambert@andechs.de

Benediktinerinnenkloster Habsthal

Klosterstr. 11
88356 Ostrach
Tel. 07585/656, Fax 935845
E-Mail: info@kloster-habsthal.de

Mit dem Pkw: über die A8 München-Stuttgart bis zur Ausfahrt Ulm, weiter über Biberach und Bad Saulgau nach Ostrach

Mit der Bahn: auf der Linie Sigmaringen–Ulm bis zum Bahnhof Mengen. Weiter mit dem Taxi (7 km) oder Abholservice auf Anfrage

Das Kloster

Kloster Habsthal liegt an der Oberschwäbischen Barockstraße. Um 1250 schlossen sich ledige Frauen aus Mengen zusammen, um gemeinsam in frommer Armut zu leben. Zehn Jahre später konnten sie bereits die neuen, von Pfalzgraf Hugo von Tübingen gestifteten Klostergebäude in Habstahl beziehen, nachdem sie sich zuvor dem Bettelorden angeschlossen hatten. Von der ursprünglichen Anlage aus dem 15. Jahrhundert ist heute noch das spitzbogige Nordportal und ein Fenster im Chor erhalten. Im 17. Jahrhundert gestaltete Jodocus Beer das Kloster im Stil des Barock um. Nachdem Habsthal um 1800 der Säkularisation zum Opfer gefallen war, dienten die Räumlichkeiten vorübergehend als Gefängnis. Seit etwa 100 Jahren ist der kleine Konvent in Ostrach, in dem heute sechs Nonnen leben, nun wieder besiedelt, und etliche der verlorenen Kunstwerke konnten ins Kloster zurückgeführt werden. Die prunkvolle Barockkirche, die im Gegensatz zu den schlichten Konventsgebäuden steht, ist Teil der Oberschwäbischen Barockstraße.

Einen Teil ihres Lebensunterhalts bestreiten die Schwestern durch den Klosterbetrieb selbst. Ökologische Schaf- und Ziegenhaltung, Schweinezucht, die Gänse auf den Klosterwiesen und die Apfelbäume im Obstgarten vermitteln äußerlich ein Bild der ländlichen Idylle, doch ganz reicht der Ertrag zum Leben nicht aus. Deshalb bitten sie ihre Gäste zum Ausgleich für die Gastfreundschaft um eine Spende.

Im edlen Treppenhaus des Gästetrakts, das ein rundes Deckenornament schmückt, rankt sich ein schmiedeeisernes Ziergeländer nach oben. Die Gästezimmer sind einfach aber gepflegt ausgestattet. Frauen, die in der Klostergemeinschaft mitleben möchten, werden nach einem Vorgespräch gerne und mit großer Herzlichkeit aufgenommen. Meist handelt es sich dabei um Personen, die sich in einer Krisenphase befinden und ihr Leben neu ordnen möchten. Sie können bei der Gartenarbeit und Obsternte helfen und an den Gebeten und Meditationen teilnehmen; zudem stehen die Nonnen jederzeit für Gespräche zur Verfügung – auch, wenn sie gerade einen schweren Korb voller Äpfel in den Händen haben.

Als Gast im Kloster

Ländliches, firlefanzresistentes Kloster mit etwas altertümlichem Habitus. Schweißtreibende Gartenarbeit wird hier als meditatives (und natürliches) Problemlösungsinstrument eingesetzt. Und etwas fürs Herz: neugeborene Lämmer und Ferkel.

Rund um das Kloster

Naturschutzgebiet Untere Au

Das Schutzgebiet liegt in unmittelbarer Nähe der Stadt Sigmaringen und wird als Erholungsgebiet genutzt. Durch das Gebiet führt ein Wanderweg, der teilweise auf der alten Trasse der Donautalstraße verläuft. Die Donau hat sich in Tausenden von Jahren tief in das Gestein der Schwäbischen Alb eingegraben. Hier fließt die Donau in weiten Schleifen durch das Tal. Zu den Brutvögeln des Schutzgebiets zählen Teich- und Sumpfrohrsänger, Blässhuhn und Teichhuhn. Zu den über 20 Tagfalter- und Heuschreckenarten des Gebietes zählen der Schwalbenschwanz und die Rote Keulenschrecke. Der Altarm ist bis zu zwei Meter tief und zum Großteil von gelben Teichrosen bedeckt. Auf dem südexponierten, sehr steilen Prallhang der ehemaligen Flussschleife gibt es eschenreichen Laubmischwald. Ein Paradies für Wanderer und Naturliebhaber.

Schloss Sigmaringen

Das fürstliche Hohenzollern-Schloss steht auf einem Weißjurafelsen über der Donau. Die 1077 erstmals erwähnte mittelalterliche Burg erlebte eine wechselvolle Geschichte. Der Gang durch die Säle und Salons des Sigmaringer Schlosses vermittelt einen nachhaltigen Eindruck von ehemals herrschaftlicher Residenz- und Wohnkultur. Die vor- und frühgeschichtliche Abteilung bietet einzigartige Zeugnisse von der Steinzeit bis zur Alemannenzeit. Das Museum beherbergt markante Werke schwäbischer Maler, Bildhauer und Kunstschmiede des 15. und 16. Jahrhunderts. Im Marstallmuseum stehen Zeugen höfischer Fahrkultur, während die Hofbibliothek schwerpunktmäßig Literatur zur Kultur- und Kunstgeschichte der Hohenzollern bietet.
Öffnungszeiten: Nov.–Feb. tgl. 10–15.30, Mai–Okt. tgl. 9–17, März–April 9.30–16.30 Uhr; Tel. 0 75 71/72 92 30

Service

Angebot für Gäste
Mitleben in der Gemeinschaft
Gemeinsame Meditationen
Führungen durch das Kloster
Externe Seminare, z. B. Zen-Meditation

Gottesdienste
Wo 6 Uhr Matutin, 7 Uhr Eucharistiefeier mit Laudes, 12 Uhr Mittagshore, 17.30 Uhr Vesper, 19.30 Uhr Komplet
Fr 19.30 Uhr und So 10 Uhr Eucharistiefeier in der Pfarrkirche

Unterkunft
Gästezimmer mit Etagendusche
Spende nach eigenem Ermessen

Verpflegung
Im Kloster mit Produkten aus der eigenen ökologischen Landwirtschaft

Reservierung
Sr. Kornelia, Kloster Habsthal, Klosterstr. 11, 88356 Ostrach; Tel. 0 75 85/6 56, Fax 93 58 45

Benediktinerabtei Ottobeuren

Sebastian-Kneipp-Str. 1
87724 Ottobeuren
Tel. 0 83 32/79 80, Fax 79 81 25
E-Mail:
bildungshaus@abtei-ottobeuren.de
Internet: www.abtei-ottobeuren.de

Mit dem Pkw: A 7 (Ulm–Kempten) bis Ausfahrt Memmingen-Süd, auf der A 96 München–Memmingen bis Ausfahrt Erkheim

Mit der Bahn: Strecke Ulm–Kempten, Bahnhof Memmingen, von dort mit dem Bus bis Ottobeuren

Das Kloster

Der berühmteste Sohn des Allgäuer Kurortes Ottobeuren ist Pfarrer Sebastian Kneipp, der hier 1821 geboren wurde. Die Geschichte des Ortes reicht aber Jahrhunderte weiter zurück. Das Kloster wurde schon 764 von dem fränkischen Graf Silach gegründet und von Karl dem Großen mit Landbesitz ausgestattet. Als freies Reichsstift war es direkt dem Kaiser unterstellt. Seine wissenschaftliche Blütezeit als Zentrum des süddeutschen Humanismus erlebte Ottobeuren im 16. Jahrhundert. Bereits 1509 richtete man die erste Buchdruckerei ein. 1711 begann ein umfassender Neubau der gesamten Klosteranlage im Stil des Barock, 1766 wurde die von Johann Michael Fischer erbaute Kirche eingeweiht. Mit der vollständigen Enteignung 1802 fielen die Hoheitsrechte an Bayern. 30 Jahre später richtete König Ludwig I. von Bayern Ottobeuren wieder als Priorat ein, seit 1918 ist es wieder eine selbstständige Abtei. Die Kirche wurde 1926 vom Papst zur Basilika minor erhoben. Sie zeichnet sich durch ihre Doppeltürme mit konvex geschwungener Fassade, meisterhafte Stuckarbeiten und Deckenfresken, ihr Rokoko-Chorgestühl sowie den prächtigen Orgelprospekten aus.

Die stattliche dreigeschossige Klosteranlage, die unzählige Räume und noch mehr pausbäckige Engel beherbergt, gruppiert sich um vier Höfe. Ergänzt wird sie durch den nicht öffentlich zugänglichen Klostergarten mit schönen Teichanlagen. In der von Johann Baptist Zimmermann gestalteten Bibliothek sind wertvolle Bücher gesammelt. Die Empore des hohen Bibliothekssaales wird von weißen und roten Marmorsäulen getragen. Auch Kultur hat in der Hochburg des Barock natürlich ihren Platz: die namhaften »Ottobeurer Konzerte« finden in der Basilika und im Kaisersaal statt, der mit Standbildern der Habsburger Kaiser geschmückt ist; zudem werden im Klostermuseum bedeutende Kunstwerke der Gotik, der Renaissance und des Barock ausgestellt.

Die Ottobeurer Mönche sind in der Seelsorge tätig, sie unterrichten als Lehrer an einem Gymnasium und einer Realschule und führen eine Buch- und Kunsthandlung. Zudem haben sie ihre Aktivitäten um die Tagungs- und Begegnungsstätte Ottobeuren erweitert. Für ihr eigenes leibliches Wohl und das der Gäste sorgen sie mit ihrem Garten, in der Bäckerei und bei der Likörherstellung in der Klosterbrennerei. Ein Mitbruder kümmert sich um eine stattliche Zahl von Bienenvölkern. Ein Klostercafé mit Gartenterrasse lädt zum Verweilen ein.

Gäste, die am Kursangebot der Abtei teilnehmen oder eigene Tagungen veranstalten, sind im Gästetrakt untergebracht. Für Kinder ist Kloster Ottobeuren nicht eingerichtet. Mitleben in der Hausgemeinschaft ist für Männer ab 18 Jahren im »Kloster auf Zeit« möglich. Ferner werden für Einzelpersonen, Ehepaare und Gruppen Einzelexerzitien angeboten, Besinnungs- und Einkehrtage, Ikonenmalkurse und Schweige- und Musikmeditationen. Die Ottobeurer Studienwoche bietet ein Vortrags- und Diskussionsforum auf wissenschaftlichem Niveau und lädt alljährlich dazu ein. Zur Mitfeier z. B. der Osterliturgie ist jedermann willkommen.

Als Gast im Kloster

Ein Aufenthalt im Ottobeurer »Bollwerk des Glaubens« eignet sich gut für Gäste auf der Suche nach zurückgezogener Stille. Kursangebot und Kurortumgebung bieten wenig für junge Leute und Kinder.

Zwei der berühmten Putten

Rund um das Kloster

Allgäuer Volkssternwarte

Das moderne Observatorium dient sowohl der Volksbildung als auch der amateurastronomischen Arbeit. Lehrreich und anschaulich sind ein Modell unseres Sonnensystems im Maßstab 1: 1 Milliarde sowie die Folientafeln über die Sonne und über weit entfernte Objekte wie Nebel, Kugelsternhaufen und Galaxien. Bei Kinderführungen wird mit einem Baader Kleinplanetarium gearbeitet, das die Bewegungen von Erde und Mond, Finsternisse und Mondphasen darstellen kann. Bilder vom Teleskop lassen sich über den Videoprojektor projizieren und in Multimediashows darstellen.

Allgäuer Volkssternwarte, Bgm.-Hasel-Str. 17, 87724 Ottobeuren; Tel. 0 83 32/9 36 60 58; E-Mail: info@avso.de; Führungen Fr ab 19.30 Uhr oder nach Voranmeldung.

Gaststätte Schachenbad

Das behagliche Gasthaus mit Sonnenterrasse liegt unmittelbar an einem Fisch- und Badeweiher mit Kinderspielplatz. Sie können eine gutbürgerliche Küche mit Allgäuer Kässpatzen genießen, Wandern und Rad

fahren, Baden, Angeln (Tagesscheine im FVA Ottobeuren) oder einfach entspannen und sonntags ausgiebig brunchen.
Schachen 29, 87724 Ottobeuren; Tel. 0 83 32/84 67

Kutschfahrt durch das Günztal
In gemütlichem Tempo werden Sie durch das Günztal kutschiert und kehren für den kleinen Hunger zwischendurch im bekannten Brauereigasthof Laupheimer in Günz ein. Anschließend besteht die Möglichkeit, einen mittelalterlichen Bauernhof zu besichtigen. Die Tour dauert insgesamt etwa drei Stunden.
Emmy Hoch, Eldern 4, 87724 Ottobeuren; Tel. 0 83 32/14 22; Internet: www.emmys-kutschfahrten.de

Nordic Walking
Das Gehen mit speziellen Stöcken, die bei jeder Armbewegung neben dem Körper schwingen, ist eine besonders effektive und schonende Sportart. Entspannung für Geist und Seele verspricht die geführte Nordic Walking Tour »Walk in Balance« im wunderschön angelegten Ottobeurer Nordic Walking Parcour. Leihstöcke sind vorhanden.
Treffpunkt: Schelmenheide, Parkplatz Vita Parcour/Tretbecken. Ottobeurer Nordic Walking Parcour, Thalheimerstr. 16, 87724 Ottobeuren; Internet: www.fit-mit-nordic-walking.de

Schwäbische Bäderstraße mit der Therme Bad Wörishofen
Die Schwäbische Bäderstraße verbindet neun Heilbäder und Kurorte auf einer Länge von 140 Kilometern im Alpenvorland von Bayern und Baden-Württemberg. Ein besonderes Highlight ist die Therme Bad Wörishofen mit ihrer riesigen Glaskuppel, die bei gutem Wetter geöffnet wird und Badefreuden in tropisch warmem Thermalwasser unter freiem

Badespaß in Bad Wörishofen

Himmel erlaubt. Kraftvolle Massagedüsen, die Sprudelliegen im Außenbecken und duftende Aromabäder garantieren Wellness und wunderbare Entspannung.
Thermenallee 1, 86825 Bad Wörishofen; Internet: www.therme-badwoerishofen.de, Öffnungszeiten: tgl. 10–22, Sa, So und Feiertag ab 9 Uhr, Sa Familientag 9–18, Sa textilfrei 19–24 Uhr

Extratipp

Kneippkur Nutzen Sie den Aufenthalt in Kneipps Geburtsort zu einer Kur im Sinne des Erfinders. Sie wirkt den Folgen von Stress, falscher Ernährung und ungesunder Lebensweise entgegen und steigert das Wohlbefinden nachhaltig. Die fünf Säulen der Kneippkur: 1) Wasseranwendungen, 2) ausgewogene Vollwertkost, 3) Heilpflanzentherapie z.B. als Badezusatz oder Tee, 4) ausreichend Bewegung, 5) Kraft der Ruhe. Die traditionelle Kneippkur wird in Ottobeuren im Wesentlichen von dem Dreiklang von Landschaft, Barockarchitektur und benediktinischem Geist geprägt.
Hotelbuchungen über die Marktgemeinde Ottobeuren; Tel. 0 83 32/92 19 51; Internet: www.ottobeuren.de

Schwäbisches Bauernhofmuseum

Ein historisches »Dorf im Dorf« mit allem, was zur Darstellung von ländlichem Leben des Mittelalters dazu gehört: ein Besuchermagnet! Das 1955 eröffnete Bauernhofmuseum ist eines der ältesten seiner Art. Neben dem Haupthaus in der Museumsstraße wurden noch weitere Häuser des Ortes in das Freilichtmuseum einbezogen. So sind heute über 15 liebevoll eingerichtete Objekte zu sehen, darunter eine bemalte Kapelle mit 50 schmiedeeisernen Grabkreuzen. Im Museumsgasthof gibt es eine herzhafte Brotzeit.

Museumstr. 8, 87758 Kronburg; Tel. 0 83 94/14 55; Öffnungszeiten: März–Okt. tgl. 10–16, April–Sept. tgl. 9–18 Uhr, über Weihnachten eingeschränkte Öffnungszeiten

Allgäuer Windbeutelparadies

Wie man ein »auf der Zunge zergehendes, gefülltes Stück Brandteig in Form einer Rosette«, auch Windbeutel genannt, richtig verzehrt, erfahren Sie im Allgäuer Windbeutelparadies: Man nehme den Windbeutel wie ein Sandwich in die Hand und beiße genussvoll hinein. Entsteht ein weißer Bart, verwenden Sie die Rückseite Ihrer Krawatte zum Abwischen. Oder man zerlegt den Windbeutel, sucht sich das Beste aus und gibt den Rest dem Hund oder dem Nachbarn. Wer drei Windbeutel schafft, bekommt den dritten gratis – der Rekord liegt bei elf Stück. Kein Wunder, wer kann bei dem »heißen Windbeutel mit Sahne, Zimteis, heißen Mandarinen in Cointreau und Mandeln« schon widerstehen? Bei der Bestellung eines »Windbeutels mit Herz« wird jeweils ein Euro einem guten Zweck gespendet.

Allgäuer Windbeutelparadies, Memminger Straße 2, 87724 Ottobeuren; Tel. 0 83 32/77 72; Öffnungszeiten: 12–18 Uhr, Mo Ruhetag (Mai–Sept. kein Ruhetag)

Service

Angebot für Gäste

Einzelexerzitien
Stressbewältigung
Einkehr im Kloster
Ottobeurer Studienwoche: Infos im Internet unter www.ottobeurer-studienwoche.de
Musikmeditationen
Fasten, Wandern, Meditieren
Jahresprogramm per Post oder im Internet

Gottesdienste

Wo 6.30 Uhr, Sa 8 Uhr, So 7.30 Uhr

Unterkunft

Pauschalpreise für die Seminare gelten für Unterbringung im EZ, Abschlag für DZ: pro Person 3 €
Zimmer mit Dusche/WC
Bei Einzelaufenthalten Preise nach Vereinbarung

Verpflegung

Ein Großteil der Speisen stammt aus dem eigenen Garten, der Bäckerei und Imkerei.
Kloster-Café: Hausgemachte Kuchen und Torten
Die Terrasse im Klostergarten ist bei schönem Wetter ein beliebter Treffpunkt.
Öffnungszeiten: tgl. 10–17.30 Uhr

Einkaufsmöglichkeiten

Klosterladen: Bücher, Führer durch Basilika und Abtei, Souvenirs, Videos über die Abtei, CDs mit Konzerten aus der Abtei oder den gregorianischen Chorälen der Mönche beim Stundengebet mit Orgelgeläut, Honig aus der eigenen Imkerei, Kräuterliköre aus der eigenen Brennerei
Öffnungszeiten: tgl. 13.30–17.30, Mo–Sa auch 9–12.30 Uhr

Reservierung

Tagungs- und Begegnungsstätte der Benediktinerabtei, Sebastian-Kneipp-Str. 1, 87724 Ottobeuren; Tel. 0 83 32/79 80, Fax 7 98 90; E-Mail: bildungshaus@abtei-ottobeuren.de, Internet: www.abtei-ottobeuren.de
Für alle Kurse und Veranstaltungen schriftliche Anmeldung erwünscht.

Aktiv

Benediktinerinnenabtei Frauenwörth

83256 Frauenchiemsee
Tel. 0 80 54/90 70, Fax 79 67
E-Mail: Frauenwoerth@t-online.de
Internet: www.frauenwoerth.de

Mit dem Pkw: A 8 München–Salzburg, Ausfahrt Bernau, weiter über Prien Richtung Rimsting/Breitbrunn nach Gstadt (dort Parkmögl.), Überfahrt mit Linienschiff ca. 10 Min.

Mit der Bahn: Strecke München–Salzburg, Züge stündlich, Bahnstation Prien am Chiemsee; vom Bahnhof bis zum Schiff 20 Min. Fußweg oder Bus/Taxi zum Hafen; Überfahrt ca. 25–35 Min.

Das Kloster

Die Benediktinerinnenabtei liegt idyllisch auf einer der drei Inseln im Chiemsee und ist nur per Schiff von Gstadt aus zu erreichen. Die lange Geschichte des Klosters beginnt mit seiner Gründung durch den Bayernherzog Tassilo III. um 772. Vom 11. bis zum 15. Jahrhundert erlebte es eine andauernde, relativ ungestörte Blütezeit, da es aufgrund seiner Insellage vor Überfällen geschützt war. Das Wasser erwies sich in mancher Hinsicht als wirkungsvollste Klausurmauer. Im 18. Jahrhundert wurden die Klostergebäude umgebaut und erhielten ihr heutiges Aussehen. Kloster Frauenchiemsee mit seinem achteckigen Zwiebelturm, dem Wahrzeichen der Insel, zählt zu den ältesten bestehenden Frauenklöstern nördlich der Alpen – und auch zu den meist besuchten.

Der edle – und recht hochprozentige – Klosterlikör der Frauenwörther Nonnen wird aus den heilenden Pflanzen des Kräutergartens gewonnen. Mit seinen Buchsrabatten, Rosenbüschen und dem betörenden Lavendelduft ist der nach den Lehren Hildegards von Bingen eingerichtete Garten ein wahres Schmuckstück. Doch Frauenchiemsee ist nicht nur für seine »flüssige Nahrung« bekannt: Der Klosteranger versorgt bereits seit Jahrhunderten das Kloster mit Gemüse und Kartoffeln. Vor kurzem wurde er als üppiger Blumen- und Obstbaumgarten umgestaltet.

Eine der vielen Sehenswürdigkeiten bei einem Klosteraufenthalt in Frauenwörth ist die einmalige Lage des Gästehauses direkt am Ufer des Chiemsees. Unbedingt einmal ganz früh aufstehen und bei Sonnenaufgang ins Wasser springen!

Abteikirche Frauenwörth

Angeboten werden Einkehrwochenenden, Exerzitien, Meditationskurse, Seminare und Kurse für Gesundheit, Kunst, Musik und Freizeitgestaltung, wie beispielsweise Ayurvedakurse, Atempause im Kloster, »Gebärdengespräche«, Fasten und Schweigen, Yoga und Qi Gong. Einzelgäste, die tatkräftig bei der Garten- oder Küchenarbeit helfen, wohnen und essen gratis im Gästehaus.

Als Gast im Kloster

Für das wahre Inselfeeling brauchen Sie keinen Urlaub nach Bali zu buchen: Betörende Düfte aus dem Kräutergarten, türkisgrünes Wasser, soweit das Auge reicht und der Besuch eines Ayurvedakurses sorgen für die perfekte Fernreise-Atmosphäre.

Rund um das Kloster

Radtour rund um den Chiemsee

Auf sehr gut ausgebauten und beschilderten Radwegen lässt sich der größte der bayerischen Seen bequem umfahren. An der Strecke liegen zahlreiche Gasthöfe, die zu einer Rast einladen. Fahrradverleih in allen größeren Orten am Chiemsee.

Herrenchiemsee

Auf Herrenchiemsee, der bekanntesten Insel im Chiemsee, baute sich König Ludwig II. sein Versailles nachempfundenes Schloss. Bequem mit dem Linienschiff zu erreichen.

Schloss Herrenchiemsee

Naturerlebnistouren am Chiemsee

Von Experten geführte Touren bieten Einblicke in das empfindliche und wichtige Gleichgewicht zwischen Tourismus, Natur und Landwirtschaft. Selbst nach jahrtausendelangen kultivierenden Eingriffen sind am Chiemsee und in den Chiemgauer

Extratipp

Gutes aus dem Klostergarten Schon im Mittelalter hatten die Hausrezepte der Nonnen einen Ruf über die Grenzen des Klosters hinaus. Zwar werden Klosterlikör, Halbbitter, Magenbitter, Klostergeist und Fruchtlikör heute nicht mehr wie einst in Eichenfässern, sondern nach modernen Methoden hergestellt; doch die Kräuter werden nach wie vor nach überlieferten Geheimrezepten gemischt, die Pflanzen des Kräutergartens nach alter klösterlicher Tradition ausgewählt. Lavendelsäckchen, Lebkuchen und vor allem vorzügliches Marzipan sind beliebte Mitbringsel aus dem Klosterladen.

Bergen Kultur und Natur noch harmonisch verbunden. Von der Uferlinie des Sees sind 90 % unbebaut und mehr als die Hälfte naturnah. Die Flachwasserzonen sind für größere Boote unpassierbar. Mit Kescher und Sieb wird dem See »auf den Grund gegangen« und im Schlamm nach kleinen Erbsenmuscheln gesucht. Vorbei geht es an gelben Teichrosenfeldern und dichten Schilfröhrichten. Oder man begibt sich auf eine naturkundliche Entdeckungsreise rund um die Prienmündung. Mit dem Sieb werden aus der Prien glitzernde Schwerminerale entnommen.
Anmeldung: Kur- und Tourismusbüro Prien; Tel. 0 80 51/6 90 50; Internet: www.dernaturaufderspur.de.

Römermuseum »Bedaium«
Der römische Ort Bedaium entstand 50 n. Chr. an der Stelle des heutigen Seebruck. Er entwickelte sich rasch zum Verkehrsknotenpunkt zwischen Inn und Salzach. Kontinuierliche Bodenforschung legte eine faszinierende Illustration der Vergangenheit frei. Mit Hilfe von mehr als 500 Ausstellungsstücken wird ein historischer Bogen von der Vorgeschichte über die Stein- und Bronzezeit bis zu den frühen Kelten geschlagen.
Römermuseum Bedaium, Römerstr. 3, 83358 Seebruck; Tel. 0 86 67/75 03; Öffnungszeiten: Di–Sa 10–12 und 15–17 Uhr, So 15–17 Uhr, Mai–Okt. Di–Sa 10–17 und So 13–17 Uhr

Kulinarischer Herbst im Chiemgau
Das beliebte Festival der Genüsse holt die große Welt des Speisens an den Chiemsee. Natürlich darf weder die herzhafte noch die feine Chiemgauer Kost fehlen, wenn die Wirte jeden Herbst Köstlichkeiten auftischen. So findet sich ein estnisches Rentierschnitzel mit Rosmarin gebraten an Wacholdersoße neben steirischem Kürbiscarpaccio in Kernöl-Limettenmarinade wieder. Wem da das Wasser im Munde zusammenläuft, der findet die Rezepte zum Nachkochen im Internet unter: www.kulinarischer-herbst.de. Informationen gibt es bei den Wirten in Aschau (Bistro Pinot, Restaurant Burghotel, Gasthof Kampenwand, Schießstätte), in Amerang (Glockenwirt), in Bernau (Jägerhof, Seiserhof) oder in Frasdorf (Landgasthof Karner und Schlosswirtschaft Wildenwart).

Service

Angebot für Gäste
Exerzitien
Einkehrwochenenden
Ayurvedisch kochen
Wohlfühltage für Frauen
Seminare zur Lebensorientierung
Kalligrafie
Methoden zur mentalen und körperlichen Entspannung
Qi Gong, Yoga und Tai Chi zum Kennenlernen

Gottesdienste
5.45 Uhr Laudes, 11.30 Uhr Mittagshore, 17.20 Uhr Vesper, 19.30 Uhr Nachthore

Unterkunft
85 Zimmer, teils mit grandiosem Seeblick, EZ 27–52 €, DZ 22–42 € ohne Verpflegung

Verpflegung
Gaststätte Klosterwirt
Vollpension 28 €, Ayurvedische Küche im Kloster 33 € VP

Einkaufsmöglichkeiten
Klosterladen: Liköre, Magenbitter, Klostergeist, Lebkuchen, Marzipan, Bücher, getrocknete Kräuter aus dem eigenen Garten
Öffnungszeiten: Mo–Sa 10–17.15 und So, Feiertag 13–17 Uhr

Reservierung
Für Einzelgäste: Sr. Clara Jung OSB
Tel. 0 80 54/90 71 45, Fax 79 67
Seminarverwaltung: Sr. M. Scholastica
Tel. 0 80 54/76 44, Fax 15 66
E-Mail: seminar.abtei@t-online.de

Toplage

Bildungshaus St. Martin Kloster Bernried

Klosterhof 8
82347 Bernried
Tel. 08158/2550, Fax 25563
E-Mail:
bernried-bildungshaus@gmx.de
Internet:
www.bernried-bildungshaus.de.vu

Mit dem Pkw: A95 München–Garmisch, Ausfahrt Seeshaupt, am Ortsende Seeshaupt Richtung Bernried (6 km)

Mit der Bahn: Linie München–Kochel bis Bahnhof Bernried, von dort Fußweg zum Kloster

Mit dem Schiff: Mai–Okt. von Starnberg

Das Kloster

Das Kloster und Bildungshaus St. Martin liegt mit seinem weitläufigen Garten direkt am Starnberger See und dem herrlichen Nationalpark. Es bildet eine bauliche Einheit mit der Pfarrkirche St. Martin des Dorfes Bernried, das 1983 als schönstes Dorf Bayerns ausgezeichnet wurde. Dazu beigetragen haben gut erhaltene, typische Holzhäuser, die exponierte Lage am See, der herrliche Park, die Hofmarkskirche und nicht zuletzt die Klosteranlage.

Das unter Denkmalschutz stehende historische Gebäude ist in mehreren Bauabschnitten renoviert worden und bietet heute bis zu 95 Personen Unterkunft. Neben der Hauskapelle, dem Festsaal, der Bibliothek, dem hellen Gartensaal, dem Lesezimmer, einem Fernsehraum und drei Speiseräumen stehen Gästen und Tagungsteilnehmern mehrere Gruppenräume zur Verfügung. Familien können das Kinderzimmer, die umzäunte Spielwiese mit Geräten, den Tischtennisraum und eine Waschküche nutzen. Die neue Veranda bietet sich an warmen Abenden zum Grillen an. Am hauseigenen Badeplatz mit Liegewiese, Holzsteg und Umkleidekabinen tummeln sich bei sommerlichen Temperaturen die Gäste. Die Küche sorgt mit frischem Obst, Gemüse und knackigen Salaten aus dem Eigenanbau für eine gesunde und vielseitige Verpflegung, während der gut sortierte Weinkeller Tropfen aus den ehemaligen Anbaugebieten der Bernrieder Augustiner-Chorherren bereithält. Für Tee, Gewürz- und Heilkräuter wird nach bewährter klösterlicher Tradition der Kräutergarten gepflegt.

Nach benediktinischer Art ist das Bildungshaus die wesentliche Existenzgrundlage des Klosters. Die in ihren Berufen qualifizierten Schwestern, die im Bildungshaus tätig sind, sichern die Qualität des Angebotes: religiöse Bildung, Wochenenden für Jugendliche, »Kloster auf Zeit« für junge Frauen, die eine evtl. geistliche Berufung testen wollen, Fastenwochen, stille »Reisen nach innen«, Beziehungswochenenden, Tanzseminare, Frauentage im Kloster und Schweigeexerzitien.

Rund um das Kloster

Dampferfahrt auf dem Starnberger See

Jedes Jahr pünktlich zum Frühjahrsbeginn fuhr König Ludwig II. an »seinen« See. Der See ist ca. 21 Kilometer lang und fünf Kilometer breit. An seiner tiefsten Stelle misst das Gewässer 127 Meter. Start zur Seerundfahrt ist am Dampfersteg in Bernried, nur eine Minute vom Kloster entfernt.

Große Seerundfahrt: 14,90 €
Bayerische Seenschifffahrt, Dampfschiffstr. 5, 82319 Starnberg;
Tel. 0 81 51/80 61, Fax 15 22 29; E-Mail: starnbergersee@seenschifffahrt.de, Internet: www.bayerische-seenschifffahrt.de

Ilkahöhe, Tutzing

Das Restaurant mit überdachter Sonnenterrasse und Biergarten bietet Ihnen in einzigartiger Lage über dem Starnberger See einen freien Blick auf die gesamte Alpenkette. Das ländlich-elegante Ambiente schätzen Stammgäste ebenso wie auswärtige Besucher der Region. Genießen Sie Schätze des Weinkellers und Fischgerichte aus dem nahen See.

Forsthaus Ilkahöhe, 82327 Tutzing;
Tel. 0 81 58/82 42; E-Mail: ilkahoehe@t-online.de; Öffnungszeiten: Mi–So ab 12 Uhr, Biergarten bei schönem Wetter tgl. ab 12 Uhr

Buchheim-Museum, Bernried

Das Museum der Phantasie des 2007 verstorbenen Lothar Günther Buchheim zeigt eine sorgfältig zusammengetragene Expressionistensammlung mit Gemälden, Aquarellen, Zeichnungen und Druckgrafiken. Die Nebensammlungen umfassen Kunsthandwerk aus aller Welt, bayerische Volkskunst, Kultgegenstände aus Afrika und anderen außereuropäischen Ländern.

Museum der Phantasie, Am Hirschgarten 1, 82347 Bernried; Tel. 0 81 58/ 9 97 00; E-Mail: info@buchheimmuseum.de; Öffnungszeiten: April–Okt. Di–So und Feiertage 10–18 Uhr, Nov.–März Di–So und Feiertage 10–17 Uhr

Service

Angebot für Gäste
»Tage im Kloster« (3 Tage) zu bestimmten Terminen
Schweigeexerzitien
Fastenwochen
Bibelwanderwoche
Familienferien

Gottesdienste
5.35 Uhr Laudes, 6 Uhr Eucharistiefeier, 12.30 Uhr Hore, 17.45 Uhr Vesper, 19.30 Uhr Komplet

Unterkunft
95 Betten in Einzel- und Mehrbettzimmern, z. T. im Gästehaus, alle mit Nasszellen
Preise abhängig vom Kursprogramm

Verpflegung
Im Gästehaus, überwiegend mit gesunden Produkten aus Eigenanbau

Einkaufsmöglichkeit
An der Pforte und in einem der Stüberl Karten, Bücher etc.

Reservierung
Bildungshaus St. Martin, Kloster Bernried, Klosterhof 8, 82347 Bernried; Tel. 0 81 58/ 2 55-0, Fax 2 55-63; E-Mail: bernried-bildungshaus@gmx.de, Internet: www.bernried-bildungshaus.de.vu

Stille & Rückzug

Kapuzinerkloster Stühlingen

Lorettoweg 12
79780 Stühlingen
Tel. 0 77 44/9 39 93, Fax 93 99 60
E-Mail: stuehlingen@kapuziner.org
Internet: www.kapuziner.de

Mit dem Pkw: A 81 Stuttgart–Bodensee bis Ausfahrt Donaueschingen, weiter über die B 27 Richtung Schaffhausen bis zur Abzweigung B 314, dann Richtung Waldshut

Mit der Bahn: auf der Linie Stuttgart-Schaffhausen (CH), dort weiter mit dem Bus nach Stühlingen zur Haltestelle »Stadtmitte«

Das Kloster

Das mittelalterliche Romantik-Städtchen Stühlingen liegt im Südschwarzwald an der Schweizer Grenze. Die Geschichte des Kapuzinerklosters ist eng mit dem Haus Fürstenberg verwoben. Nachdem die Fürstenberger 1723 ihren Wohnsitz verlegten, zogen die Kapuziner in ein Kloster neben der Wallfahrtskapelle der Jungfrau Maria von Loreto. Heute bilden sechs Kapuzinerpater und drei Reuter Franziskanerinnen hinter frisch gestrichenen, strahlend weißen Wänden die Stühlinger Klostergemeinschaft. Schwestern und Mönche leben unter einem Dach in der großen Anlage. Beim Chorgebet drängen sie sich während der kalten Jahreszeit um die besten – weil als einzige geheizten – Plätze in den hinteren Sitzreihen. Gemeinsam versuchen sie als Angehörige von Bettelorden, aus dem schönen Klostergarten mit den spalierüberdachten Wegen und der kleinen Landwirtschaft ihren täglichen Bedarf so gut es geht zu decken.

In den bepflanzten Innenhöfen der Konventanlage wird hie und da auch gegrillt, wenn es etwas zu feiern gibt, wie letzthin das 20-jährige Jubiläum des »Klosters zum Mitleben«. So lange wird in Stühlingen bereits Interessierten die Möglichkeit geboten, mindestens eine Woche in der Klostergemeinschaft zu verbringen. Alle, auch Ehepaare, sind in die schlichten Zellen eingeladen, mit den Mönchen und Schwestern die Klostergemeinschaft zu bilden. Nicht als Zuschauer, sondern mit der Möglichkeit und sogar dem Auftrag, den Alltag mitzugestalten. Gäste werden wie selbstverständlich in das Ordensleben, die Mahlzeiten und die Gebete eingegliedert. Besonders gefragt sind

Besucher, die sich in Eigeninitiative ins Gespräch einbringen – während der zweimal wöchentlichen »geistlich-geistigen Auseinandersetzung« haben immer die Themen und Fragen der Gäste Vorrang. Der Freitag ist dem Schweigen und Fasten gewidmet, dabei wird auf das Mittagessen verzichtet. Jeden Abend um 20.15 Uhr – also zur besten Fernsehzeit – findet die gemeinsame Rekreation vor dem offenen Kamin statt. Statt TV-Berieselung wird gespielt und gesungen. Da das Kloster außer einer Spende kein Geld für Unterkunft und Verpflegung fordert, helfen

Spaziergang im Klostergarten

Gäste tatkräftig im Garten und Haus mit. Als Belohnung für den schmerzenden Rücken vom Johannisbeerpflücken und Beete jäten darf man die selbst gemachte Marmelade, zu der die Beeren sofort verarbeitet werden, mit nach Hause nehmen.

Als Gast im Kloster

Dieses »Kloster zum Mitleben« belohnt seine Mitbewohner, wie die Gäste richtiger heißen müssten, durch große Menschlichkeit, offene Ohren und ernst gemeintes Interesse an jedem Einzelnen. Arbeitshandschuhe einpacken!

Rund um das Kloster

Museumsbahn Wutachtal

Die Museumsbahn, im Volksmund auch »Sauschwänzlebahn« genannt, führt durch das Wutachtal mit seinen romantischen Hangpfaden und botanischen Raritäten. Die denkmalgeschützte Bahn ist ein einzigartiges Zeugnis der Ingenieurbaukunst mit Brücken, Viadukten, Kehrschleifen und dem einzigen Kreiskehrtunnel Deutschlands.

Internet: www.sauschwaenzlebahn.de

Museumsmühle im Weiler

Im Weiler bei Stühlingen-Blumegg befindet sich eine der ältesten, in großen Teilen noch vollständig erhaltenen Gipsmühlen Deutschlands. Sie diente zum Getreide- und Körnermahlen sowie zum Früchtestampfen. Außerdem wurde Gips zu Düngegips zermahlen. Die Mühle ist eine einzigartige Rarität mit drei Mühlrädern und fünf Mahl- und Stampfwerken.

Öffnungszeiten: variabel, bitte erfragen unter Tel. 0 77 51/8 63 60 (Landratsamt Waldshut).

Extratipp

Rheinfall bei Schaffhausen «Halte dein Herz, o Wanderer, fest in gewaltigen Händen! Mir entstürzte vor Lust zitternd das meinige fast. Rastlos donnernde Massen auf donnernde Massen geworfen, Ohr und Auge, wohin retten sie sich im Tumult?» So beeindruckt zeigte sich Eduard Mörike vom größten Wasserfall Europas, der 150 m breit und 23 m tief über die Felsen stürzt. Vom Rheinfallbecken aus kann man die ganze Wucht der Wassermassen auf sich wirken lassen. Vom Schloss Laufen aus führt ein Fußweg vorbei am tosenden Rheinfall zur Plattform «Känzeli» mitten im Wasser.

Schaffhausen Tourismus, Herrenacker 15, CH-8201 Schaffhausen; Tel. 00 41/5 26 32 40 20; Internet: www.schaffhausen-tourismus.ch

Vogelpark Steinen

Ein besonderer Vogelpark, inmitten der herrlichen milden Landschaft des Wiesentales. Auf 100 000 Quadratmetern Parkfläche erleben Besucher

Greifvogel-Flugshow

über 1000 Vögel in 300 Arten aus aller Welt und eines der schönsten Tropenhäuser Europas mit Freiflugraum. Auch Berberaffen, Kapuziner- und Weißbüschel-Äffchen sowie Kängurus sind hier anzutreffen. Im Tropen-Haus kann man bei jeder Witterung über fliegende Vogel-Kostbarkeiten aus dem Tropengürtel beobachten. Die Falkneranlage liegt auf einer kleinen Anhöhe in der Nähe des Parkeingangs. Hier finden faszinierende Greifvogel-Flugvorführungen mit Adlern, Falken und Eulen statt. Nach der Flugshow darf man einen Uhu streicheln. Zweimal täglich stehen moderierte Berberaffen-Fütterungen auf dem Programm. Müde Füße erholen sich anschließend in der neuen Kneipp-Anlage und auf dem Barfußpfad.

Vogelpark Steinen, 79588 Steinen-Hofen; Tel. 0 76 27/74 20; Internet: www.vogelpark-steinen.de

Museum Hüsli, Grafenhausen-Rothaus

Das Haus wurde 1912 als Sommersitz der aus Lörrach stammenden Berliner Sängerin Helene Siegfried erbaut und ist seit ihrem Tod 1966 Museum des Landkreises Waldshut. Die Ausstattung wurde ausnahmslos aus Bauernhöfen der Region gesammelt und präsentiert eine wertvolle Sammlung Schwarzwälder Volkskunst vor allem des 18. und 19. Jahrhunderts. Das Hüsli erlangte Berühmtheit als Drehort für die TV-Serie »Schwarzwaldklinik«, wo sein Äußeres als Wohnhaus von »Professor Brinkmann« diente.

Heimatmuseum »Hüsli«, 79865 Grafenhausen-Rothaus; Tel. 0 77 48/2 12; Öffnungszeiten: April–Okt. Di–Sa 9.30–12 und 13.30–17 Uhr, So 13.30–17-30 Uhr, Okt.–März Di–Sa 10–12 und 13.30–17 Uhr, So 13.30–17 Uhr

Service

Angebot für Gäste
Mitleben in der Gemeinschaft
Stille Woche mit biblischen Impulsen
Mitfeiern der großen Kirchenfeste

Gottesdienste
6.15 Uhr Leibübung und Meditation, 7 Uhr Laudes, 12 Uhr Mittagsgebet (nicht Fr), 17.30 Uhr Vesper (Fr 18 Uhr Anbetung), 21.30 Uhr Komplet (nicht Fr) So 7.30 Uhr Laudes, 18 Uhr Eucharistiefeier, 21.30 Uhr Komplet

Unterkunft
Mindestaufenthalt eine Woche, vier Wochen als Höchstdauer; Spende nach eigenem Ermessen und finanzieller Situation
Jährlich drei »Geschlossen Zeiten« im Mai, September und November

Verpflegung
Frisches aus Eigenanbau
8 Uhr Frühstück, 12.45 Uhr Mittagessen, 19 Uhr Abendessen

Reservierung
Kapuzinerkloster Stühlingen, Lorettoweg 12, 79780 Stühlingen; Tel. 0 77 44/9 39 93, Fax 93 99 60; E-Mail: stuehlingen@kapuziner.org, Internet: www.kapuziner.de

Toplage

Provinzhaus Hegne der Barmherzigen Schwestern

Konradistr. 12
78476 Allensbach
Tel. 0 75 33/80 70, Fax 80 71 23
E-Mail:
provinzhaus@kloster-hegne.de
Internet: www.kloster-hegne.de

Mit dem Pkw: von Konstanz über die Bundesstraße 33

Mit der Bahn: auf der Linie Singen–Konstanz bis Radolfzell, von dort mit der Regionalbahn nach Hegne. 10 Minuten Fußweg zum Kloster

Das Kloster

Vor den Toren von Konstanz, mit Blick über den Bodensee zur Insel Reichenau, liegt das Provinzhaus Hegne mit seiner schönen Grünanlage. 1895 wurden über 300 Schwestern aus Baden und Hohenzollern in Hegne zu einer eigenen Provinz zusammengefasst. Seit 1926 lehren die Barmherzigen Schwestern vom heiligen Kreuz am Marianum, einer privaten katholischen hauswirtschaftlich-sozialpädagogischen Berufsfachschule mit einer Fachschule für Sozialpädagogik.

Das Gästehaus St. Elisabeth verbindet den Komfort eines Drei-Sterne-Hotels mit dem Geist einer traditionellen Klosterherberge. Vom Liegestuhl des eigenen Seegrundstücks haben Gäste einen herrlichen Blick auf den Bodensee und die Insel Reichenau. Einige Zimmer gibt es auch im Haus Franziskus, einem »Haus der offenen Tür« für junge Leute, das Glaubenswochenenden, Exerzitien und Rastzeiten vom Alltag veranstaltet. Von den Zimmern dieses hübschen, giebeligen Hauses blickt man im Frühjahr direkt auf blühende Obstbäume. Allen Gästen stehen die Hauskapelle, die Krypta und die Klosterkirche als Orte der Stille zur Verfügung. Das Haus Ulrika, das den Namen einer ehemaligen Kreuzschwester, der frommen und tröstenden Ulrika, trägt, dient als Begegnungsort für Rat suchende Menschen in persönlichen oder sozialen Notsituationen. Eine Tonbildschau informiert Interessierte über Leben und Wirken der Schwester Ulrika. Dort findet man auch die Ausstellung »Die Kreuzschwestern von Hegne in Geschichte und Gegenwart«. Für Obdachlose ist die »Theodosius-Stube« eingerichtet, in der sie eine Mahlzeit und eine Duschmöglichkeit erhalten.

Kreuzgang in Kloster Hegne

Junge Frauen zwischen 15 und 35 Jahren können eine Zeit lang im Kloster mit den Schwestern leben. Im Haus St. Elisabeth werden Sommerfreizeiten für Familien mit Kindern gestaltet. »Nischentage« dienen als Rückzugsmöglichkeit vom Alltag.

Als Gast im Kloster

Familien- und kinderfreundliches Haus, von dessen Zimmern aus man auf den Bodensee blickt. Besonders schön: Der klostereigene Badestrand am Bodensee ist auch für Nichtschwimmer geeignet!

Rund um das Kloster

Wild- und Freizeitpark Allensbach

Direkt am Bodensee sind auf 75 Hektar Luchse, Wölfe, Braunbären und viele andere Tiere zu bestaunen. Weitere Attraktionen sind der Abenteuerspielplatz und die amerikanische Park-Eisenbahn.
Wildpark Allensbach, Gemeinmärk 7, 78476 Allensbach; Tel. 0 75 33/93 16 19; Internet: www.wildundfreizeitpark.de; Öffnungszeiten: Mai–Sept. 9–18, Okt.–Apr. 10–17 Uhr

Blumeninsel Mainau im Bodensee

Bei einem Ausflug auf die Insel Mainau mit ihrer tropischen Vegetation erleben Besucher entlang der blumengesäumten Wege romantische Seeblicke. Aber auch Mammutbäume und exotische Mondaufgänge unter Palmen, Bananenbäume und reife Orangen unterhalb des Grafenschlosses kann man genießen.
78465 Insel Mainau; Tel. 0 75 31/ 3 03-0; Internet: www.mainau.de; Öffnungszeiten: Ende März–Ende Okt. 7–20 Uhr, sonst 9–17 Uhr

Service

Angebot für Gäste

Auszeit im Haus Hildegard (Selbstversorgung). Tagessatz 15 €
Exerzitien
Einkehrtage
Ehevorbereitungswochen
Familienfreizeiten und -tage
Klostereigenes Bildungsprogramm (Tel. 0 75 33/80 72 60)
Kloster auf Zeit für junge Frauen zwischen 15 und 35 Jahre

Gottesdienste

So 9.30 Uhr, Di und Fr 17.45 Uhr, Do 6.15 Uhr, Sa 8 und 18.30 Uhr

Unterkunft

Haus Franziskus: EZ und Mehrbettzimmer, Tagessatz: 20 € inkl. VP für jüngere Gäste (bis 35 Jahre)
Haus Hildegard: Selbstversorgerpreis 15 € (Bettwäsche 3 €)
Haus St. Elisabeth:
EZ ohne Bad inkl. Frühstück 25–30 €,
EZ mit Bad inkl. Frühstück 48–72 €,
DZ mit Bad inkl. Frühstück 42–56 €

Reservierung

Haus St. Elisabeth, Konradistr. 1, 78476 Allensbach-Hegne; Tel. 0 75 33/ 93 66 20 00, Fax 93 66 21 00; E-Mail: info@st-elisabeth-hegne.de
Haus Franziskus, Konradistr. 2, 78476 Allensbach – Hegne; Tel. 0 75 33/80 73 81, Fax 80 73 83; E-Mail: haus.franziskus@kloster-hegne.de, Internet: www.kloster-hegne.de

Kloster Benediktbeuern

Salesianer Don Boscos
Don-Bosco-Str. 1
83671 Benediktbeuern
Tel. 0 88 57/88-0, Fax 88-1 99
E-Mail: kloster-benediktbeuern@t-online.de
Internet: www.kloster-benediktbeuern.de

Mit dem Pkw: A 95 München–Garmisch, Ausfahrt Sindelsdorf. Dann B 472 Richtung Bad Tölz bis Abzweigung B 11 Benediktbeuern

Mit der Bahn: Bahnlinie München–Kochel, Bahnhof Benediktbeuern, Fußweg zum Kloster

Das Kloster

Vor den Zwiebeltürmen grasen friedlich Kühe, dahinter erhebt sich ein schroffes Felsmassiv. In der oberbayerischen Kulturregion Pfaffenwinkel blickt das Kloster Benediktbeuern auf eine mehr als 1250-jährige Geschichte zurück. In der ersten Phase wurde es 725/28 durch Karl Martel gegründet, der heilige Bonifatius weihte die Kirche 739. Aufgrund des weit entwickelten Schulwesens und der Pflege von Kunst und Wissenschaft erlebte es im Mittelalter eine außerordentliche Blütezeit. In der Bibliothek fand man die um 1230 verfasste Handschrift, die in der Vertonung von Carl Orff als »Carmina Burana« – Lieder von Benediktbeuern – weltberühmt wurde. Ein Faksimile befindet sich heute im gotischen Refektorium, das Original in der Bayerischen Staatsbibliothek. Von 1669 an wurde die barocke Klosteranlage von bedeutenden Künstlern der Zeit gestaltet. Vor dem dreigeschossigen Konventbau im Kern der Anlage und der barocken Abteikirche befindet sich ein weiter Arkadenhof mit Springbrunnen. Die Eingänge von Kloster und päpstlicher Basilika zieren gemalte Portalarchitekturen. Kirchengewölbe und Seitenkapellen sind üppig mit Stuck und mit Figuralplastik ausgestattet.

An das gotische Kreuzganggewölbe schließt sich das ehemalige Refektorium mit seltenen Holzschnitzereien in der Decke an. Der frühbarocke Festsaal weist Deckengemälde mit Bildern der Schöpfungsgeschichte auf. Im »Fürstentrakt«, in dem früher hohe Gäste wie etwa Landesvater Karl Albrecht VII. wohnten, schmücken die eleganten Frührokoko-Stuckaturen von 1728/32 den prächtigen Kurfürstensaal.

Seitenaltar der Anastasiakapelle

Die in der Jugenderziehung tätige Ordensgemeinschaft der Salesianer Don Boscos erwarb 1930 die Klosteranlage und entwickelte Benediktbeuern zu einem Zentrum religiöser Bildung, Wissenschaft und Erziehung. Heutzutage können Studenten an zwei Hochschulen im Kloster philosophisch-theologische und soziale Fächer studieren. Auf dem Klostergelände befindet sich weiterhin ein Naturlehrgebiet mit Biotopen, ein Meditations- und Kräutergarten, eine Jugendherberge sowie die Jugendbildungsstätte »Aktionszentrum«. Ein Zentrum für Umwelt und Kultur (ZUK) wurde im ehemaligen Maierhof eingerichtet. Seit 2001 erzeugt das Kloster Benediktbeuern mit einer hochmodernen ökologischen Energiezentrale 80 Prozent des eigenen Energiebedarfs aus regenerativen Energiequellen (Hackschnitzel, Rapsöl, Fotovoltaik, Solar und Wasserkraft).

Selbstversorger finden in den ehemaligen Stallungen des Maierhofs, dem »Palast der Kühe«, preisgünstige Unterkunft mit Hüttenatmosphäre. Gästen steht dort ein Meditationsraum, ein Biologielabor mit Mikroskopen zur Untersuchung von Boden- und Gewässerproben und ein uriges Stüberl zur Verfügung. Frühstücksbrötchen liefert der »Semmelservice« täglich frisch.

Das Kurs- und Freizeitangebot in Benediktbeuern ist beachtlich. Kinder können Schneeschuhwandern, auf Tümpelsafari gehen, Indianerlager oder Baumhäuser bauen. Für Jugendliche gibt es Knigge-Kurse, Fotoworkshops und Live-Rollenspiele. Die Angebote für Erwachsene bestehen aus Obstbaumschnitt-Kursen, Bergexerzitien, Heilkräuterführungen im Klostergarten, Pilzwanderungen mit Bestimmungsanleitung, Besuch auf dem Bauernhof mit Käseprobe und Moorexkursionen.

Als Gast im Kloster

Mit dem Motto »Freude am Leben« wirbt das Zentrum für Umwelt und Kultur für einen schonenden Um-

Im Klosterhof

gang mit der Natur. Barocke Lebensfreude findet sich im Kloster Benediktbeuern an allen Ecken, und das nicht nur optisch. Outdoor-Freaks, Bergfexe und alle, die gerne etwas unternehmen, sind hier sommers wie winters in ihrem Element.

Rund um das Kloster

Alpamare Erlebnisbad

Brandungswellenbad, Gaga-Rutsche, Wasserachterbahn, Sprudelfreibad, Zweierbob-Rutsche mit Licht- und Soundeffekten. Großer

Restaurantbereich mit Grillplatz für mitgebrachte Koteletts.
Alpamare Bad Tölz, Ludwigstr. 14, 83646 Bad Tölz; Tel. 0 80 41/50 99 99; E-Mail: wasserwelt@alpamare.de; Internet: www.alpamare.de; Öffnungszeiten: tgl. 9–22 Uhr

Blomberg Sommerrodelbahn
Zu Fuß oder mit der Sesselbahn gelangt man zum Startplatz an der Mittelstation auf knapp 1000 Meter Höhe. Dort nimmt man seinen »Kessy-Bob« in Empfang und braust durch den Bergwald und über Almweiden bergab. 17 Steilkurven sorgen auf der längsten Sommerrodelbahn Deutschlands für Nervenkitzel.
Am Blomberg 2, 83646 Bad Tölz; Infotelefon 0 80 41/37 26; Öffnungszeiten: März-Nov. tgl. bei trockenem Wetter ab 9 Uhr

Freilichtmuseum Glentleiten
Auf dem Museumsgelände mit Wald, Weideflächen und Gärten sind 40 historische Gebäude aufgebaut. Bauernhöfe, Mühlen, Almgebäude, Werkstätten vermitteln mit ihrer originalgetreuen Einrichtung ein anschauliches Bild von der bäuerlich geprägten Vergangenheit Oberbayerns. Die Gärten geben einen guten Überblick über die geschichtliche Entwicklung ihres Pflanzenbestandes. In verschiedenen Werkstätten werden Wagenräder, Schuhe und Sättel vor den Augen der Besucher hergestellt. Angeboten werden Themenführungen wie »Ernährung und Vorratshaltung: Nahrungsmittel, frühe Methoden der Haltbarmachung«.

Wetzsteinmacher im Museum Glentleiten

Freilichtmuseum des Bezirks Oberbayern, An der Glentleiten 4, 82439 Großweil; Tel. 0 88 51/18 50; E-Mail: freilichtmuseum@glentleiten.de, Internet: www.glentleiten.de; Öffnungszeiten: April–Nov. Di–So 9–18 Uhr, Juli–Mitte Sept. sowie an Feiertagen auch Mo; Eintritt Erwachsene 5 €

Gasthof Zantl
Der Traditionsgasthof Zantl ist über 200 Jahre alt. Rund um das Haus ranken sich romantische Kletterrosen. Auf der Speisekarte stehen gesunde Gerichte mit Zutaten aus dem eigenen Garten. Während der Blütezeit im Juni gibt es Rosenbowle und Rosentorte.
Gasthof Zantl, Salzstr. 31, 83646 Bad Tölz; Tel. 0 80 41/97 94; Öffnungszeiten: Do und Fr mittag geschl.

Extratipp

Wandern zur Eibelsfleckhütte Eine besondere Art des Wohnens bietet die »Außenstation« des Klosters am Fuße der Benediktenwand. Die Eibelsfleckhütte liegt auf etwa 1000 Meter Höhe und ist im Sommer in gut zwei Stunden von Benediktbeuern aus zu erwandern. Als Selbstversorgerhütte ist sie ein idealer Ausgangspunkt für Bergwanderungen und Exkursionen in den naturnahen Bergwald und die Felsregion der Benediktenwand. Die Hütte wird über eine Fotovoltaikanlage mit Strom sowie mit köstlichem Bergwasser aus einem Brunnen versorgt.

Kochel am See
Das Kocheler Franz Marc Museum (wegen Umbau bis Frühjahr 2008 geschlossen, Kalmbachstr. 11, 82431 Kochel am See; Tel. 0 88 51/92 12 19) zeigt Bilder von einem der bedeutendsten Künstler der klassischen Moderne. Beim »Wandern auf den Spuren des Blauen Reiter« ermöglicht der Vergleich von Originalmotiven mit den daraus entstandenen Gemälden vor Ort einen unmittelbaren und direkten Zugang zu der Symbolik und Leuchtkraft der Bilder. Dies ist während der Sommermonate besonders malerisch bei einer Schiffstour über den Kochelsee (Rundfahrt Dauer: ca. 1 ½ Stunden, Ticket 6 €).
Motorschifffahrt Kochelsee, Kirchenweg 1, 82431 Kochel am See;
Tel. 0 88 51/4 16; Anlegestelle z. B. beim Erlebnisbad Trimini, Seeweg 2, 82431 Kochel a. See

Postkarte von Franz Marc an Paul Klee

Benediktenwand-Tour
Ausgangspunkt ist das Alpenwarmbad in Benediktbeuern. In ca. drei Stunden erreicht man die bewirtete »Tutzinger Hütte«. Hier gabelt sich der Weg: Für den etwa 1,5 Stunden dauernden Anstieg auf 1800 Meter Höhe wird der Ostweg, für den Abstieg der Westweg empfohlen. Auf dem Gipfel hat man einen herrlichen Rundblick. Bei klarem Wetter ist nach Süden die Fernsicht bis zum Großglockner, zu den Dolomiten, nach Norden bis München möglich. Der nicht ganz einfache Streckenabschnitt ab »Tutzinger Hütte« sollte nur mit gutem Schuhwerk (am besten feste Bergschuhe) begangen werden.
Informationen im Internet unter: www.dav-tutzinger-huette.de

Service

Angebot für Gäste
Konzerte im Barocksaal oder in der Basilika
Vogelbeobachtung, Schlittenverleih, eigenes Labor, Exkursionen, Ralleys, Bauernhofbesichtigungen etc.
Umfangreiches Kinder- und Jugendprogramm
Fraunhofer Museum
Exerzitien für Erwachsene
Ehe- und Partnerschaftsseminare
Gartenentdeckungsreisen
Froschkonzerte am Erlebnisbiotop
Heilkräuterführungen
Klosterführungen

Gottesdienste
tgl. 6.30 Uhr Eucharistiefeier
7.30 Uhr Laudes (So 9 Uhr), 17.45 Uhr Abendgebet

Unterkunft
Im Gästehaus 14 EZ, 5 DZ, 5 MBZ Dusche/WC/Telefon/TV; EZ inkl. Vollpension 48,50 €, im DZ 44 €
Zimmer mit Etagendusche 39,50 €
Bei Überbelegung weitere Zimmer im Zentrum für Umwelt und Kultur des Klosters

Verpflegung
Halb- oder Vollpension in der Klosterküche
Klosterbräustüberl Benediktbeuern, Zeiler Weg 2, 83761 Benediktbeuern; Tel. 0 88 57/94 07

Einkaufsmöglichkeit
Klosterladen an der Pforte, Öffnungszeiten: 9–18 Uhr (Nov.–März 9–17 Uhr)

Reservierung
Gästehaus der Salesianer Don Boscos, Don-Bosco-Str. 1, 83671 Benediktbeuern; Tel. 0 88 57/88-1 95, Fax 88-1 39; E-Mail: gaestehaus@klosterbenediktbeuern.de

Toplage

Benediktinerabtei Ettal

Kaiser-Ludwig-Platz 1
82488 Ettal
Tel. 0 88 22/7 40, Fax 7 42 28
E-Mail: pforte@kloster-ettal.de
Internet: www.kloster-ettal.de

Mit dem Pkw: A 95/E 533 bis Oberau, ca. 7 km auf der B 23 Richtung Oberammergau

Mit der Bahn: Strecke München – Garmisch, Bahnstation Oberau, von da mit Bus (6 km) bis Ettal

Das Kloster

Rund 16 Kilometer von Garmisch-Partenkirchen entfernt, inmitten einer überwältigenden Berglandschaft, liegt an einer alten, kurvigen Passstraße die Benediktinerabtei Ettal in 900 Meter Höhe in einem wunderschönen Hochtal. Blickt man vom Klostergarten aus auf ihre Türme und Kuppeln, bietet die Abtei vor ihrer alpinen Kulisse ein heiteres Bild ländlicher Gelassenheit. Sofort, wenn man den geräumigen Innenhof betritt, lässt der Verkehrslärm nach, und ein Gefühl der oft dringend benötigten Ruhe breitet sich aus.

Bei seiner Rückkehr aus Rom 1330 gründete Kaiser Ludwig der Bayer ein Ritterstift, dem er kurz darauf ein Benediktinerkloster anschloss. Zwölf Ritter lebten mit den 20 Benediktinermönchen zusammen im Konvent; 1709 ging daraus eine besondere Art von Hochschule, die »Ritterakademie«, hervor. Ettal entwickelte sich zu einem Zentrum geistigen und religiösen Lebens. Zu den vorrangigen Aufgaben der Benediktinermönche zählen Pfarr- und Wallfahrts-Seelsorge, Erziehung, Erwachsenenbildung sowie die Führung von Betrieben und eines Verlages. Lange Tradition hat das Bierbrauen in der Ettaler Klosterbrauerei; beliebt sind auch die Klosterliköre, die aus einer Vielzahl von Kräutern nach mittelalterlicher Apothekenrezeptur zubereitet werden. Noch heute schwören viele Leute auf ihre wohltuende Wirkung bei Magenbeschwerden. Brauerei und Destillerie können besichtigt werden – das kräftige, mit Bergwasser gebraute Bier schenkt das Bräustüberl im klostereigenen Hotel »Ludwig der Bayer« aus. Besonders zünftig geht es beim Ettaler Brauereihoffest zu, wenn junge Männer zu den Klängen der Blasmusik ihre Kräfte beim Bierkrugstemmen messen.

Da der größte Teil der Gebäude von einem Internatsgymnasium belegt ist, müssen sich Besucher auf die Besichtigung der Abteikirche mit ihrem mächtigen, mit großer Barockkuppel gekröntem Zentralbau konzentrieren, dessen Westfassade sich geschmeidig von Turm zu Turm schwingt. Die bis 1370 erbaute Klosterkirche ist ein Zwölfeckbau, mit der von Ludwig dem Bayern gestifteten Marmormadonna im Hochaltar, dem »Gnadenbild«, zu dem bis heute Gläubige aus aller Welt pilgern.

In einer kleinen Zelle der Abtei ist etwas Außergewöhnliches untergebracht: Dort hat Br. Lambert, eigentlich der Betriebselektriker der Abtei und zumeist im Blaumann unterwegs, ein Funkstudio eingerichtet, in dem er Beiträge für einen katholischen Privatsender und Radio Vatikan produziert. Wenn die Hörfunkaufträge erledigt sind, schaltet er sein Funkgerät ein und sucht Kontakte in aller Welt.

Da innerhalb des Klosters nur für Männer einige einfache Zellen zur Verfügung stehen, können Gäste im klostereigenen Hotel »Ludwig der Bayer« mit Hallenbad, Kaminzimmer, Bar und Tennisplätzen direkt gegenüber der Abtei Zimmer reservieren. Besonders empfehlenswert ist der 2004 neu gestaltete Wellness-Bereich des Hotels mit Infarot-Tepidarium, in dem man bei wohligen 37 Grad beim Duft von frischem Bergheu entspannen kann.

Das Angebot »Kloster auf Zeit« bietet ausschließlich Männern die Möglichkeit, eine Zeit lang die Mönche

Die 1744 errichtete Kuppel

durch ihren Tagesablauf zu begleiten. Der Gast nimmt an den Gebets- und Gottesdienstzeiten, an den Mahlzeiten und der Rekreation der Mönche teil und hat Gelegenheit zum Gespräch.

Als Gast im Kloster

Ebenso wie die Kleidung (mit Habit, Skapulier und Kapuze) den Mönch von der Umwelt »absondert«, erleben Gäste in Ettal, wie das Schweigen der Förderung von Konzentration dient. Wer allerdings während der touristischen Hochsaison kommt, kann sich die eindrucksvolle Stille der Klausur nur schwer vorstellen.

Rund um das Kloster

Auf Deutschlands höchsten Gipfel
Erleben Sie einen Traumtag auf dem höchsten Berg Deutschlands (2962 Meter). Fahren Sie mit der Zahnradbahn zum Schneeferner-Gletscher

Extratipp

Langlaufen im Schneeparadies Eine der schönsten Loipen Deutschlands führt von Kloster Ettal durch das ganze Tal über Graswang nach Schloss Linderhof und zurück. Ca. 50 km sind bei entsprechender Schneelage ab 15. Dezember jeden Jahres gespurt. Aufgrund der Höhenlage ist das Gebiet sehr schneesicher. Jeweils am ersten Februarwochenende findet der »König-Ludwig-Lauf«, ein Volkslanglauf über 50, 30 und 10 km, statt.

auf dem Zugspitzplatt, besuchen Sie Deutschlands höchstgelegene Kirche oder eine Videovorführung über den Bau der Zugspitzbahn und spazieren Sie auf dem Gipfel über die Grenze ins benachbarte Tirol. Übernachten Sie im Romantik-Iglu, beobachten Sie morgens den Sonnenaufgang über den Wolken und fahren Sie mit der Eibsee-Seilbahn zurück ins Tal. Hier haben Sie nochmals einen einzigartigen Blick auf den Eibsee und das Werdenfelser Land.
Talstation Zugspitzbahn, Olympiastr. 27, 82467 Garmisch-Partenkirchen; Tel. 0 88 21/79 70, Schneetel. 0 88 21/79 79 79; Internet: www.zugspitze.de; Hin- und Rückfahrt Erwachsene ca. 37 €

Schloss Neuschwanstein, Hohenschwangau

Neuschwanstein ist das bekannteste der Königsschlösser Ludwig II. An eine Ritterburg erinnernd wurde es im Gedenken an germanische Heldensagen und als Huldigung an Wagners Opern konzipiert. Höhepunkte sind der Sängersaal mit Szenen aus der Parzifal-Dichtung sowie der Thronsaal, der einer byzantinischen Basilika nachempfunden wurde.

Am Parkplatz in Hohenschwangau warten Kutschen auf Besucher, die die knapp 200 Höhenmeter nicht in einem etwa halbstündigen Fußmarsch bewältigen möchten.
Schloss Neuschwanstein, Ticketcenter: Alpseestr. 12, Tel. 0 83 62/93 08 30 (Eintrittskarten nur im Ticketcenter, nicht am Schloss selbst!); Öffnungszeiten: April–Sept. tgl. 9–18 Uhr, Okt.–März 10–16 Uhr

Oberammergau

Oberammergau ist eingebettet in die eindrucksvolle Alpenlandschaft Bayerns. Der kleine Ort ist vor allem wegen der dort stattfindenden Passionsspiele bekannt, aber auch für die Holzschnitzkunst, die bis ins 12. Jahrhundert zurückreicht. Oberammergau bietet darüber hinaus ein breit gefächertes Kulturprogramm: Opernaufführungen im Passionsspielhaus, Lüftlmalerei, das Pilatushaus, König-Ludwig-Feuer, Sterngang oder das traditionelle bayerische »Brez'n-Angeln«.

Service

Angebot für Gäste
Nur für Männer »Kloster auf Zeit«. Keine bestimmte Konfession, jedoch Offenheit für christliche Spiritualität erwünscht
Exerzitien nur nach Absprache
Brauereimuseum, Führungen durch Basilika und Destillerie

Gottesdienste
Wo 6 Uhr Konventamt, 18 Uhr gesungene Vesper, 19.30 Uhr gesungene Komplet, weitere Messen für Klausurgäste zugänglich.
So 7 Uhr Frühmesse, 11 Uhr Konventamt, 18 Uhr gesungene Vesper, 19.30 Uhr gesungene Komplet

Unterkunft
Für Hausgäste (Einzelgäste in beschränkter Zahl) Tagessatz 25 € (Übernachtung und 3 Mahlzeiten)
Hotel »Ludwig der Bayer«: Kaiser-Ludwig-Platz 10–12, 82488 Ettal; Tel. 0 88 22/915-0; E-Mail: hotel@kloster-ettal.de
DZ mit Frühstück p. P. 43,50–49,50 €, Ferienapartments für 2–5 Personen

Verpflegung
Hausgäste im Refektorium
Hotelgaststätte »Ludwig der Bayer«

Einkaufsmöglichkeit
Buchladen, Klosterladen: Ettaler Klosterlikör, Klosterbier

Reservierung
Gastpater: P. Anselm Stitzinger OSB, Benediktinerabtei Ettal, Kaiser-Ludwig-Platz 1, 82488 Ettal; Tel. 0 88 22/7 43 02; E-Mail: kloster-ettal@web.de, Internet: www.kloster-ettal.de
Gruppenführungen: Anmeldung unter Tel. 0 88 22/7 42 19

Aktiv/Garten

Dominikanerinnenkloster Schlehdorf

Missions-Dominikanerinnen
Kirchstr. 9
82444 Schlehdorf
Tel. 0 88 51/18 10, Fax 18 11 01
E-Mail: post@haus-dominikus.de
Internet: www.schlehdorf.org

Mit dem Pkw: auf der Autobahn A 95 München–Garmisch bis Ausfahrt Großweil/Kochel, dann weiter Richtung Kochel bis Schlehdorf

Mit der Bahn: Auf der Linie München–Kochel bis Bahnhof Kochel, weiter mit dem Bus

Das Kloster

763 wurde erstmals eine klösterliche Niederlassung in Schlehdorf, am Fuß von Herzogstand und Heimgarten, erwähnt. Nach der Zerstörung im 10. Jahrhundert baute der Bischof von Freising sie 1140 wieder auf und entsandte Augustiner-Chorherren nach Schlehdorf. 1717 wurde das Kloster auf den jetzigen Klosterhügel verlegt. Die Missionsdominikanerinnen von King-Williams-Town erwarben das Kloster 1904 als Aussende-Kloster. Etwa 900 Nonnen wurden von Schlehdorf aus in die Mission u. a. nach Südamerika, Südafrika und Simbabwe geschickt.

Im Haus Dominikus sind Gäste in hübschen, geräumigen Zimmern untergebracht. Gemütlich zusammensitzen kann man in der Bibliothek, dem Nichtraucher-Aufenthaltsraum sowie dem Fernsehzimmer. In den Meditationsräumen und der Meditationskapelle findet man Zeit zur Konzentration. Außergewöhnlich ist der Kräutergarten, der kreisförmig als meditatives Mandala angelegt ist. Auf den Tisch kommt gesunde und abwechslungsreiche Kost.

Das Angebot der Missionsbenediktinerinnen umfasst Gruppenexerzitien, Tage der Stille und geistliche Begleitung sowie »Aufwindtage« für Ruhe- und Erholungssuchende. Frauen und Männer können im »Kloster auf Zeit« mit den Schwestern leben und arbeiten. Das »Oasenwochenende« verbindet Gespräche mit meditativem Tanz und kreativen Elementen. Kulturfreunde schätzen die jährlichen »Internationalen Musiktage« mit Jazz und Weltmusik.

Als Gast im Kloster

In Schlehdorf erwartet Sie eine herzliche Atmosphäre: Die Schwestern nehmen sich die Zeit, jeden Gast persönlich zu begrüßen und wieder zu verabschieden. Ein Paradies für Gartenliebhaber: Rosen-, Heilkräuter- und Labyrinthgarten inspirieren alle Sinne.

Rund um das Kloster

Gabriele Münter Haus, Murnau

Von 1908 bis 1914 bewohnten die Maler Gabriele Münter und Wassily Kandinsky das so genannte »Russenhaus«, in dem sich die Künstlervereinigung »Blauer Reiter« regelmäßig traf. Im Keller des Anwesens überdauerte ein Großteil des Frühwerks Kandinskys den Zweiten Weltkrieg. Besucher können u.a. die von ihm gestaltete Treppe und verzierte Möbel besichtigen.

Gabriele Münter Haus, Kottmüllerallee 6, 82418 Murnau; Tel. 0 88 41/62 88 80; Öffnungszeiten: Di–So 14–17 Uhr

Herzogstand

In wenigen Minuten bringt eine Gondelbahn die Gäste vom Walchensee aus auf 1600 Meter zur Bergstation des Lieblingsbergs von König Ludwig II. Ein Berggasthof mit Sonnenterrasse und Mietliegestühlen ist nur ein paar Schritte entfernt. Wanderer mit etwas mehr Kondition erreichen von Walchensee oder vom Kesselberg aus den Gipfel in etwa zwei Stunden. Die Mehrzahl der Wege ist gut von Ungeübten zu bewältigen.

Herzogstandbahn, Am Tanneneck 6, 82432 Walchensee; Tel. 0 88 58/2 36; Fahrbetrieb im Sommer tgl. 8.30–17.15 Uhr, Rundfahrt 12,50 €

Service

Angebot für Gäste

Gruppenexerzitien
Tage der Stille
Kloster auf Zeit
Einzelgespräche
Aufwindtage für Erholungssuchende
Meditativer Tanz
Heilfasten
Feldenkrais-Methode
Tageskurse Pflanzenkunde
Tänze im Garten der Natur
Prospekt »Haus Dominikus« kann angefordert werden

Gottesdienste

So 7 Uhr Laudes, 17.30 Uhr Vesper, Wo 6.15 Uhr Laudes und hl. Messe, 17.30 Uhr Vesper

Unterkunft

Dominikus Haus: alle Zimmer mit Dusche/WC und Telefon. EZ inkl. VP 50 €, DZ inkl. VP 45 €. Aufpreis für nur eine Übernachtung: 6 €
Bei »Kloster auf Zeit« werden die Kosten für Unterkunft und Verpflegung durch Mitarbeit im Haus gedeckt

Verpflegung

Gästespeisesaal; Verpflegung durch die Klosterküche

Einkaufsmöglichkeiten

Klosterladen: Musik-CDs und -Kassetten, Spielzeug, Arbeiten aus der Mission, hausgemachte Konfitüren, Kräutertees aus dem Klostergarten, Schlehdorfer Kochbuch

Reservierung

Haus Dominikus: Kirchstr. 9, 82444 Schlehdorf;
Tel. 0 88 51/18 12 00;
E-Mail: post@haus-dominikus.de

DEUTSCHLAND

Extratipp

Kochen mit Kräutern Das »Schlehdorfer Kochbuch« der Klosterschwestern wurde zum ersten Mal im Jahr 1934 aufgelegt und erfreut sich noch heute großer Beliebtheit. In diesem interessanten Werk können Sie auch die verschiedenen Verwendungszwecke von Wild- und Heilkräutern nachlesen und ein gesundes Kräutersüppchen zaubern.

Die schönsten Klöster in Österreich

Kostbare Schätze im Weinkeller von Stift Altenburg

Prioren
Cuveè
Placidus

Aktiv

Prämonstratenser-Chorherrenstift Geras

Hauptstr. 1
A-2093 Geras
Tel. 00 43/29 12/34 52 16, Fax 34 52 40
E-Mail: info@stiftgeras.at
Internet: www.stiftgeras.at

Mit dem Pkw: über Wien, Stockerauer Autobahn A 22 bis Ausfahrt Horn, weiter auf der B 4 bis Horn, von dort nach Geras

Mit der Bahn: auf der Linie Wien–Prag bis Bahnhof Hötzelsdorf/Geras

Das Kloster

Das Stift Geras steht auf altem Kulturland. Der 134 Hektar große Naturpark mit Wildschweinen, Schafen und Auerochsen ist Teil einer idyllischen Teich- und Waldlandschaft, in dem sich der speziell für Kinder angelegte Streichelzoo befindet, ferner ein Fledermauslehrpfad und ein Baumxylophon. Von einem Aussichtshügel am Langen Teich können weite Teile der Schilf- und Ährenfelder des Naturparks überblickt werden sowie der historisch angelegte Kräutergarten mit unzähligen Obstbäumen und Zierpflanzen.

Graf Ulrich von Pernegg stiftete 1153 das Prämonstratenser-Chorherrenstift Geras und berief zugleich Chorfrauen in die zehn Kilometer entfernte Burg Pernegg. Aus Anlass des 850-jährigen Bestehens wurde in Geras 2003 die Ausstellung »Grenzenlos – Zeitenlos. 850 Jahre Prämonstratenser Geras-Pernegg« eingerichtet und Neubau, Kirchenfassade und Feststiege saniert. Von der auf einem slawischen Gräberfeld errichteten Stiftskirche sind noch die romanischen Fundamente und gotischen Bauteile erhalten. Die Klosteranlage in ihrer heutigen Erscheinung geht vor allem auf die barocke Neugestaltung durch hochrangige Architekten und Freskanten wie Munggenast und Troger zurück. Auf einer alten Ansicht des Stiftes basiert das neue Farbkonzept mit gelben Flächen, weißen Gliederungen und einzelnen silbergrau hervorgehobenen Akzenten. Paul Trogers virtuoses Deckenfresko »Die wunderbare Brotvermehrung« ist das zentrale Ereignis des festlichen, lichten Marmorsaales.

Gäste werden sich gerne und viel im »Meierhof« des Stiftes aufhalten, einem in sich geschlossenen Gebäude mit schönem Innenhof, das neben den Gästezimmern im behaglich-bäuerlichen Gutshofstil auch das Atelier beherbergt, in dem die Kunstkurse der »Geras Akademie« stattfinden. Auch im klostereigenen Hotel »Alter Schüttkasten«, dem früheren Getreidespeicher von 1670, stehen Gästezimmer zur Verfügung. Dort und im »Naturparkstüberl« direkt am Naturpark werden den Gästen zünftige Waldviertler Gerichte wie Schöberlsuppe serviert.

Neben Themenführungen durch den Naturpark Geras, wie etwa der »Teichexpedition« oder mit den »Waldtieren« zu Wildschweinen und

In der Holzschnitzerei

Fledermäusen, werden in Geras zahlreiche Kurse angeboten, die in bäuerlich-ländlicher Tradition stehen. Teilnehmer werden in verschiedene Techniken der Bauernmalerei eingeführt, lernen, wie man alte Uhren repariert, oder versuchen sich im Figurenschnitzen. Ansonsten wählt man aus einem so breit gestreuten Angebot wie »russisches Ikonenmalen«, »Möbel restaurieren« und »kreatives Buchbinden mit handgeschöpftem Papier«. Dozenten der »Geras Akademie« veranstalten hochkarätige Zeichen-, Mal- und Kunstkurse, z. B. Acrylmalen, Porträt-Tuschezeichnen oder Land-Art-Installationen. Im 10 km entfernten Kloster Pernegg werden belebende Gesundheits- und Fastenseminare abgehalten. Jeden Herbst findet das Erdäpfelfest statt.

Als Gast im Kloster

Geras bietet ein solch umfassendes Freizeitangebot mit seinem bemerkenswert originellen Kursprogramm und dem großartigen Tier- und Naturpark, dass es schwer wird, sich zu entscheiden. Lösung: einfach etwas länger bleiben!

Rund um das Kloster

Barockschloss Riegersburg

Eines der eindrucksvollsten Barockschlösser Österreichs, der ehemalige Repräsentationslandsitz des Oberst-Hofmeisters von Maria Theresia, Fürst Johann-Joseph Khevenhüller-Metsch, liegt zwischen Wien und Prag idyllisch an Teichen. Die vollständig eingerichteten Prunkräume mit europäischem Mobiliar aus dem 18. bis Mitte des 19. Jahrhunderts, die historische Herrschaftsküche sowie ein Hundefriedhof aus dem

Extratipp

Geraser Genussweg »Zeitreise« Auf dieser Wanderung durch das »Waldviertler Wohlviertel« erfährt man Interessantes über die Entstehung des Waldviertels, sein Gestein, die Bedeutung des Wacholders sowie über Leben, Arbeiten und Reisen in früheren Zeiten und Sagen aus der Region. Mit einem kundigen Führer begeben sich Abenteurer auf die Suche nach versteinerten Überbleibseln des urzeitlichen Meeres. Zwischendurch werden historische Spiele vorgestellt und gespielt. Länge des Genusswegs: 4 km.
Anmeldung bei Frau Magerl; Tel. 00 43/664/4 98 76 41

Burg Hardegg

19. Jahrhundert neben dem Schlossteich bilden die Sehenswürdigkeiten des Barockschlosses Riegersburg im Waldviertel. Die Dauerausstellung «Adeliges Landleben in der Barockzeit« lässt vergangene Zeiten für den Besucher nachvollziehbar werden. Schloss Riegersburg, Tel. 00 43/29 16/4 00; Öffnungszeiten: April–Juni und Sept.–Nov. 9–17, Juli–Aug. 9–19 Uhr; Internet: www.schlossriegersburg.at

Burg Hardegg

Burg Hardegg, im frühen 12. Jahrhundert bereits in Urkunden erwähnt, bildete auf einer Felsklippe über der Thaya eine starke Grenzfeste. 1187 werden die ersten Burgherren, die Grafen von Plain-Hardegg, genannt. Der äußere Umfang der Feste Hardegg misst 600 Meter und macht sie zur größten Burganlage Niederösterreichs. Die Schlosskapelle zeigt noch ein gotisches Fenster mit edlem Maßwerk. Anziehungspunkt für die Besucher sind das Maximilian von Mexiko-Museum und die prächtige Waffensammlung der Familie Khevenhüller-Metsch in der Rüstkammer, die offene Burgküche, zahlreiche Sonderausstellungen und der Ost-Turm.
Öffnungszeiten: April–Nov. tgl. 9–17, Juli und Aug. bis 18 Uhr; Tel. 00 43/29 49/82 25
Anreisetipp: mit der Erlebnis-Bahn »Reblaus Express« (Lokalbahn Drosendorf-Retz)

Service

Angebot für Gäste
Ikonenmalen
Weidenbauwerke
Buchbinden
Papierschöpfen mit Pflanzen
Möbelrestauration
Zen, Ikebana und Shodo
Mal-, Zeichen- und Kunstkurse der Akademie Geras
Musik- und Fastenkurse im Kloster Pernegg
Themenführungen durch den Naturpark Geras

Gottesdienste
Sa 8 Uhr Laudes, 12.15 Uhr Mittagshore, 18 Uhr Vesper
So 9 Uhr Pfarrmesse, 10.30 Uhr Konventamt, 12.15 Uhr Hore, 18 Uhr Vesper, 19.30 Uhr Messe

Unterkunft
Zimmer im Gästetrakt des Stifts
Gästehaus »Meierhof«: Für Kursteilnehmer Ü/HP im EZ 46, im DZ 41 €
Hotel »Alter Schüttkasten«
Vorstadt 11, A-2093 Geras; Infotelefon 00 43/0 81 00/8 50 28 oder 00 43/29 12/3 32; E-Mail: info@schuettkasten.com
Ü/HP für Kursteilnehmer EZ 55 €, DZ 45 €

Verpflegung
Hotel »Alter Schüttkasten«
Naturparkstüberl im Naturpark Geras; Tel. 00 43/26 38/8 88 92; Mo geschl.

Einkaufsmöglichkeiten
Klosterladen: Farben, Pinsel, Aquarellpapier, Vergoldematerial, Fotozubehör, Naturprodukte aus der Region, Pfarrer Weidinger Spezialtees, Fische aus den Klosterteichen. Material für Mal- und Zeichenkurse kann vorab im Klosterladen bestellt werden.
E-Mail: klosterladen@stift-geras.at; Internet: www.kloesterreich.at

Reservierung
Stift Geras, Hauptstr. 1, A-2093 Geras; Tel. 00 43/29 12/34 50, Fax 34 52 99; E-Mail: stiftgeras@stiftgeras.at; Internet: www.stiftgeras.at

Benediktinerstift Altenburg

Abt Placidus Much Str. 1
A-3591 Altenburg
Tel. 00 43/29 82/34 51, Fax 34 51 13
E-Mail: info@stift-altenburg.at
Internet: www.stift-altenburg.at

Mit dem Pkw: auf der Salzburger Autobahn A 1 über Linz, St. Pölten und Horn

Mit der Bahn: auf der Linie Hadersdorf/Kamp–Sigmundsherberg bis Bahnhof Horn

Das Kloster

In Altenburg wurde von 1983 an ein spätmittelalterliches »Kloster unter dem Kloster« ausgegraben: eine frühe Fußbodenheizung, der romanische Kreuzgang, das alte Refektorium, die romanische Kirchenapsis und Mönchszellen aus dem 12. Jahrhundert sind heute zu besichtigen. In spitzgewölbten Mauernischen, nicht in Regalen, wurden die Bücher damals im Scriptorium aufbewahrt. Die Gewölbe der Krypta sind mit Totentanzszenen aus dem 18. Jahrhundert verziert. Darüber, sozusagen im zweiten Stock, befindet sich das in hundertjähriger Arbeit entstandene »Barockjuwel des Waldviertels«, das nach dem Dreißigjährigen Krieg von Munggenast und Troger glanzvoll in Hellblau, Grün und Dunkelrot gestaltet wurde.

Eine »begehbare Bibel« können Gäste auf dem Ausstellungsweg durch Schöpfungsgarten und Kreuzgang zum von Troger ikonographisch gestalteten Bibelraum der Bibliothek erleben. 10 000 Bände verschwinden dort in den Bücherkästen, die sich in Altäre verwandeln lassen. Am Eingang des »Schöpfungsgartens« symbolisiert ein Olivenbaum den Bezirk »Frieden«. Ein Durchgang führt zur »Chaoshecke« aus Baumstümpfen, Steinen und Metallteilen. Es folgt die »Versuchung« mit Granatapfelbaum, verführerischem Naschobst und Stachelpflanzen. Der Bereich des Heiles (»Schalom«) befindet sich unter dem Nussbaum, wo das leise Glucksen des Quellsteines Ruhe und Harmonie vermittelt.

Der größte Weinkeller des Weinviertels unter dem Wirtschaftstrakt des Stiftes wird zu Degustationen aufgesperrt. Unterhalb des Turms entspringt eine Quelle, die die Fässer des Grünen Veltliners und Zweigelts in den barocken Gewölben mit ausreichend Feuchtigkeit versorgt. Zum

Altenburger Wein serviert der ca. 20 Kilometer vom Stift entfernte »Klosterheurige« Schulterscherzel mit Erdäpfelrösti, Schnittlauchsauce und Apfelkren.

Für männliche Gäste gibt es im Erdgeschoss des Konventtraktes einige Zimmer, darüber hinaus stehen Mehrbettzimmer in der Jugendherberge zur Verfügung. Einzelgäste können nach Absprache mit dem Gastpater eine Zeit lang in der Hausgemeinschaft leben, an der Liturgie teilnehmen und Gespräche mit den Mönchen führen. Auch Exerzitien werden in Altenburg von Zeit zu Zeit angeboten. Kindern erklären die Mönche im »Kloster for Kids«, warum es im Stift so viele Engel gibt, und gestalten einen Tag mit Würstelgrillen, pädagogischer Führung im Wald und Falkenflugvorführung auf der Rosenburg. Seit 25 Jahren konzertiert das Internationale Kammermusik Festival Austria »Allegro Vivo« im August und September in der großen Bibliothek des Stiftes Altenburg. Der Film- und Theaterregisseur Dieter Holzinger inszeniert in Bibliothek und Krypta mehr als hochsommerlichen Theaterspaß.

Als Gast im Kloster

Eines der vielen Highlights dieses »Two-in-one-Klosters« aus Alt und Neu ist der ökumenische »Garten der Religionen« im Stiftspark. Unbedingt das erst vor wenigen Jahrzehnten ausgegrabene alte Kloster mit Refektorium, Heizanlage und romanischer Apsis besichtigen und den Zweigelt Rosé probieren!

Rund um das Kloster

Geisterwerkstatt St. Leonhard

Tagsüber kann man unterirdische Gänge, Zauberwälder, versunkene Orte, Ritualplätze und Spukschlösser erforschen. Wer an einer Geister-Rallye teilnimmt, begibt sich auf die Spuren der Spuklegenden des Waldviertels. Abends zum Dinner erleben Besucher eine historische Geistersoirée.

Wolfshoferamt 38, 3572 St.Leonhard; Tel. 00 43/29 87/28 93/; Internet: www.geisterwerkstatt.at

Service

Angebot für Gäste
Einzelexerzitien
Familien-Erlebniswochen
Kloster auf Zeit
Einzelgespräche
»Kloster for Kids«
Theateraufführungen
Konzerte der Altenburger Sängerknaben
Kammermusikfestival

Gottesdienste
6 Uhr Vigil und Laudes, 7.15 Uhr Eucharistiefeier, 12 Uhr Mittagshore, 17.30 Uhr Vesper, 19 Uhr Komplet

Unterkunft
12 Gästezimmer, Preis auf Anfrage bei Pater Albert Groiß, Tel. 00 43/29 82/34 51

Jugendherberge

Verpflegung
Klosterheuriger
Stiftstaverne im Kaisertrakt für Gruppen
Altenburger Klosterkuchl: »Konventmenüs« abgestimmt auf die liturgischen Fasten- und Festzeiten
Tel. 00 43/29 82/34 51 76; Öffnungszeiten: April–Nov. tgl. 9–19 Uhr

Einkaufsmöglichkeiten
Klosterladen: Bücher, Stiftswein, Tee, Marmelade, Mohn, Dinkelreis, Schafmilchprodukte, CDs der Altenburger Sängerknaben, Engel, Hochprozentiges aus eigener Produktion; Öffnungszeiten: Winter 10–16 (außer Mo), Sommer 9.30–17 Uhr

Reservierung
Stift Altenburg, Abt Placidus Much Str. 1, A-3591 Altenburg; Tel. 00 43/29 82/34 51, Fax 34 51 13; E-Mail: info@stift-altenburg.at,
Internet: www.stift-altenburg.at

Zisterzienserstift Zwettl

Bildungshaus Stift Zwettl
A-3910 Zwettl
Tel. 00 43/28 22/2 02 02 25 oder 26,
Fax 2 02 02 30
E-Mail:
bildungshaus@stift-zwettl.at
Internet: www.stift-zwettl.at

Mit dem Pkw: A 1 Westautobahn Salzburg–Wien, Ausfahrt Linz, Richtung Freistadt, Groß Gerungs, Zwettl

Mit der Bahn: Strecke Linz–Wien, Bahnhof Zwettl, weiter mit Postbus oder Taxi (3 km)

Das Kloster

Eine Klostermauer mit Rundzinnen aus dem 15. Jahrhundert umgibt das Zisterzienserstift, zu dem eine alte Steinbrücke über den Kamp den Besucher heute noch ebenso führt wie die Mönche, die einst das Kloster bauten. Seit Hadmar I. von Kuenring das Kloster 1138 im Waldviertel gründete, leben hier Mönche des Zisterzienserordens. Von 1159 an entstand die romanische Klosteranlage. Im Kern des Komplexes sind die Gebäude als Viereck angeordnet und um einen Innenhof mit Kreuzgang gruppiert. Zur Anlage gehört ein quadratischer Abteihof mit altem Springbrunnen und ein Klostergarten. Einige bauliche Erneuerungen gehen auf das 18. Jahrhundert zurück, als etwa Sakristei und Schatzkammer im Osten des Chors von J. Munggenast barock gestaltet wurden. Große Teile der Gebäude blieben jedoch intakt und in ihrer mittelalterlichen Form erhalten, z.B. der Kreuzgang und der romanische Kapitelsaal aus dem 12. Jahrhundert mit Kreuzrippengewölbe. Sehenswert ist das über dem Mühlbach schwebende romanische Necessarium, eine klösterliche Latrinenanlage mit Fließwasser, dem frühesten Beispiel zisterziensischer Wasserbaukunst in Mitteleuropa. Die gotische Stiftskirche aus dem 14. Jahrhundert ist mit reicher Barockeinrichtung im Inneren ausgestattet. An den Hochfenstern befinden sich noch zahlreiche gotische Glasmalereien von 1420.

Das Kloster diente früher als Armenhospital und als Musikschule, das heutige Sängerknabeninstitut. Die Mönche führen vier Waldreviere, betreiben Landwirtschaft, Fischzucht und besitzen ein Weingut bei Langenlois. In der Stiftsbibliothek mit Deckenfresken von Troger wurden die wertvollen, über 800 Jahre alten Zwettler Fragmente gefunden. Es wird darüber gerätselt, ob sie möglicherweise in Verbindung zur Artussage und dem Nibelungenlied stehen. Aufschluss erhalten Besucher eventuell in der Ausstellung der Handschriften im Kloster.

Am Abend können sich Gäste im Clubraum oder im Leseraum aufhalten. Verpflegt werden sie von der Stiftsküche mit schmackhafter Waldviertler Kost. In der Stiftstaverne gibt es regelmäßig Spezialitätenwochen mit Knödelgerichten, Wild aus eigenen Revieren oder die beliebte Zwettler Fischgala. Die kulinarische Besonderheit des Stifts ist das nach biblischer Tradition gebackene »Zwettler Stift-Laibal«, eine eigenwillige, an einen Döner erinnernde Spezialität.

Angeboten werden neben empfehlenswerten Führungen durch das Stift der Besuch des Internationalen Orgelfestes, wechselnde Ausstellungen (etwa »Wer's glaubt, wird selig!« in den Gewölben des Stifts über das Thema »Wunder«. Die oberirdischen Teile der Ausstellung führen über Brücken und Stege über den Kamp.), Besinnungstage, Meditationstage, Fastenseminare, Lebensbegleitung, Erholungs- und Freizeitangebote sowie das »Klingende Jour Fix« in der Galerie Taverne für Musikliebhaber.

Als Gast im Kloster

In Zwettl herrscht eine außerordentlich fröhliche und unverkrampfte Atmosphäre, wie bereits die selbstironischen Broschüren und Ausstellungstitel bekunden. Es wird Wert auf leibliches und ästhetisches Wohl gelegt. Also kein Fastenseminar während der Zwettler Knödelwochen mit original Waldviertler Erdäpfelnudeln erwarten!

Rund um das Kloster

Kittenberger Erlebnisgärten

In der Anlage besonderer Themengärten finden sich faszinierende Ideen und viele Anregungen zur eigenen Gartengestaltung sowie ein

Kittenberger Erlebnisgärten

Extratipp

Klangburg Rappottenstein Im 12. Jahrhundert auf einem gigantischen Granitfelsen gegründete Kuenringerfestung. Ein mittelalterliches Bild bieten Burgküche und Knappenhalle mit gotischem Kreuzrippengewölbe. Hoch über den Verliesen steht der Uhrturm aus dem 16. Jahrhundert. Zu ihm gelangt man durch den Rittergarten, der durch seine romantische und idyllische Lage zu den reizvollsten Plätzen der Burg zählt. Seit 1996 dient die »Klangburg« als Ort für Musik- und Literaturdarbietungen. Das Konzert der »Comedian Vocalists«, eine komödiantische Interpretation der Comedian Harmonists, sorgt für gute Laune und beschwingte Ohrwürmer.

A-3911 Rappottenstein; Tel. 00 43/28 28/82 50; E-Mail: klangburg@atf.at, Internet: www.burg-rappottenstein.at; Öffnungszeiten: tgl. außer Mo 10–23 Uhr

verschlungener Pfad, der die einzelnen Gärten verbindet. Erkunden Sie den Garten der Sinne, den Naschgarten, den Gesundheitswassergarten und die Kräuterspirale. Romantiker lauschen im Sommer der Mondscheinserenade im Nachtgarten. An die Erlebnisgärten angeschlossen sind ein Streichelzoo, ein Abenteuerspielplatz und das Gartencenter, das auf Wunsch Ihren persönlichen Erlebnisgarten plant.
Laabergstr. 15, A-3553 Schiltern/Langenlois; Tel. 00 43/27 34/8 22 80; Internet: www.kittenberger.at; Öffnungszeiten: April–Dez. Mo–Sa 9–18, So 10–17, Feb. Mo–Fr 9–16, März Mo–Sa 9–16 Uhr

Renaissanceschloss Rosenburg
»Es steht ein Schloss in Österreich, das ist gar wohl gebaut, von Silber und von rotem Gold, mit Marmelstein gemauert ...« Dieses bekannte Volkslied wurde im Dreißigjährigen Krieg auf die Rosenburg gedichtet. Die Burganlage der Rosenberger zeigt den größten vollständig erhaltenen Turnierhof Europas, in dem heute regelmäßig Konzerte und Theateraufführungen stattfinden. Bis ins 12. Jahrhundert geht die Geschichte der Wehrburg zurück, die sich seit 1681 im Besitz der Familie Hoyos befindet. Im Laufe des 16. Jahrhunderts wurde sie zum prächtigen Renaissanceschloss umgebaut. Sehenswert sind der Marmorsaal, die Bibliothek und die Schlosskapelle. Von der Aussichtsterrasse lassen Falkner in Gebrauchskostümen der Renaissancezeit Edelfalken und Adler fliegen.
A-3573 Rosenburg am Kamp; Tel. 00 43/29 82/29 11; E-Mail: rosenburg@hoyos.co.at; Internet: www.rosenburg.at; Öffnungszeiten: April und Okt. tgl. außer Mo 9.30–16.30 Uhr, Mai–Sept. tgl. 9.30–17, Juli und Aug. Sa, So bis 18 Uhr; Freiflugvorführungen tgl. um 11 und 15 Uhr

Service

Angebot für Gäste
Klingender Jour Fixe jeden ersten Donnerstag im Monat in der Galerie Taverne, bei schönem Wetter im Prälatengarten.
Exerzitien
Zen-Meditation
Massagekurs
Ikonenmalen
Eheseminare
Einkehrwochenenden
Yoga
Nuad-Thai Bodywork
Sommerheilpflanzen
Gitarrenkurs
Meditatives Malen
Kursprogramm unter Tel. 00 43/28 22/2 02 02 25

Gottesdienste
Eucharistiefeier So 8, 9, 10, 11 Uhr, Mo–Fr 17.30 Uhr, Sa 8 Uhr, Stundengebet 6 Uhr Vigilien und Laudes, 12 Uhr Mittagsgebet, 18 Uhr Vesper

Unterkunft
25 moderne Zimmer mit Dusche/WC. Übernachtung inkl. Vollpension im Komfortzimmer mit Dusche/WC DZ 41 €, EZ 47 €. Im Standardzimmer (Etagendusche/-WC) DZ 36 €, EZ 42 €. Zuschlag für nur eine Übernachtung: 4 €. Ermäßigungen für Kursteilnehmer an Veranstaltungen des Stifts. Für Jugendliche oder Wandergruppen in der Jugendherberge mit 36 Betten.

Verpflegung
Stiftstaverne: Waldviertler Küche, Fisch- und Wildwochen
Öffnungszeiten: tgl. 9–23 Uhr

Einkaufsmöglichkeiten
Klosterladen: Klosterprodukte aus eigener Herstellung wie Karpfen und Räucherfisch aus den Klosterteichen, Marmeladen, Messwein und Dinkelbrand, Andenken, Karten, Bücher

Reservierung
Bildungshaus Stift Zwettl; A-3910 Zwettl; Tel. 00 43/28 22/2 02 02 25, Fax 2 02 02 30; E-Mail: bildungshaus@stift-zwettl.at; Internet: www.stift-zwettl.at

Kulinarisch

Prämonstratenserstift Schlägl

A-4160 Schlägl
Tel. 00 43/72 81/8 80 14 00,
Fax 8 80 14 05
E-Mail: abtei@stift-schlaegl.at
Internet: www.stift-schlaegl.at

Mit dem Pkw: über die Autobahn A 1 Salzburg–Wien bis zur Ausfahrt Linz–Zentrum, weiter über die B 127 Richtung Rohrbach bis Schlägl

Mit der Bahn: auf der Linie München–Wien bis Linz Hauptbahnhof, weiter mit dem Bus über Rohrbach nach Schlägl

Das Kloster

Das 800 Jahre alte Kloster im Mühlviertel wurde als Rodungskloster gestiftet und erfüllt noch heute neben geistigen und seelsorgerischen auch forstamtliche Aufgaben. Die vom Stift betreuten Wälder liegen im österreichischen Teil des Böhmerwaldes mit mehreren markanten Erhebungen von bis zu 1378 Meter.

Betritt man die Anlage durch das Portal, fällt der Blick auf die dreischiffige gotische Hallenkirche. Südlich an die Kirche und die Veitskapelle schließt sich der ehemalige Kreuzgang an. Der Weg führt weiter in die romanische Krypta mit ihrem achteckigen Mittelpfeiler mit asymmetrischem Knospenkapitell und durch einen Rundbogen in die gotische Krypta. Eine 1989 freigelegte Turmkapelle aus dem frühen 15. Jahrhundert zeigt ein glanzvolles Beispiel gotischer Scheinarchitektur.

Die neobarocke Bibliothek mit Empore wurde 1852 fertig gestellt und umfasst eine Sammlung von ca. 60 000 Büchern, Handschriften und Inkunabeln aus allen Wissensbereichen. Die Gemäldegalerie von 1898 beherbergt eine Auswahl der über 500 Gemälde des Stiftes. 1997 wurde im ehemaligen Meierhof des Stiftes das Museum »Kultur.Gut« eröffnet. Auf 900 Quadratmetern werden durch ausgewählte Objekte Themen wie Wasser, Stein, Holz, Eisen, Leder, Honig und Wachs, Flachs, Wolle, Tierzucht und Pflanzenbau präsentiert. Über eine Videoanlage können Lebensmittelprodukte und typische Rezepte abgerufen werden. Ein Bauernhof sowie die Nachbildung von Werkstätten des Mühlviertels ermöglichen Einblicke in Wohnverhältnisse und häusliches Arbeitsleben.

Der Ursprung der Brautradition in Schlägl, wo seit vielen Jahrhunderten

Gerste und Hopfen angebaut werden, geht auf das Jahr 1580 zurück. Mit dem kristallklaren Wasser aus dem Granitgestein des Böhmerwaldes werden im Sudhaus köstliche Bierspezialitäten wie der »Schlägl Urquell« und acht andere Sorten gebraut, die man nach Anmeldung verkosten kann.

Gäste des Stifts sind in komfortablen, freundlichen Zimmern mit viel Holz im modernen Seminarzentrum im Stiftsgebäude untergebracht. Abenteuerlustige wohnen in den Holzhütten des »Ereignis-Biohauses Holzschlag«, die mit einer Solaranlage beheizt werden und direkt am Skihang liegen. Der klostereigene Stiftskeller bietet seinen Gästen in den rustikalen Fasslräumen, dem Herrenstüberl oder dem alten Sudhaus Spezialitäten an.

Das Angebot des Seminarzentrums besteht in Exerzitien auf der Grundlage bestimmter Themen, Besinnungstagen, Klostertagen für junge Männer und Meditationen zur Körperwahrnehmung. Im Rahmen der »Schlägler Musikseminare« finden Kurse zum gregorianischen Gesang statt. Besonders inspirierend sind die vom Abt persönlich geführten Wanderungen durch den Böhmerwald, bei denen halbtags gewandert und halbtags meditiert wird.

Rund um das Kloster

Cesky Krumlov (Krummau)
Die UNESCO-Weltkulturerbe-Stadt in der Nähe der tschechisch-österreichischen Grenze an der Moldau mit malerischem Zentrum zeichnet sich durch ein vielfältiges Kulturprogramm aus. In einem einzigartigen historischen Haus ist das Egon-Schiele-Zentrum untergebracht, es gibt ein Wachsfiguren-Kabinett und ein Foltermuseum. Personalausweis für den Grenzverkehr nicht vergessen!
E-Mail: infocentrum@ckrumlov.cz,
Internet: www.krummau.de

Erlebniswelt »Villa Sinnenreich«
Hier stürzen Sie in die Unendlichkeit im Kaleidoskop, werden zum Riesen oder Zwerg. Parcours durch die unterschiedlichsten Sinneswahrnehmungen und -täuschungen.
Bahnhofstr. 19, A-4150 Rohrbach;
Tel. 00 43/72 89/2 24 58 20; Öffnungszeiten: Di, Do–Sa 10–16, Mi, So 13–19 Uhr

Service

Angebot für Gäste
Exerzitien
Besinnungstage
Klostertage für junge Männer
»Wellnesstage für Paarbeziehungen«
Gesundheitsseminare
Schnuppertage Meditation
Schlägler Musikseminare

Gottesdienste
Wo 6.30 Uhr Laudes und Konventmesse (Do 7.30 Uhr), 12.15 Uhr Mittagsgebet, 18 Uhr Vesper
So 7 Uhr Laudes, 8.30 Uhr hl. Messe, 10 Uhr Hochamt, 11.15 Uhr Mittagshore, 18 Uhr latein. Vesper (an Feiertagen 17 Uhr)

Unterkunft
Seminarzentrum Schlägl: EZ mit Dusche/WC inkl. Halbpension 42 €,
DZ mit Dusche/WC 39 €
Tourismusabgabe pro Tag 1 €
Ereignis-Biohaus Holzschlag: Übernachtung in der Holzhütte inkl. Vollpension 40 € für Einzelpersonen, Gruppen ermäßigt

Verpflegung
Stiftskeller (Mo Ruhetag)

Einkaufsmöglichkeiten
Brauerei: Bier, Doppelbock-Bieressig
Stiftsgärtnerei: Grünpflanzen, blühende Stöcke, Übertöpfe, Blumensträuße, Frischblumengestecke und Kunst-Trockengestecke

Reservierung
Prämonstratenserstift Schlägl, Seminarzentrum Schlägl 1, A-4160 Schlägl;
Tel. 00 43/72 81/8 80 14 00; E-Mail: seminar@stift-schlaegl.at; Internet: www.stift-schlaegl.at

Architektur & Baukunst

Benediktinerstift Göttweig

A-3511 Furth bei Göttweig/Niederösterreich
Tel. 00 43/27 32/8 55 81-3 11,
Fax 8 55 81-2 66
E-Mail: tourismus@stiftgoettweig.at
Internet: www.stiftgoettweig.at

Mit dem Pkw: A 1 Salzburg–Wien, Ausfahrt St. Pölten-Ost Richtung Krems, dann Beschilderung Göttweig

Mit der Bahn: Westbahn Linz–Wien, Station St. Pölten, dort umsteigen Richtung Krems, Station Furth, von dort zu Fuß oder Taxi

Das Kloster

Das Stift liegt wenige Kilometer südlich von Krems am Rande der Wachau auf einer Anhöhe von 449 Metern. Das Kloster Göttweig, auch das »Österreichische Montecassino« genannt, wirkt mit seinen vier Ecktürmen wie eine märchenhafte Burg. Man erreicht das Benediktinerkloster über einen steilen Fußweg oder einfacher mit dem Auto. In jedem Fall hat man von den Aussichtsterrassen einen herrlichen Blick auf die Stadt Krems und die dahinter aufsteigenden Höhen und grünen Wiesen des Waldviertels.

1083 gründete der Passauer Bischof Altmann hoch oben auf dem Göttweiger Berg das Augustiner-Chorherrenstift Göttweig. Benediktiner aus St. Blasien im Schwarzwald übernahmen das Kloster, das Anfang des 13. Jahrhunderts seine erste Blütezeit erlebte. Im 16. Jahrhundert führten schreckliche Schicksalsschläge in den Niedergang: erst die Reformation, dann Pest, Kriege und Brände. Wie viele österreichische Klöster erlebte auch Göttweig im Barock eine Glanzzeit, die noch heute an der prächtigen Architektur abzulesen ist. Das heutige Stift Göttweig, erbaut im 18. Jahrhundert von Johann Lukas von Hildebrandt, ist eine der schönsten Klosteranlagen des Landes. Besucher betreten das Stift von der Nordseite und gelangen auf den großen Stiftsplatz mit der Brunnenpyramide. Die Ostseite des Platzes wird von der klassizistischen Fassade der Stiftskirche Mariä Himmelfahrt beherrscht. Eine Freitreppe führt zur Vorhalle.

Zu den Sehenswürdigkeiten gehören die Kaiserstiege, eines der schönsten und größten barocken Treppenhäuser Europas ganz in Weiß mit Deckenfresken von Paul Troger, die Kaiserzimmer mit dem Napoleonzimmer, das nicht allgemein zugängliche Grafische Kabinett mit über 29 000 Grafiken und die Stiftsbibliothek, die aber nur zu Forschungszwecken nach Anmeldung besucht werden kann. Stift Göttweig wurde 2001 gemeinsam mit der Kulturlandschaft Wachau, dem Stift Melk und der Altstadt von Krems als Ensemble in die prestigeträchtige Weltkulturerbeliste der UNESCO aufgenommen.

Urlaubsgäste essen nach dem Speiseplan der Mönche – z. B. die Benediktinertorte nach einem Rezept von 1401 – oder im Stiftsrestaurant à la carte die köstlichen Spezialitäten aus der Wachau. Abends genießt man einen Schoppen Wein aus den stiftseigenen Gütern auf den Terrassen mit überwältigendem Blick auf das Donautal. Von hier aus ist auch der eine oder andere Göttweiger Mammutbaum zu erkennen, der ausgewachsen etwa 40 Meter hoch wird – das dauert aber noch ein paar Jahrhunderte. Zum Schlafen ziehen Sie sich dann in eines der stimmungsvoll beleuchteten Gewölbezimmer zurück und hören nur noch die Blätter im Wind.

Haus St. Altmann

Das Kloster bietet für religiös interessierte Gäste Schweige- und Einzelexerzitien, Fastenexerzitien mit Einzelbetreuung, Einkehrwochenenden, Tage der Stille und »Kloster auf Zeit«, wobei junge Männer am Klosterleben unmittelbar teilnehmen können. Aber auch »Urlaub im Kloster« wird für Menschen angeboten, die Ruhe und Einkehr suchen, ohne an Kursprogrammen teilnehmen zu wollen. Weit über die Grenzen Niederösterreichs hinaus bekannt sind die Göttweiger Stiftskonzerte. Kammermusik- und Klavierabendkonzerte, die im Altmannsaal, aber auch in der Kaiserstiege stattfinden, und Orgelkonzerte mit Chorgesang in der Stiftskirche finden stets ein begeistertes Publikum.

Als Gast im Kloster

Das Weltkulturerbekloster besticht sowohl durch seine bauliche Grandezza als auch durch die außerordentliche Gastfreundschaft und Geselligkeit, mit der Besucher empfangen werden. Exquisite Weine aus stiftseigenen Gütern.

Rund um das Kloster

Österreichische Romantikstraße

Diese wunderschöne Strecke ist eine Perlenschnur von ganz besonderer Rarität: 25 historisch wie auch touristisch bedeutende Orte, zwischen Salzburg und Wien gelegen, sind einen Besuch in Etappen wert. Sie erleben Schlösser, Burgen, Klöster, Museen, Wildparks, Höhlen, Seen inmitten einer beeindruckenden Landschaft. Entlang der Route liegen u. a. St. Wolfgang, Bad Ischl mit der Kaiservilla, Hallstatt mit seinen archäologischen Ausgrabungen, Kremsmünster, die geschichtsträchtige Stadt Wels und noch viele weitere lohnende Stopps.

Info: Arge »Die Österreichische Romantikstraße«, Stadtplatz 27, A-4400 Steyr; Tel. 00 43/72 52/53 22 90

Stadt Krems
Krems zählt zu den ältesten Städten des Landes und wurde urkundlich erstmals im Jahre 995 erwähnt. Hier begegnet man der mehr als 1000-jährigen Geschichte auf Schritt und Tritt, auf Straßen und Plätzen, in alten Klöstern und Kirchen, Bürgerhäusern und Wehrbauten.
Info: Krems Tourismus, Undstr. 6, A-3500 Krems; Tel. 00 43/27 32/ 8 26 76, Fax 7 00 11; E-Mail: kremstourismus@pegasus.de, Internet: www.tiscover.com/krems

Weingut & Restaurant Jamek
»Der Jamek ist zu jeder Jahreszeit einen Umweg wert!« Eingebettet in die romantische Kulisse der Wachau liegt direkt an der Donau der Wachau-Klassiker Jamek. Ein weit über Österreich hinaus bekanntes Weingut und Restaurant, umgeben von Weinbergen und Marillenbäumen, prädestiniert zum Verweilen und zum Verkosten der hauseigenen Weine. Die einzigartige Atmosphäre des Restaurants können Sie in stilvollen Räumen erleben: im Frühjahr und Herbst auf der sonnigen Terrasse mit Donaublick und im Sommer im schattigen Garten, ein Wohnzimmer im Grünen mit prachtvoller Sicht in die Weinberge. »Der Jamek« ist zu einer Institution geworden. Das erfährt jeder, der in der Wachau bei ihm einkehrt, mit allen Sinnen.
A-3610 Joching 45, Wachau; Tel. 00 43/27 15/22 35, Fax 22 35 22; Öffnungszeiten Restaurant: Mo–Do 11.30–16, Fr 11.30–23 Uhr

Weltkulturerberegion Wachau
Was haben die Pyramiden von Gizeh, die Chinesische Mauer und die Wachau gemeinsam? Sie gehören zum exklusiven Klub der UNESCO-Weltkulturerbestätten. Die Region ist seit Jahrtausenden besiedelt, davon zeugen bedeutende Funde wie die »Tanzende Venus vom Galgenberg« (Stratzing bei Krems, um 32 000 v.Chr.) oder die »Venus von Willendorf« (Willendorf, ca. 20 000 v.Chr.). Durch Jahrhunderte ist die Donau nicht nur Transportweg vieler Kreuzfahrer gewesen, sondern auch wichtiger Handelsweg zwischen West und Ost. Heute ist die Wachau Höhepunkt einer Urlaubsreise an der Donau, ob mit dem Rad, mit dem Schiff oder bei einer Wanderung im Dunkelsteinerwald.

Service

Angebot für Gäste
Einzel- und Gruppenexerzitien
Kloster auf Zeit
Urlaub im Kloster
Einkehrwochenenden
Schweigeexerzitien

Gottesdienste
Wo 6.45 Uhr Konventmesse
So 7.30, 10 Uhr Konventmesse, 18 Uhr Vesper (lat.)

Unterkunft
Im Exerzitienhaus St. Altmann 25 Zimmer. EZ mit DU/WC 37 € pro Person, DZ mit DU/WC 35 € inkl. Frühstück

Verpflegung
Stiftsrestaurant: Spezialitäten der Wachau, stiftseigene Weine, Tel. 00 43/27 32/85 58 12 25

Einkaufsmöglichkeiten
Klosterladen: Produkte aus eigener Herstellung wie Weine, Liköre, Edelbrände, Bioprodukte, hausgemachte Marmelade und Melissensaft aus dem Klostergarten, Bücher, CDs und Devotionalien

Reservierung
P. Columban Luser, A-3511 Furth bei Göttweig; Tel. 00 43/27 32/8 55 81-2 31, Fax 8 55 81-2 44; E-Mail: exerzitien@stiftgoettweig.at, Internet: www.stiftgoettweig.at
Für den »Urlaub im Kloster«: Benediktinerstift Göttweig, Pforte, A-3511 Furt bei Göttweig; Tel. 00 43/27 32/ 85 58 13 32; E-Mail: urlaub@stiftgoettweig.at

Schottenstift Wien

Benediktinerabtei Unserer Lieben Frau zu den Schotten
Freyung 6
A-1010 Wien
Tel. 00 43/1/5 34 98, Fax 53 49 81 05
E-Mail: schotten@schottenstift.at
Internet: www.schottenstift.at

Anfahrt: Mit der Straßenbahn bis Haltestelle Schottentor oder mit den U-Bahnen 2 (Station Schottentor) 3 (Station Herrengasse) oder 4 (Station Schottenring)

Das Kloster

Das Wiener Schottenstift auf der Freyung zählt zu den bedeutendsten Benediktinerklöstern Österreichs. Wie eine »Insel der Stille« liegt es mitten in der Großstadt. Herzog Heinrich II. machte Wien zur Residenzstadt des Babenbergerreiches. 1155 berief er iroschottische Mönche aus Regensburg nach Wien. In der neuen Gründung sollten Pilger und Gäste aufgenommen werden und ein Zentrum des Wiener Geistes- und Stadtlebens entstehen. Im 17. und 18. Jahrhundert wurde das Kloster von Grund auf neu gestaltet. Josef Kornhäusel verwandelte den »Schottenhof« in ein klassizistisches Juwel. Dort kann man sich heute im Museum anhand von Gemälden, Möbeln, Tapisserien und liturgischen Gewändern über die Stiftsgeschichte informieren. Zu besichtigen ist auch der Hochaltar des »Wiener Schottenmeisters«, angefertigt von 1469 bis 1480, ein Hauptwerk spätgotischer Malerei in Österreich. Auf ihm ist die erste topografisch korrekte Ansicht der Stadt Wien zu sehen. Das »Schottengymnasium«, bereits 1807 als katholische Privatschule gegründet, gehört damals wie heute zu den Hauptaufgaben der Mönche.

Grünen Veltliner und Welschriesling aus den Stiftsweingütern schenkt das »Restaurant Schottenhof« aus, das ursprünglich als Gutshof inmitten des Schottenforstes errichtet wurde. Nach wie vor dient er dem Stift als Verwaltung für die umliegenden Forstgebiete. Die traditionelle Wiener Küche, etwa das »ausgelöste Backhenderl«, der Tafelspitz oder das Wiener Schnitzel, schmecken im herrlichen Garten besonders gut.

Die Pension »Benediktushaus« bietet Einzelnen und kleinen Gruppen Unterkunft. Die Gäste sind zu den Gottesdiensten eingeladen, es steht ihnen aber auch eine eigene Kapelle zur Verfügung. Junge Männer,

Barocke Schottenkirche

die für einige Zeit im Rhythmus des Klosters mitleben möchten, wohnen in der »Oase«, einem speziellen Gästetrakt. In der Schottenkirche finden regelmäßig Orgelkonzerte statt.

Als Gast im Kloster

Mitten in Wien ist der Schottenstift ein optisches und kulinarisches Erlebnis. Der prachtvolle Innenhof und die vorzügliche Wiener Küche im »Schottenhof« rahmen einen gelungenen Wien-Aufenthalt.

Rund um das Kloster

Erster Wiener Wasserweg

Eine Besonderheit ist der Ende März 2004 eröffnete »Erste Wiener Wasserweg«. Er ist stolze 17 Kilometer lang. Die Runde verläuft entlang der Uferpromenade der Unteren Alten Donau, über das Mühlwasser bis zum Nationalpark Donauauen. Info-Stationen entlang der Route geben Gelegenheit zum Ausruhen und Nachlesen. Den Weg kann man zu Fuß oder per Drahtesel bewältigen.

MuseumsQuartier Wien

In den einstigen Hofstallungen verband das Architektenteam Ortner & Ortner Barock mit Moderne. Untergebracht sind hier einige der bedeutendsten Kunstsammlungen Österreichs: das Leopold-Museum und das Museum Moderner Kunst Stiftung Ludwig (MUMOK) mit seiner brillanten Sammlung internationaler und österreichischer Kunst des 20. Jahrhunderts. Im quartier21 finden auf den beiden Kunstflaniermeilen »Electric Avenue« und »transeuropa« Kulturinitiativen Platz.
MUMOK, Leopold-Museum, Kunsthalle Wien, Architekturzentrum Wien, Zoom Kindermuseum im Museums-Quartier, VII. Bezirk, Museumsplatz 1

Service

Angebot für Gäste
Kloster auf Zeit
Mitleben in der Gemeinschaft
Museum im Schottenstift

Gottesdienste
Sa 19 Uhr Vorabendmesse, So 9.30 Uhr, 11 Uhr, 19 Uhr Messe, Mo–Fr 18 Uhr Messe
So 7 Uhr Matutin u. Laudes, 12 Uhr Mittagshore, 18 Uhr Vesper, 20 Uhr Komplet
Wo 6 Uhr Vigil, 6.40 Uhr Laudes, 12 Uhr Mittagshore, 18 Uhr Vesper und Konventamt, 20 Uhr Komplet

Unterkunft
Benediktushaus: EZ mit Bad/WC/Frühstück ca. 60 €, DZ 90 €
Freyung 6a, A-1010 Wien; Tel. 00 43/1/53 49 89 00, Fax 53 49 89 05; E-Mail: benediktushaus@schottenstift.at

Verpflegung
Restaurant Schottenhof
Amundsenstr. 5, A-1170 Wien; Tel. 00 43/1/4 86 23 04

Einkaufsmöglichkeiten
Klosterladen: Brände, Kräuterliköre, Wein, Bier, Obst, Wurst, Käse, Mohnöl, Schmalz, Marmelade, Honig, Kosmetika, Devotionalien, Kinderspielzeug, Kerzen, CDs und Bücher
Öffnungszeiten: Mo–Fr 10–18, Sa 10–17, So 10.30–13 Uhr

Reservierung
Gastmeister P. Sebastian Hacker, Benediktinerabtei Unserer Lieben Frau zu den Schotten, Freyung 6, A-1010 Wien; Tel. 00 43/1/5 34 98, Fax 53 49 81 05 ; E-Mail: sebastian.hacker@schottenstift.at

Aktiv/Garten

Kardinal König Haus

Kardial-König-Platz 3
A-1130 Wien
Tel. 00 43/1/8 04 75 93,
Fax 8 04 97 43
E-Mail:
office@kardinal-koenig-haus.at
Internet:
www.kardinal-koenig-haus.at

Mit dem Pkw: auf der Westautobahn A 1: Einfahrt Wientalstraße-Hietzinger Kai, rechts abbiegen, Fleschgasse bis Münichreiterstraße, links abbiegen, dann geradeaus bis Lainzer Straße

Mit der Bahn: Bahnhof Wien-Hütteldorf, Schnellbahn Richtung Südbahnhof bis Speising, Straßenbahnlinie 60 bis Jagdschloßgasse

Das Kloster

Das Kardinal König Haus ist ein freundliches und offenes Begegnungszentrum im Südwesten der österreichischen Hauptstadt. Das einstige Jagdschlösschen lag bei seiner Errichtung um 1700 noch vor den Toren der Stadt. 1884 kauften es Jesuiten und erweiterten den Wohntrakt, um vornehmlich Studierenden und Exerzitanten eine Unterkunft zu bieten. In den 60er-Jahren des letzten Jahrhunderts baute der namhafte Tiroler Architekt Lackner die Konzilsgedächtniskirche, deren in sich geschlossene Optik und Akustik den vorbeirauschenden Verkehr jenseits der Mauern ausblendet. Dasselbe gilt im Übrigen für den parkähnlichen Garten mit uraltem Baumbestand und einer Orangerie – eine herrlich entspannende Oase der frischen Luft mitten in der Großstadt. Er wird als Nutzfläche für den Anbau von Obst, Gemüse, Blumen und Kräuter verwendet, zugleich aber auch als Raum für künstlerische Darstellungen wie Andachts- und Meditationszeichen. Auf dem Klostergelände befindet sich ebenfalls ein Freilufttheater, in dem im Sommer Theaterstücke aufgeführt werden. Bereits im 16. Jahrhundert war das »Jesuitentheater« ein Gattungsbegriff; Theaterspielen und szenisches Lernen gilt in der Tradition des Ordens als Medium ganzheitlicher Bildung.

1999 entstand das neue Bildungshaus mit einer etwas minimalistischen Raumgestaltung; die Gästezimmer wirken jedoch angenehm wohnlich. Das Bildungshaus ist mit Hörsälen, Tagungsräumen und einer Cafeteria ausgestattet.

Die Seminare und Tagungen des Kardinal König Hauses ziehen Gäste aus ganz Europa an, dementsprechend international und weltoffen ist seine Atmosphäre. Angeboten werden Zen-Meditationskurse, Ikonenmalkurse, Ignatianische Einzelexerzitien, Seminare für Brautpaare, feministische Exerzitien und Kurse zu Problemlösungsstrategien. Einzelgäste können sich ihr eigenes Programm, etwa Bildungsaufenthalte oder Kulturstudien, zusammenstellen. Für das kulinarische Wohlergehen sorgt die Küche des Kardinal König Hauses mit gutbürgerlicher Hausmannskost, vegetarischen Speisen und internationalen Gerichten.

Als Gast im Kloster

Im weitläufigen Park des ehemaligen Jagdschlösschens kann man nach dem Seminar herrlich entspannen. Verführerisch ist auch das köstliche »Wiener Büffet« im Bildungshaus.

Rund um das Kloster

Schloss Schönbrunn

Die kaiserliche Sommerresidenz ist eines der Wiener Highlights. Die Zahl der jährlichen Besucher übersteigt die Millionengrenze. Sein heutiges Aussehen erhielt das Schloss unter Kaiserin Maria Theresia, die die Anlage zu ihrem Wohnsitz machte. Sehenswert sind vor allem die Prunkräume des Schlosses, die meist im verspielten Rokokostil ausgeführt wurden – etwa der Spiegelsaal, in dem der damals sechsjährige Mozart vor der Kaiserin musizierte, oder das mit Rosenholz getäfelte Millionenzimmer.

Öffnungszeiten: April–Juni, Sept. und Okt. tgl. 8.30–17 Uhr, Juli, Aug. 8.30–18 Uhr, Nov.–März 8.30–16.30 Uhr

Spanische Hofreitschule

Wo Reiter in Livrée und hellen hirschledernen Hosen auf weißen Pferden ihre Pirouetten drehen, befindet man sich in der Spanischen Hofreitschule in Wien. Sie besteht seit 1572 und ist das älteste und einzige Reitinstitut der Welt, das die »Hohe Schule« seit über 430 Jahren pflegt. Die Hofreitschule ist geradezu ein Muss für jeden Wienbesucher! Man kann den Schimmeln und ihren staatlichen Rittmeistern bei der Morgenarbeit zusehen, das benachbarte Lipizzanermuseum besuchen oder den öffentlichen Vorführungen in der ebenfalls benachbarten Winterreitschule beiwohnen. Dort zeigen acht Reiter eine streng choreographierte Quadrille, die an das »Rosseballett« der Kaiserzeit erinnert.

Wien, I. Bezirk, Michaelerplatz 1, (U-Bahn: Stefansplatz), Morgenarbeit Di–Sa 10–12 Uhr. Eintrittskarten im Besucherzentrum am Michaelerplatz (Infos unter www.srs.at; Tel. 00 43/1/ 5 33 90 32).

Service

Angebot für Gäste
Tage der Stille
Exerzitien mit Bibliodrama
Ignatianische Einzelexerzitien
Ikonenmalen
Zen-Meditation
Seminare für Brautpaare
Feministische Exerzitien
Problemlösungsstrategien
Persönlichkeitsentwicklung

Gottesdienste
So 8.30, 10, 11.30, 18.30 Uhr;
Sa 18.30 Uhr (Vorabendmesse)

Unterkunft
Zimmer mit Dusche/WC inkl. Vollpension: EZ 58 €, DZ 53 €; Zuschlag für Aufenthalt unter drei Nächten: 6,50 €

Reservierung
Kardinal König Haus, Bildungszentrum der Jesuiten, Kardinal-König-Platz 3, A-1130 Wien; Tel. 00 43/1/ 8 04 75 93, Fax 8 04 97 43; E-Mail: rezeption@kardinal-koenig-haus.at, Internet: www.kardinal-koenig-haus.at

Augustiner Chorherrenstift Reichersberg

A-4981 Reichersberg am Inn 1
Tel. 00 43/77 58/23 13,
Fax 23 13 32
E-Mail:
verwaltung@stift-reichersberg.at
Internet: www.stift-reichersberg.at

Mit dem Pkw: über die Westautobahn A 1 bis Ausfahrt St. Georgen, weiter über Frankenburg bis Ried, von der Abzweigung »Ort« 3 km bis Reichersberg

Mit der Bahn: bis Bahnhof Antiesenhofen

Das Kloster

Umgeben von einem der schönsten Naturschutzgebiete Europas und den romantischen Orten des Innviertels liegt das Chorherrenstift, das seit über 900 Jahren ununterbrochen besteht. 1084 stifteten der Edle Wernher und seine Ehefrau Dietburga die Burganlage und wandelten sie in ein Kloster für Chorherren um. Die Erzbischöfe von Salzburg wiesen dem Stift im 12. Jahrhundert ein Seelsorgegebiet an der ungarischen Grenze zu, das die Chorherren bis heute betreuen. 1624 wurde die romanisch-gotische Klosteranlage von einem Brand vernichtet und im 17. Jahrhundert durch einen ausgedehnten barocken Neubau mit märchenhaftem Innenhof mit Arkaden ersetzt. Der wunderschöne »Herrengarten« des Stiftes gehört zu den »Historischen Gärten« am Inn und gliedert sich in einen englischen, barocken und einen Steingarten.

Im Bildungszentrum Reichersberg werden sich Gäste in den hübschen Zimmern und den »Kommunikationsecken« mit Sesseln und Tischen wohl fühlen. Für kulinarische Genüsse sorgen das gemütliche »Bräustüberl« mit Garten und die außergewöhnliche Vinothek im ehemaligen Obstkeller. Unter ziegelroten Deckengewölben stehen gefüllte Brotkörbchen auf dekorativen Weinfässern, in den groben Wänden lagern ausschließlich Weine aus österreichischen Klöstern. Verkosten kann man zudem feine Obst- und Edelbrände, den Stiftskräuterlikör und den Klosterbitter.

Teilnehmer der Kreativkurse stellen im Bildungszentrum ihre eigenen Kunstwerke her. So gibt es etwa den Kurs » Zeichnen und Malen« mit griechischen Volkstänzen und Stille-Meditation, man kann lernen, Trachten zu nähen, Ikonen zu malen, Almhütten und Krippen zu schnitzen, oder man besucht ein Weinseminar. Zudem werden »Ehevorbereitungskurse« für Paare und Malkunst für Harmonie und Lebensfreude angeboten. Während des »Reichersberger Sommers« finden festliche Gottesdienste, Konzerte und Ausstellungen statt.

Als Gast im Kloster

Das Motto des Stifts »Mit Freude leben« gilt in jeder Hinsicht für einen Gastaufenthalt in Reichersbach. Allein die Vinothek sorgt mit Brot und Klosterwein schon für Hochstimmung. Ganz zu schweigen vom schöpferischen Erleben der Malkurse.

Ruhe im Gewölbegang

Rund um das Kloster

Atelier-Galerie Kunststück

Die Galerie Kunststück präsentiert im historischen Ambiente des ehemaligen Hofrichterhauses gegenüber dem Chorherrenstift Werke der bildenden und angewandten Kunst. Verschiedene Künstler aus den Bereichen Textil, Schmuck, Keramik, Holz, Glas, Malerei und Grafik zeigen ihre Arbeiten.
Galerie Kunststück, Andreas Sagmeister, Reichersberg 2, A-4981 Reichersberg; Tel. 00 43/77 62/23 39; Öffnungszeiten: Do–So 14–18 Uhr, Okt.–Dez. Sa und So 14–18 Uhr

Wildbachklamm Buchberger Leite

Das unter Landschaftsschutz gestellte herrliche Wandergebiet rund um die Buchberger Leite ist eine der beeindruckendsten Schluchtenlandschaften. Steile Felsriegel zwingen die geröllreichen Wildbäche in ihr tief eingeschnürtes Bett. Der Erlebniswanderweg »Mensch und Natur« mit einer Länge von ca. acht Kilometern liegt zwischen Freyung und Ringelai. Um den abwechslungsreichen Wanderweg zu absolvieren, benötigt man rund drei Stunden Gehzeit und festes Schuhwerk.

Service

Angebot für Gäste
Ehevorbereitungskurse
Besinnungstage
Krippenbaukurs
Schnitzkurs
Seife selbst herstellen
Ikonenmalen
Trachtennähen
Malkunst
Weinseminar

Gottesdienste
Wo 6.30 Uhr Laudes, 11.30 Uhr Mittagshore, 18 Uhr Vesper
So 9 Uhr Messe

Unterkunft
Bildungszentrum: EZ/VP 45,65 €, DZ/VP 41,65 €

Verpflegung
Bräustüberl

Einkaufsmöglichkeiten
Klosterladen: Kerzen, Öllampen, Bücher, Bildbände, Engelszeller Magenbitter, Obstler, Flaschen mit getrockneten Kräutern zum Selbstansetzen, Weihnachts- und Osterschmuck, Öffnungszeiten: Di–Sa 10–12 und 13–17 Uhr (Sommer 18 Uhr), So, Mo 13–17 Uhr
Vinothek: Weine aus österreichischen Klöstern, Edelbrände, Kräuterlikör

Reservierung
Augustiner-Chorherrenstift, Bildungszentrum, A-4981 Reichersberg am Inn; Tel. 00 43/77 58/23 13 12, Fax 23 13 32; E-Mail: kurse@stift-reichersberg.at, Internet: www.stift-reichersberg.at

Architektur & Baukunst

Stift Melk

Abt-Berthold-Dietmayr-Str. 1
A-3390 Melk
Tel. 00 43/27 52/55 52 25,
Fax 55 52 26
E-Mail: gastpater@stiftmelk.at
Internet: www.stiftmelk.at

Mit dem Pkw: Autobahn A 1 Salzburg–Wien bis Ausfahrt Melk

Mit dem Schiff: über die Donau

Mit der Bahn: auf der Linie Wien–Linz bis Bahnhof Melk

Das Kloster

Wie ein Palast erstreckt sich der mächtige Bau des Barockklosters am rechten Ufer hoch über der Donau. Die Burg Melk war im 10. Jahrhundert die Residenz des Babenberger Markgrafen Leopold I. 1089 wandelte es Leopold II. in ein Benediktinerkloster um und siedelte dort Mönche aus Lambach an, die seither in Melk wirken. Ein Vorgänger des heutigen Stiftsgymnasiums wurde bereits im 12. Jahrhundert gegründet; in der Bibliothek entstanden wertvolle, bis heute archivierte Handschriften. Von Melk aus formierte sich im 15. Jahrhundert eine der wichtigsten Klosterreformen des Mittelalters. Nach mehreren Bränden errichtete Jakob Prandtauer Anfang des 18. Jahrhunderts den großartigen Barockbau, ein Zeichen der kulturellen und ökonomischen Blütezeit des Klosters Melk. Während des Zweiten Weltkriegs waren Patres durch Verhaftungen bedroht, die Konventsgebäude sollten beschlagnahmt werden, doch Melk überstand den Nationalsozialismus unbeschadet.

Betritt man das Stift von Osten, befindet man sich in einem Klostervorhof, in dem die Figuren der Patrone des Stifts, Peter und Paul, das Prälatenhofportal flankieren. Von hier aus gelangt man in das Museum mit Gemäldegalerie, das sich im Kaisergang befindet. Der lichterfüllte, majestätische Bibliothekssaal beherbergt 70 000 Bände sowie 2000 Handschriften und Inkunabeln. Durch seine hohen Fenster blickt man auf den Kolomanihof; eine Altane mit großartigem Blick auf das Donautal verbindet die Bibliothek mit dem Marmorsaal. In der Stiftskirche St. Peter und Paul sind Deckenfresken von J. M. Rottmayr und Altarbilder u. a. von Paul Troger zu sehen. Den nördlichen Teil der Konventsanlage nehmen Wohngebäude und das Internatsgymnasium ein.

Besucher des Stifts sind im Gästehaus untergebracht, im Sommer besteht eine Unterkunftsmöglichkeit im Konvikt. In der ehemaligen Orangerie entstand 1980 ein Stiftsrestaurant mit Kreuzgewölbekeller und Gartenterrasse. Dort können Weine aus dem stiftseigenen Gut verkostet werden. Während der Rosenblüte ist der Nachmittagskaffee im Gartenpavillon des Stiftparks unter 250 Jahre alten Linden ein besonderer Genuss. Hier finden auch hörenswerte Sommerkonzerte statt.

Stiftsrestaurant

Stift Melk bietet seinen Gästen Exerzitien, Kloster auf Zeit, Einkehrtage, Orientierungstage, Familienwochen und Ferienkurse an. In den Kaiserzimmern erfährt man in der Ausstellung »Unterwegs vom Gestern ins Heute – Stift Melk in Geschichte und Gegenwart« Informatives über die traditionsreiche Geschichte des Klosters. Musiker von internationalem Rang finden sich in Melk zu den »Internationalen Barocktagen« ein.

Als Gast im Kloster

Gartenfreunde müssen einfach die großzügig angelegten Wege des Parks beschreiten. Am besten kommen Sie während der Rosenblüte und außerhalb der touristischen Hauptsaison nach Melk. Das Stift ist ein Besuchermagnet!

Rund um das Kloster

Europaschloss Leiben

Nördlich von Melk im südlichen Waldviertel liegt das 800 Jahre alte Schloss Leiben, das hauptsächlich wegen seiner bedeutenden Kassettendecken aus dem 17. Jahrhundert berühmt ist. Sie schmücken mit ihren mythologischen und allegorischen Darstellungen z. B. aus Ovids

Extratipp

Renaissanceschloss Schallaburg 5 Kilometer von Melk entfernt liegt eines der schönsten Renaissanceschlösser nördlich der Alpen. Der aus dem 16. Jahrhundert stammende, terrakottengeschmückte Arkadengang, die romanische Wohnburg, die gotische Kapelle und die manieristische Gartenanlage bieten dem Besucher einen unvergesslichen Eindruck. Das aus 1600 Einzelstücken zusammengesetzte Terrakottamosaik zeigt eine lebendige Bühne von Fabelwesen, mythologischen Figuren, Göttern, Masken und arabesken Fratzen. Besonderes Interesse rufen die jährlich wechselnden kulturgeschichtlichen und archäologischen Ausstellungen hervor. Nach umfangreicher Sanierung 1974 wurde die Burg mit der Niederösterreichischen Landesausstellung »Renaissance in Österreich« eröffnet. In den letzten 30 Jahren entwickelte sich die Schallaburg zu einem international anerkannten Ausstellungszentrum. Thematisch beschäftigen sich die Ausstellungen häufig mit Gegenständen der europäischen Geschichte und alten Hochkulturen, so dass die Schallaburg heute eine Begegnungsstätte für Welt-Kulturen darstellt.
Schloss Schallaburg, A-3382 Loosdorf; Tel. 00 43/27 54/63 17; Öffnungszeiten: Ende April–Ende Okt. Mo–Fr 9–17 Uhr, Sa, So und Feiertag 9–18 Uhr

Metamorphosen oder mit Szenen der Figuren Flora, Bacchus, Neptun und Ceres den Bet- und den Rittersaal. Beachtlich sind jedoch auch die enormen Restaurierungsfortschritte der letzten Jahre, die der kompakte Gebäudeblock mit großen Flächen aus barockem Rieselputz, Fenstern mit vorkragenden Rund- und Rechtecktürmen an den Bauecken, mit hohen Zeltdächern und der Schindeldeckung gemacht hat. Der große Schlosskomplex, dessen wehrhaftes Gesamtbild von seinem fünfeckigen Haupthof, seinen Türmen, Schießscharten und massiven Torbögen bestimmt wird, stammt überwiegend aus der Zeit von 1617 bis 1659.
Hauptstraße 34, A-3652 Leiben;
Tel. 00 43/27 52/7 00 43

Landtechnikmuseum im Schloss Leiben

Zu sehen ist hier die Spezialsammlung des Traktorensammlers Martin Trausnitz, welche Besuchern seit 1991 zugänglich ist. Das Museum präsentiert historische landwirtschaftliche Maschinen von 1910 bis 1941 mit Zubehör und Fahrzeugteilen sowie eine Dokumentation über die Entwicklung der Zugmaschinen von Holzgastraktoren über Dampfmaschinen bis zu den Verbrennungsmotoren. Bewundern kann man darüber hinaus Modelle und Originale von verschiedenen Pflügen und Feldarbeitsgeräten.
Landtechnik-Museum; Öffnungszeiten: April–Nov. So und Feiertag 10–17 Uhr

Fahrradmuseum Ybbs

Im »Alten Pfarrhof« in Ybbs an der Donau verbringen an die 70 Drahtesel-»Veteranen« ihren Lebensabend. Die Sammlung umspannt Fahrradgeschichte aus zwei Jahrhunderten. Zu sehen sind Kinderhochräder, Niederräder aus der Jahrhundertwende sowie Volks-, Renn- und Luxusräder aus der Vorkriegszeit bis ca. 1970.
Herrengasse 12, A-3370 Ybbs;
Tel. 00 43/74 12/52 61 22 03; Öffnungszeiten: Juni–Sept. Mo–Sa 11–13 und 14–17 Uhr

St. Pölten – Panoramaweg Kremserberg

Einen unvergesslichen Sonnenuntergang über St. Pölten erlebt man auf dem Panoramaweg auf der westlichen Hochterrasse im Norden der Stadt.
Tourismusinformation der Stadt St. Pölten, Rathausplatz 1, A-3100 St. Pölten; Tel. 00 43/27 42/3 33 28 10; E-mail: tourismus@st-poelten.gv.at, Internet: www.st-poelten.gv.at

Service

Angebot für Gäste
Exerzitien
Kloster auf Zeit
Angebote in der Regel nur für Gruppen. Teilnahme von Einzelpersonen in Absprache mit Gastpaetr Adolf; E-Mail: gastpater@stiftmelk.at

Gottesdienste
So 7 Uhr Laudes, 9.30 Uhr Eucharistiefeier, 12 Uhr Mittagsgebet, 18 Uhr Vesper
Wo 6.30 Uhr Laudes, 12 Uhr Mittagsgebet, 18 Uhr Vesper

Unterkunft
Im Gästehaus des Stifts
Übernachtung inkl. VP 38 €

Verpflegung
Stiftsrestaurant Melk in der ehemaligen Orangerie, A-3390 Melk; Tel. 00 43/27 52/5 25 55; Öffnungszeiten: März–Nov. tgl. 8–19 Uhr

Einkaufsmöglichkeiten
Klosterladen: Bücher, CDs, Videos und Qualitätsweine aus dem stiftseigenen Weingut

Reservierung
Stift Melk, Kultur&Tourismus, Abt-Berthold-Dietmayr-Str. 1, A-3390 Melk; Tel. 00 43/27 52/55 52 25, Fax 55 52 26; E-Mail: kultur.tourismus@stiftmelk.at, Internet: www.stiftmelk.at

Kulinarisch

Stift Heiligenkreuz

A-2532 Heiligenkreuz 1
Tel. 00 43/22 58/87 03,
Fax 8 70 31 14
E-Mail:
information@stift-heiligenkreuz.at
Internet: www.stift-heiligenkreuz.org

Mit dem Pkw: über die A 1 Salzburg –Wien, kurz vor Wien auf die A 21 abbiegen, weiter bis zur Ausfahrt Heiligenkreuz

Mit der Bahn: auf der Linie Wien–Wiener Neustadt bis zur Haltestelle Baden, weiter mit dem Bus nach Heiligenkreuz

Das Kloster

Das zweitälteste Zisterzienserkloster der Welt wurde 1133 im Wienerwald vom heiligen Leopold III. aus der Familie der Babenberger gegründet und besteht seither ohne Unterbrechung. Die mittelalterliche Klosteranlage mit Brunnenanlage und Kreuzgang ist noch erhalten. Die Zisterzienser pflegen die Liturgie und den gregorianischen Choral, führen eine philosophisch-theologische Hochschule und betreuen 17 Pfarreien. Im barocken Hornturm des Stiftes Heiligenkreuz befindet sich mit 37 Glocken das zweitgrößte Glockenspiel Österreichs und das einzige, das mittels Stockklaviatur wie ein Musikinstrument zu Konzertzwecken bespielt werden kann. Das 870 Jahre alte Stift Heiligenkreuz ist im deutschen Sprachraum einzigartig, da die Zisterziensermönche die Liturgie vollständig in lateinischer Sprache feiern. Täglich wird eine neunköpfige Schola von den Kantoren des Klosters in dieser uralten Gesangsform aus Einstimmigkeit, archaischer Melodik und freier Rhythmik geschult.

Schon 1190 entstand am Standort des heutigen Heiligenkreuzer Klostergasthofes ein Hospital mit einigen Zimmern, das 1649 als Taverne entsprechend dem Grundriss des heutigen Klostergasthofs umgebaut wurde. Im hübschen Wintergarten kann man mit Blick auf die alten Linden den Burgunder »Grauer Mönch« des Klosterweinguts Thallern probieren, das seit mehr als 850 Jahren von den Zisterziensern bewirtschaftet wird. Im Weingut finden neben Degustationen auch Führungen, die Kulturtage »Wein und Kunst« sowie Weinseminare statt. In der Klosterbrennerei werden Früchte zu hochwertigen Quitten-, Schlehdorn- und Vogelbeerbränden verarbeitet.

Im Gästetrakt des Stifts können 25 Gäste beherbergt werden, in den beiden Jugendräumen gibt es zusätzliche Stockbetten. Einzelgäste, die einige ruhige Tage in klösterlicher Atmosphäre im reizvollen Wienerwald genießen wollen, sind in Heiligenkreuz willkommen. Ferner werden Exerzitienkurse, Jugendvigilien und »Ora et labora«-Aufenthalte angeboten, bei denen Gäste im Garten oder im Haus mitarbeiten. Junge Männer können beim »Kloster auf Zeit« gegen Mitarbeit eine Woche kostenlos mit den Mönchen verbringen. Auf dem »Heiligenkreuzer Klostermarkt« bieten im äußeren Stiftshof 40 Klöster aus Österreich und den Nachbarländern ihre Klosterweine, exklusive Spezialitäten und Bioprodukte an. Dazu gibt für Kinder einen Streichelzoo, Luftburg und Minieisenbahn.

Als Gast im Kloster

Für Liebhaber gregorianischer Choräle ist Heiligenkreuz ein Eldorado, doch auch das Glockenspiel ist ein beeindruckendes Musikspektakel. Frühzeitig einen Platz im Garten des Klostergasthofs sichern und Heiligenkreuzer Burgunder bestellen!

Rund um das Kloster

Naturpark Sparbach

Der älteste Naturpark Österreichs lädt zu Entspannung und Erholung ein. Erwandern Sie die Vielfalt dieser in der Biedermeierzeit gestalteten Wienerwaldlandschaft vorbei am Lenauteich mit Mühle, Schaugehegen, einem Kinderspielplatz, romantischen Ruinen aus dem 12. Jahrhundert und dem Dianatempel. Genießen Sie die Fernsicht bis hin zum Schneeberg- und Raxgebiet und beobachten Sie freilaufende Wildschweine. Gegen Anmeldung werden Erlebniswanderungen und ein Kombinationsprogramm mit der Burg Liechtenstein angeboten.

Info: Naturpark Sparbach, Stiftung Fürst Liechtenstein, A-2393 Sparbach 1; Tel. 00 43/22 37/2 07 09; E-Mail: naturpark@sfl.at; Internet: www.naturpark-sparbach.at

Service

Angebot für Gäste

Tage der Stille
Exerzitienkurse
Erholung vom Stress
Ora et labora
Neuordnung des Lebens
Familientage

Gottesdienste

Wo 5.15 Uhr Vigilien, 6.25 Uhr Konventmesse, 12 Uhr Terz und Sext, 12.55 Uhr Non, 18 Uhr Vesper, 19.45 Uhr Komplet mit Salve Regina;
Mo–Do 18.45 Uhr Pfarrmesse
Sa 6.20 Uhr Konventmesse, 18.45 Uhr Vorabendmesse
So 8.30 Uhr Pfarrmesse, 9.30 Uhr lat. Konventmesse, 11 Uhr Spätmesse, 18.45 Uhr Abendmesse

Unterkunft

Im Gästetrakt des Stifts: Übernachtung inkl. Vollpension 30 €, Schüler und Studenten 20 €
Jugendherberge: 14 €

Verpflegung

Klostergasthof Stift Heiligenkreuz, A-2532 Heiligenkreuz; Tel. 00 43/22 58/8 70 31 38

Einkaufsmöglichkeiten

Im Klostergasthof (Küche): frisches Reh- oder Wildschweinfleisch aus Jagdrevieren des Wienerwaldes und klostereigener Wein
Klosterladen: CD »Heiligenkreuzer Choral« mit liturgischen Gesängen der Heiligenkreuzer Mönche, Stücken auf der Kober-Orgel, Aufnahmen des Heiligenkreuzer Glockenspiels und einer Lesung von Texten des Abts Bernhard von Clairvaux

Reservierung

Gastmeister des Stiftes Heiligenkreuz, A-2532 Heiligenkreuz 1; Tel. 00 43/22 58/8 70 31 01; E-Mail: gastmeister@stift-heiligenkreuz.at

Toplage

Benediktinerstift Lambach

Adalberotrakt
Klosterplatz 1
A-4650 Lambach
Tel. 00 43/72 45/2 17 10 0,
Fax 21 71 01 11
E-Mail: pforte@stift-lambach.at
Internet: www.stift-lambach.at

Mit dem Pkw: Autobahn A 1 Salzburg–Wien bis Ausfahrt Steyrmühl

Mit der Bahn: Strecke Salzburg–Linz–Wien, Bahnhof Lambach. 1 km bis zum Stift (evtl. per Taxi)

Das Kloster

Auf einer Anhöhe über dem Donaunebenfluss Traun wurde das imposante Kloster 1056 von Bischof Adalbero, Graf von Lambach und Wels, gegründet. Schon früh zeichnete es sich durch seine Schreibschule aus, die es zum Herz mittelalterlichen Kunstschaffens machte. Nach der fast völligen Zerstörung der romanischen Gebäude im 13. Jahrhundert wurde das Äußere des Klosters im Stil des Barock gestaltet. Während der Reformation überlebte Stift Lambach und entging auch den Klosteraufhebungen im 18. Jahrhundert.

Durch ein Marmorportal betritt man den Großen Stiftshof. In der Stiftskirche Mariä Himmelfahrt ist noch Bausubstanz aus dem 11. Jahrhundert vorhanden. Ihr romanischer Turm wurde im Barock erhöht, im Westchorwerk sind die bedeutenden Lambacher Fresken aus der Zeit des heiligen Adalbero zu sehen, Glanzstücke frühromanischer Bildkunst. Am Todestag des Adalbero pilgern jedes Jahr im Oktober zahlreiche Menschen nach Lambach zu seinem Hochgrab in der Stiftskirche.

Die Bibliothek des Konventsgebäudes zieren Deckenfresken von Melchior Steidl aus dem 18. Jahrhundert. Sehenswert ist ferner das Ambulatorium sowie das festlich stuckierte Sommerrefektorium, in dem die »Oberösterreichischen Stiftskonzerte« stattfinden. Mit dem heute noch bespielbaren Barocktheater, das 1770 anlässlich des Besuches von Erzherzogin Marie Antoinette eröffnet wurde, bietet Lambach eine seltene Sehenswürdigkeit. Die vielen illustren Gäste, die das Benediktinerstift aufgrund seiner zentralen Lage aufzunehmen hatte, sollten angemessen unterhalten werden. Auch W.A. Mozart war regelmäßig im Stift zu Besuch und widmete ihm die »Alte Lambacher Sinfonie«. Seine Noten sind im Musikarchiv zu besichtigen.

Ein charmanter Aufenthaltsort für Gäste ist der große Konventgarten mit barocken Sandsteinstatuen des heiligen Adalbero und Personifizierungen der Erdteile. Untergebracht sind sie in stilvollen Zimmern mit Rundbogenfenstern. Im Gästetrakt gibt es einen Meditationsraum und eine kleine Kapelle. Im Rembrandtstüberl wird täglich ein Büffet angeboten, gut essen kann man jedoch auch im Restaurant Stiftskeller. Das Stift Lambach bietet mehrere Varianten, Zeit im Kloster zu verbringen. In »Quellen-« und »Klostertagen« sowie Einzel- und Gesprächsexerzitien haben Gäste die Möglichkeit, Tage der Stille im Stift zu erleben und, wenn erwünscht, gemeinsam mit den Mönchen zu essen und zu beten. Jungen Männern auf der Suche nach ihrer Berufung bieten die »Orientierungstage« und »Meine Zeit im Kloster« erste Einblicke in das benediktinische Klosterleben. Im Kurs »Gregorianischer Psalmengesang« erlernen Sie in meditativen Tänzen zu Psalmenliedern das »Gebet mit dem Körper«. Regelmäßig finden Konzerte, Liederabende und Theateraufführungen statt. Im Foyer des Barocktheaters werden Theater- und Schminkseminare angeboten.

Als Gast im Kloster

Barocktheater, Fresken, Konzerte und Archive bieten Gästen eine vielfältige Kultur. Durch die herrliche Lage mitten in Oberösterreich wird das Kloster darüber hinaus zum absoluten Topreiseziel.

Rund um das Kloster

Dachstein Rieseneishöhle

Mit der Dachsteinbahn gelangen Besucher zur faszinierenden Rieseneishöhle mitten im Dachsteinmassiv. Die Eispaläste gehören zu den beeindruckendsten Naturschauspielen der Alpen und zeugen vom Wandel der Erdgeschichte. Mächtige Höhlengletscher und Eisberge bieten an heißen Sommertagen mit ihren 30000 m^3 Eis ein angenehmes Refugium. Höhepunkte der Führung sind der König-Artus-Dom, die Gralsburg und die Eiskapelle. Ausgangspunkt ist die Mittelstation der Dachsteinbahn Obertraun. Von dort erreicht man die Rieseneishöhle in 15 Gehminuten. Die Höhle ist mit normalem Schuhwerk begehbar, allerdings wird zu jeder Jahreszeit warme Kleidung empfohlen. Spezial- und Abenteuerführungen »Caving« auf Anfrage.

Dachstein & Eishöhlen GmbH, 4831 Obertraun, Winkl 34; Tel. 00 43/61 31/5 31; E-Mail: info@dachstein.at; Öffnungszeiten: Mai-Okt 9.20–16.30 Uhr

Spektakuläre Eisformationen

Moorbad Bad Wimsbach-Neydharting

Im Moorbad Bad Wimsbach-Neydharting im Salzkammergut, das im 14. Jahrhundert erstmals urkundlich erwähnt wurde, war bereits Paracelsus als Kurarzt tätig. Gästen des Kurhotels stehen das Rundhallenbad mit 32 Grad Celsius warmen Moorgrundwasser und die Sauna kostenlos zur Verfügung. Nicht entgehen lassen sollten Sie sich eine Wanderung durch die herrliche Moorlandschaft, die von einem erfahrenen Führer geleitet wird. Hier kann man miterleben, wie Moor gestochen wird.

ÖSTERREICH

Der Ort Wimsbach entstand schon im Mittelalter unterhalb einer Burg, die später zum Schloss ausgebaut worden ist und sich bis heute in Privatbesitz befindet.
4654 Bad Wimsbach-Neyharting;
Tel. 00 43/72 54/25 47 40; E-Mail:
info@moorbad.at, Internet:
www.moorbad.at

Pool im Moorbad Bad Wimbach

Museum Hackenschmiede
Die Wimsbacher Hackenschmiede, eine der ältesten Österreichs, wird das erste Mal 1604 erwähnt. Heute erläutert das Freilichtmuseum die Nutzung von Wasserkraft des Wimbaches. Alle Gewerke sind voll funktionsfähig. Ein Rad betreibt den Blasebalg, der zum Einblasen von Luft in die drei Eisen dient. So werden die hohen Temperaturen im Schmiedefeuer erreicht, die das Eisen erweichen lassen. Das zweite Rad bringt einen Schleifstein mit Bohrmaschine in Schwung. Interessierte Besucher dürfen auch selbst versuchen, ihr Eisen im Feuer zu schmieden.

Alte Schmiede

Freilichtmuseum Hackenschmiede, Almeggerstr. 12, Tel. 00 43/72 45/ 25 05 50; Öffnungszeiten: Mai–Okt. jeden 2. und 4. So im Monat 10–11 Uhr, Gruppen nach Voranmeldung

Papiermachermuseum Laakirchen
Das einzigartige »Österreichische Museum für Papier und Druck« befindet sich in den früheren Produktionshallen der Papierfabrik Steyrermühl. Auf anschauliche Weise wird die Papiererzeugung von ihren Anfängen bis zur Gegenwart demonstriert. Museumsbesucher erleben im Rahmen von Vorführungen die Entwicklung der maschinellen Papierproduktion von der ersten Papiermaschine der Welt bis zur modernen Langsiebmaschine. Eine besondere Attraktion stellt die Besucherschöpferei dar, in der man sich selbst im Papierschöpfen per Hand versuchen kann. In Verbindung mit einer Museumsführung können Besucher ihre Namen nach traditioneller Methode setzen und mit einer Presse auf

Extratipp

Märkte in Wels Nehmen Sie am ländlichen Markttreiben teil und machen Sie gute Schnäppchen auf einem der zahlreichen Märkte der Gemeinde Wels, die das ganze Jahr hindurch stattfinden, z. B. dem Wochenmarkt, Antiquitäten- und Kuriositätenmarkt, Weihnachtsmarkt, Ferkelmarkt, Pferdemarkt, Glanglmarkt, Töpfermarkt oder Bauernmarkt.
Info: Marktamt, Hamerlingstr. 8, A-4600 Wels; Tel. 00 43/72 42/2 35 73 90; E-Mail: markt@wels.gv.at

selbst geschöpftes Papier drucken. Ein Museumsbesuch kann mit einem Mal- oder Papierkunstworkshop kombiniert werden.
Museumsplatz 1, A-4662 Steyrermühl; Tel. 00 43/76 13/39 51; E-Mail: papier.druck@aon.at; Öffnungszeiten: April–Okt. Di–So 10–16 Uhr (außerhalb der Öffnungszeiten nach Voranmeldung)

Moorbad Gmös
Diese Oase der Ruhe inmitten sanfthügeliger Wiesen und Felder mit Blick auf das majestätische Traunstein und Höllengebirge bietet seinen Gästen neben der anerkannten Heilwirkung des Gmöser Moores auch ländlichen Frieden und Gelassenheit. Die günstige klimatische Lage inmitten sanfthügeliger Wiesen und Felder, die Mooridylle mit ihren Wanderwegen und das Panorama des Alpenvorlandes mit seinen typischen Vierkanthöfen beflügeln nicht nur Naturliebhaber. Zur vollkommenen Entspannung taucht man in ein Schlammbad aus Gmöser Moorwasser. Teilpackungen lindern lokale Schmerzen und Verspannungen im Rücken- und Nackenbereich. Sprudelbäder, Unterwassermassagen sowie Fußreflexzonenmassagen tragen zum Rundum-Wohlgefühl bei.
Kurhaus Moorbad Gmös Reinhard Forstinger, Rahstorf 10, A-4663 Laakirchen; Tel. 00 43/76 13 26 14; E-Mail: forstinger@gmoes.at

Am Markt in Wels

Service

Angebot für Gäste
Quellentage
Orientierungstage für junge Männer
Klostertage: jeweils in der Karwoche
Psalmengesang
Einzel- und Gesprächsexerzitien, Tage der Stille: Termin und Inhalt nach Absprache
Theaterseminare: z. B. »Königin der Nacht« mit Makeup-Beratung oder »Faschingsmasken für Jedermann« (Infos unter Tel. 00 43/72 45/21 71 03 06 oder Internet: www.barocktheater-lambach.at).
Klosterbesichtigungen (nur zwischen Ostersonntag und 31. Okt.)
Jährlich wechselndes Kursprogramm erhältlich

Gottesdienste
So 8, 9.30 und 19 Uhr (im Sommer 19.30 Uhr)
Gesungene Vesper um 17.30 Uhr (im Sommer 17.45 Uhr).

Unterkunft
Übernachtung im Gästetrakt »Adalberotrakt« inkl. Vollpension 29 € pro Person. Zimmer mit eigenem Bad/WC. Höchstaufenthalt in der Regel 5 Tage, nach Absprache auch länger

Verpflegung
Restaurant Stiftskeller (Mo geschl.) mit typisch österreichischer Hausmannskost; Tel. 00 43/72 45/2 07 77; Öffnungszeiten: Di–Sa 9–24, So 9–15 Uhr; E-Mail: stiftskeller@gmx.at, Internet: www.stiftskeller-lambach.com

Einkaufsmöglichkeiten
An der Pforte: Klosterliköre, spirituelle Bücher, Kunsthandwerk, CDs, Karten
Öffnungszeiten: Mo–Fr 9–12 und 13–16 Uhr

Reservierung
Fr. Lukas Six, Benediktinerstift Lambach, Adalberotrakt, Klosterplatz 1, A-4650 Lambach; Tel. 00 43/72 45/21 71 03 34; E-Mail: fr.lukas.six@stift-lambach.at
Zusage für Klosteraufenthalt erst nach Vorgespräch.

Architektur & Baukunst

Zisterzienserstift Lilienfeld

Klosterrotte 1
A-3180 Lilienfeld/Niederösterreich
Tel. 00 43/27 62/5 24 20,
Fax 52 29 24
E-Mail: stift.lilienfeld@wvnet.at
Internet: www.stift-lilienfeld.at

Mit dem Pkw: über die Autobahn A 1 Salzburg–Wien bis zur Ausfahrt St. Pölten-Süd

Mit der Bahn: auf der Linie St. Pölten–Kernhof bis Bahnhof Lilienfeld

Das Kloster

Inmitten von Wäldern im ehemaligen Zentrum der Babenberger liegt das größte mittelalterliche Zisterzienserstift Österreichs mit dem größten mittelalterlichen Kreuzgang des Landes. Das Stift bewahrt ein Siegel auf, das als frühester Nachweis des österreichischen rot-weiß-roten Bindenschilds gilt. In der barocken Bibliothek finden sich u.a. das »kleinste Buch« und eine Xylothek, die mit Büchern aus Holz und Borke aufwartet. Ein interessanter Naturlehrpfad illustriert und erläutert die Baumarten im Stiftspark, der einem idealisierenden Naturbild folgt.

Gäste können in den mittelalterlichen Zimmern des Gästetrakts »Tage der Stille« verbringen. Ideal für Wintersportler, die den Muckenkogel hinunterwedeln können. Im Sommer finden die Meisterkonzerte der »Sommerakademie Lilienfeld« statt.

Service

Angebot für Gäste
Tage der Stille
Musik- und Gesangkurse
Einkehrtage/Exerzitien

Gottesdienste
6.15 Uhr Morgenlob und hl. Messe, 18 Uhr Vesper, 20 Uhr Rosenkranz
Messen: So 9, 10, 19 Uhr Hochamt

Unterkunft
Gästetrakt: Ü/F 24–36 €

Verpflegung
Für Jugendliche Mittag- und Abendessen im Stift 10,50 €
Gasthaus »Hof am Steg«, Schrambacherstr. 29, A-3180 Lilienfeld; Tel. 00 43/27 62/5 26 27

Einkaufsmöglichkeiten
An der Pforte: Bücher, CDs, Weine

Reservierung
Gastmeister P. Pius Maurer, A-3180 Stift Lilienfeld; Tel. 00 43/27 62/5 24 20 37; E-Mail: p.pius@aon.at

Toplage/Garten

Benediktinerstift Seitenstetten

Am Klosterberg 1
A-3353 Seitenstetten
Tel. 0043/7477/42 30 02 33,
Fax 42 30 02 50
E-Mail: stift@stift-seitenstetten.at
Internet: www.stift-seitenstetten.at

Mit dem Pkw: Autobahn A 1 (Salzburg–Wien), Ausfahrt Haag, B 122 Richtung Seitenstetten

Mit der Bahn: Westbahn, Bahnhof St. Peter-Seitenstetten. Weiter zu Fuß oder mit dem Taxi (Tel. 0043/7477/42219)

Das Kloster

In Anlehnung an die übliche Bauernhofform des niederösterreichischen Mostviertels wird Stift Seitenstetten auch »Vierkanter Gottes« genannt. Betritt man die Anlage durch das große Portal, blickt man im Zentrum der vier Höfe auf die frühgotische Pfeilerbasilika mit einer Ritterkapelle aus dem 12. Jahrhundert. Gegründet wurde das Stift 1112, das im Inneren mit bedeutenden Altomonte- und Troger-Fresken geschmückt ist. Um 1700 wurde es von Munggenast und Hayberger barockisiert. Den größten Teil des Konventgebäudes nimmt heute das Stiftsgymnasium ein. Durch ein verziertes schmiedeeisernes Tor betritt man die opulente barocke Gartenanlage mit Springbrunnen, Blumenwiesen, Obstbäumen und Kräuter- und Gemüsegarten. Die Ernte wird im eigenen Dörrhaus verarbeitet. Im märchenhaften Rosarium des historischen Hofgartens wachsen über 100 verschiedene Rosensorten.

Im Südflügel dieses prunkvollen Barockklosters befindet sich eine zweigeschossige Galeriebibliothek mit eindrucksvollen Deckenfresken von Paul Troger. Hier sind wertvolle Handschriften und Inkunabeln gesammelt. Die Stiftsgalerie beherbergt über 1000 Gemälde von der Spätgotik über den Barock bis zu moderner Malerei und Grafik.

Durch den rustikalen Holzboden wirken die Zimmer des Gästehauses Gennesaret anheimelnd. Während des Essens kann man im Gästespeisesaal neun Gemälde des Kremsers Schmidt bewundern, die alle mit Speise und Trank verbunden sind.

Für einen rundum entspannenden Klosteraufenthalt für Einzelgäste ist das Programm »Urlaub im Kloster« konzipiert. Eingebettet in den

Tagesrhythmus der Mönche entdecken Sie die Sehenswürdigkeiten des Stifts und seiner Umgebung und machen Ausflüge ins umliegende Mostviertel. »Kloster auf Zeit« schließt die Teilnahme am täglichen Chorgebet und die Mitarbeit bei der klösterlichen Arbeit ein. Alle Gäste sind selbstverständlich zum Chorgebet der Benediktinermönche eingeladen. Außerdem können sie an Kurz- und Wanderexerzitien teilnehmen. Das Bildungszentrum St. Benedikt bietet verschiedene Kurse und Seminare an, viele mit Schwerpunkt Gartengestaltung.

Als Gast im Kloster

Seitenstetten ist ein Urlaubskloster mit hohem Wohlfühl- und Kulturfaktor: Die kultivierte Lebensart beginnt hinter den Mauern mit Theatersaal, Konzerten, Empfängen und der Stiftsgalerie. Versäumen Sie nicht, sich im charmanten Mostviertel umzusehen!

Im historischen Hofgarten

Rund um das Kloster

Mostviertler Lexikon

»Dä Maschin' is' jo scho' gaunz -aus-g'weag'lt!« Sie kommen aus Ham-

Der Autor mit seinem Lexikon

burg und haben Schwierigkeiten bei der Verständigung? Abhilfe schafft Josef Tatzbergers Lexikon des Mostviertler Dialekts. In vierjähriger Feldforschung hat der Autor historische und zeitgenössische Mundartausdrücke dokumentiert. Mit seinem Buch möchte er die sprachlichen Bräuche der Mostviertler Tradition erhalten. Zusätzlich geben Abbildungen gute Einblick in die Region Mostviertel.

Zu beziehen über: Regionalmanagement Mostviertel, Mostviertelplatz 1, A-3362 Öhling, Tel. 00 43/ 74 75/53 34 03 00

Extratipp

Entspannung im Rosengarten Folgen Sie dem Motto von Rabindranath Tagore »Narren hasten, Kluge warten, Weise gehen in den Garten« und verbringen Sie so viel Zeit wie möglich zwischen den alten Sandsteinvasen. Nach ein paar Tagen erkennen Sie viele der über 100 verschiedenen Rosensorten am Geruch! Als Lektüre für den Liegestuhl empfohlen: *Dornröschen*, Umberto Ecos *Der Name der Rose*, *Alice im Wunderland* und das Mostviertler Lexikon. Auch schön: Stellen Sie Ihre Staffelei für den Aquarellmalkurs vor dem Rosenspalier über dem Eingangsportal auf!

Gartentage jährlich Mitte Juni. Öffnungszeiten der Anlage: von Ostern bis Allerheiligen (1. November) tgl. 8–20 Uhr

Niederösterreichische Safari
Um exotische Tiere hautnah zu erleben, braucht man Österreich nicht zu verlassen. Streifen Sie auf dem Rücken eines Isländers im flotten Tölt durch das Gelände des Pferdehofs Weistrach oder besuchen Sie die erste Lama-Ranch Österreichs in St. Leonhard. Im Zoo Haag/Schloss Salaberg stehen Sie Straußen, Emus und Krokodilen Auge in Auge gegenüber.
Tierpark Stadt Haag: Öffnungszeiten: Okt.–März tgl. 9–16 Uhr, April–Sept. 8.30–17.30 Uhr; Tel. 00 43/74 34/45 40 81.
Islandpferdehof Weistrach, A-3351 Weistrach Nr. 35; Tel. 00 43/74 77/4 36 14; E-Mail: hannes.kirchmayr@tele2.at
Lamaranch St. Leonhard, Diesendorf 28, A-3243 St. Leonhard; Tel. 00 43/27 56/23 24; E-Mail: lamawanderland@telering.at

Seppelbauers Mostothek
Ebenso wie das Stift Seitenstetten liegt Seppelbauers urige Mostothek in Amstetten am Moststraßenradweg. Mehr als zehn verschiedene

Beim Seppelbauern

reinsortige Moste jeden Jahrganges können während einer Mostdegustation verkostet werden. Probieren Sie den Seitenstettener Dorschbirnedelbrand aus einer ausschließlich in dieser Region verbreiteten Birne. Im Verkaufsraum kann man neben verschiedenen Säften und Likören auch Dörrobst und Speiseöle erstehen. Nach der Degustation das Fahrrad schieben!
Brigitte und Bernhard Datzberger, Pittersberg 12, A-3300 Amstetten; Tel. 00 43/74 72/6 46 60; Internet: www.seppelbauer.at

Skigebiet Hochkar
Die Göstlinger Alpen bieten im Winter mit dem Hochkar (1800 Meter) das größte und schneesicherste Skigebiet in Niederösterreich. Beschneiungsanlagen sorgen auch in warmen Wintern für glitzernden Pulverschnee. Mittags lockt ein zünftiger Jagatee in Sykis Schirmbar. Im Sporthaus Hochkar kann man sich seine persönliche Leihausrüstung (Ski, Snowboards, Schuhe und Stöcke) bereits vor dem Urlaub online zusammenstellen lassen und reservieren.
Sporthaus Hochkar, Margarete Putz, Lassing 51, A-3345 Göstling a.d. Ybbs; Tel. 00 43/74 84/72 13; E-Mail: sporthaus@hochkar.com, Internet: www.hochkar.com

Mostviertler Bauernmuseum
»Diese Häuser hat der Most gebaut«, sagt ein alter Spruch über die prächtigen Vierkanthöfe des Mostviertels. Im 19. Jahrhundert hat das florierende Geschäft mit dem Apfel- und Birnenmost die Mostviertler Bauern reich gemacht. Viele Gegenstände im Museum erzählen von alten Zeiten, wie etwa die Mostkrüge oder die alte Greißlerei (Gemischtwarenhandlung), die in einem der 15 Museumsräume untergebracht ist. Im »lebendigen Vierkanthof« des Mostviertels treten Besucher in eine längst vergangene Welt aus traditionellem Handwerk, Glaube und Aberglaube und Spielzeug früherer Generationen. Anton Distelberger sen., ein uriges Mostviertler Original, hat die zahlreichen Ausstellungsstücke mit großem persönlichem Engagement

zusammengetragen, um die Kultur der Vorfahren auch der Nachwelt zugänglich machen zu können. Persönlich kümmert er sich mit großem Sachverstand und originellem Witz um die Besucher des Museums. Es besteht die Möglichkeit zur Verkostung von Mostviertler Obstprodukten, einem Einkauf im Hofladen oder einer zünftigen Jause im eigenen Mostheurigen.
Mostbauernhof Distelberger, Gigerreith 39, A-3300 Amstetten; Tel. 00 43/74 79/7334; Internet: www.distelberger.at; Öffnungszeiten nach telefon. Vereinbarung, Besichtigung mögl., Führungen für Gruppen

Kulturstadt Haag
Die Stadt Haag ist als Kulturstadt mit vielen Einrichtungen, wie z. B. dem Haager Theaterkeller, dem Jugendblasorchester, der Stadtkapelle, zahlreichen ausgezeichneten Chören, vielen Musikgruppen und Künstlern, dem Niederösterreichischen Freilichtmuseum im Weißpark, dem Mostviertelmuseum, der Mostviertelhalle oder dem Haus der Musik weit über die Landesgrenzen hinaus bekannt. Seit 2000 wird der Haager Theatersommer veranstaltet, der u. a. wegen seiner auffälligen Zuschauertribüne bereits im ersten Jahr für Furore in der österreichischen Theaterszene sorgte. Im selben Jahr wurde im Stadtzentrum ein Arkadengang als Verbindung zwischen Wienerstraße und Sparkassenstraße in Richtung Hauptplatz geschaffen. Hier liegt nun die avantgardistische »Kunstmeile« mit ihren neun Kunstwerken.

Adventdorf Haag
Seit 2001 ergänzt das »Adventdorf« am Hauptplatz den »Musischen Advent« in Haag. Hier dekoriert man nicht bereits vorhandene Fenster, sondern errichtet ein eigenes weihnachtliches Miniaturdorf im Haager Stadtzentrum. Seine liebevoll geschnitzten Häuschen weisen insgesamt 24 Fenster und Tore auf, die von ansässigen Unternehmen wunderschön gestaltet werden. Täglich wird im Rahmen einer kleinen Feierstunde von einem Haager Unternehmen eines der Fenster geöffnet – ein besinnliches und anrührendes Erlebnis, bei dem nicht nur die Kinderaugen leuchten.

Service

Angebote für Gäste
»Urlaub im Kloster«
Tage der Stille mit geistlicher Begleitung
Kurz- und Wanderexerzitien
Teilnahme am Chorgebet der Mönche
»Kloster auf Zeit« während der Sommermonate
Seminare und Kurse im Bildungszentrum St. Benedikt zu Themen wie Duftgärtengestaltung, Ikebana, Nordic Walking, Babymassage, Kräuterzaubereien

Gottesdienste
Mo, Mi 19 Uhr, Di, Do–Sa 8 Uhr, So 7, 8.30, 10 und 19 Uhr

Unterkunft
Urlaub im Kloster: Übernachtung inkl. Vollpension im DZ 30,30 €, im EZ 34 €. Zuschlag bei nur einer Übernachtung: 3,60 €.
Bildungszentrum St. Benedikt: EZ/VP 37,50 €, DZ/VP 33,50 €, Zuschlag bei nur einer Übernachtung: 4 €
Haus Gennesaret: Ü/VP 36 €

Verpflegung
Klosterküche

Einkaufsmöglichkeiten
Klosterladen: Gartenutensilien, Bücher und Souvenirs aus der Region, Spezialitäten aus dem Klostergarten
Öffnungszeiten: Feb.–Dez. tgl. 9.30–11.30, 14.30–17 Uhr

Reservierung
Am Klosterberg 1, A-3353 Seitenstetten; Tel. 00 43/74 77/4 23 00; E-Mail: gastpater@stift-seitenstetten.at

Benediktinerstift Kremsmünster

Stift 1
A-4550 Kremsmünster
Tel. 00 43/75 83/5 27 50,
Fax 52 75 18
E-Mail: stift@kremsmuenster.at
Internet:
www.stift-kremsmuenster.at

Mit dem Pkw: A 1 Salzburg–Wien bis zur Ausfahrt Sattledt, von dort 7 km bis Kremsmünster

Mit der Bahn: Westbahn bis Linz, weiter mit der Regionalbahn bis Kremsmünster

Das Kloster

Südwestlich von Linz auf den Schotterterrassen des Alpenvorlandes thront das Stift wie ein Palast über dem Kremstal. Es wurde 777 vom Bayernherzog Tassilo III. gegründet und üppig ausgestattet. Der Legende nach war ihm ein weißer Hirsch mit brennendem Geweih an der Stelle erschienen, wo sein Sohn Gunther bei der Jagd ums Leben gekommen war. Leuchter und Kelch des Gründers, Hauptwerke karolingischer Goldschmiedekunst aus dem 8. Jahrhundert, werden auch heute noch zu liturgischen Zwecken verwendet. Im Westturm der Stiftsbasilika befindet sich ein Glanzstück der Spätromanik: die aus Kremsmünsterer Nagelfluh gearbeitete Grabplatte des ehemaligen Gunther-Kenotaphs aus dem 13. Jahrhundert.

Das Baumeisterduo Carlone/Prandtauer entwarf im Barock die sechshöfige Klosteranlage und schuf die Prachtsäle der Klosterbibliothek und den repräsentativen, mit Fresken verzierten Kaisersaal. Seither sind die Wirtschaftsbereiche durch einen Wassergraben vom inneren Klosterbezirk getrennt. Im »ältesten Hochhaus Europas«, dem »mathematischen Turm« der Sternwarte, sind eine seltene Baumbibliothek sowie Pilzmodelle aus Wachs untergebracht. Carlones fantastischen arkadengesäumten Fischbecken werden noch heute die Forellen und Störe entnommen, die der Stiftsschank in benediktinisch »vierfüßlerfreier« Tradition serviert. Köstlich schmeckt jedoch auch das Hähnchenfilet mit Krenoberssauce und Röstinchen, vor allem im idyllischen Gastgarten. Dazu gibt es Riesling und Grünen Veltliner aus dem Burgenland, die man auch bei Kellermeister Pater Kilian verkosten kann.

Barocke Fischbecken

Adalbert Stifter besuchte lange Jahre das seit dem 16. Jahrhundert bestehende angesehene Gymnasium des Stifts, in dem viele der Mönche als Lehrer arbeiten.

In den wohnlichen, geschmackvoll möblierten Gästezimmern des Stifts werden sich männliche Teilnehmer im »Kloster auf Zeit« wohl fühlen, das jedes Jahr in der Karwoche angeboten wird. Bei großer Nachfrage stehen auch einige Zimmer im nahe gelegenen Exerzitienhaus »Subiaco« zur Verfügung, das auch Frauen aufnimmt. Junge Leute sind in der »Jugendwoche« dazu eingeladen, den Mönchsalltag mitzuerleben, außerdem finden Workshops zu Hair styling, Trommeln bauen und fröhliche Grillfeste statt. Führungen durch die Gemäldegalerie, die Kunstkammer, den Zimelienraum mit Tassilokelch und -leuchter sowie den Kaisersaal und die Bibliothek finden mehrmals täglich statt. Gäste können an den Messfeiern teilnehmen.

Als Gast im Kloster

Prächtiger Klosterpalast mit hungrigen Haustieren: Am Futterautomaten des Kalters drängen sich Schwärme von Fischen, sobald ein Besucher naht. Hungrigen Daheimgeblieben lieber eine »Tassilotorte« aus dem Stiftsschank mitbringen.

Rund um das Kloster

Adalbert-Stifter-Kulturweg

Auf den Spuren Adalbert Stifters führt dieser Kulturweg inmitten einer naturbelassenen Auenlandschaft zu barocken Kirchen, durch malerische kleine Gässchen, vorbei am Kremsmünsterer Rathausplatz durch die

Gastzimmer des Klosters

Extratipp

Schloss Kremsegg Das Schloss ist bekannt für seine umfangreiche Sammlung an Blechblasinstrumenten und die Ausstellung über den Ausnahmepianisten Friedrich Gulda. Zu sehen sind frühe Naturinstrumente, mit denen man Geister vertrieb, sowie das Horn eines russischen Zaren und Louis Armstrongs Trompete. Im Klaviersalon ist ein echter Mozart-Flügel ausgestellt. Schloss Kremsegg ist ein geschlossener Vierflügelbau mit Innenhof, dessen Aussehen sich seit 1709 nicht verändert hat.

Schloss Kremsegg, Kremsegger Straße 59, A-4550 Kremsmünster; Tel. 00 43/75 83/ 5 24 70; Internet: www.schloss-kremsegg.at; Öffnungszeiten: April–Okt. tgl. 10–17 Uhr

Herrengasse mit stilvollen, alten Bürgerhäusern zum architektonisch interessanten Marktrichterhaus aus dem 16. Jahrhundert. Unter historischem Gewölbe lädt der Hausherr zur Verkostung typischer Kremstaler Schmankerl ein. Künstlerische Spezialitäten werden in der »Galerie am Tötenhengst« geboten.

Sternwarte am Stifter-Weg

BTM Wärmewelt

Der Erlebnis-Parcour für die menschlichen Sinnesorgane zum Thema Wärmeempfinden zeigt, inwiefern sich die natürliche Sonnenwärme von künstlich erzeugter Heizungswärme unterscheidet. Die BTM-Wärmewelt vermittelt eine Gefühlswelt, in der man in knapp 60 Minuten die unterschiedlichen Arten von Wärme mit allen Sinnen in einer spannungsgeladenen, multimedialen Ausstellung erleben kann. Die Besucher durchleben beim Rundgang durch die verschiedenen Wärmezonen die Phänomene der infraroten Strahlung am eigenen Körper und erfahren etwas über die Hintergründe und Wirkungen dieser spürbaren Effekte.
A-4881 Straß im Attergau 47;
Tel. 00 43/0 76 67/2 06 15; Öffnungszeiten: Di–Fr 9–18, Sa 9–13 Uhr

Kremstal Radwanderweg

Der Kremstal Radwanderweg begleitet die Krems von der Mündung in die Traun durch das Kremstal zurück bis zu ihrem Ursprung und weiter bis Klaus. Der gut gekennzeichnete Weg hat einen großteils ebenen Verlauf im örtlichen Straßennetz und auf eigenen Radwegen. Er ist auch für ungeübte Radler und Familien zu bewältigen. Gesamtlänge ca. 54 Kilometer.
Tourismusverband Kremsmünster,
Rathausplatz 1, A-4550 Kremsmünster;
Tel. 00 43/75 83/72 12

Service

Angebot für Gäste
Führungen durch Sternwarte, Fischkalter und Kunstsammlungen
Weinproben in der Stiftskellerei
Kloster auf Zeit in der Karwoche
Jugendwoche
Exerzitien (Subiaco)

Gottesdienste
Messfeier: Wo 6.30, 7, 8 Uhr
Sa 19 Uhr
So 7, 8, 9, 10.15 Uhr (Hochamt), 11.30, 19 Uhr

Unterkunft
Gästezimmer im Kloster für Männer
Exerzitienhaus Subiaco; Tel. 00 43/75 83/52 88; EZ inkl. VP 36,50 €, EZ inkl. VP mit Dusche/WC 41,50 €

Verpflegung
Stiftsschank

Einkaufsmöglichkeiten
Klosterladen
Weinkellerei: Tisch- und Schankweine, Sekt-Spezialitäten, Edelbrände und diverse Spirituosen, Magnumflaschen, Geschenkkartons, Holzkisten

Reservierung
Gastmeister P. Gregor Humer, Stift Kremsmünster, Stift 1, A-4550 Kremsmünster; Tel. 00 43/75 83/5 27 55 18, Fax 52 75 19; E-Mail: kremsmuenster @kremsmuenster.de, Internet: www.stift-kremsmuenster.de

Stille & Rückzug

Franziskanerinnen Vöcklabruck

Mutterhaus der Franziskanerinnen
Salzburgerstr. 18
A-4840 Vöcklabruck
Tel. 00 43/76 72/72 66 70,
Fax 72 66 71 50
E-Mail: generalsekretariat@franziskanerinnen.at
Internet: www.franziskanerinnen.at

Mit dem Pkw: über die Autobahn A1 Salzburg–Linz bis Ausfahrt Seewalchen, weiter auf der B1 bis Vöcklabruck

Mit der Bahn: über Salzburg bis Bahnhof Vöcklabruck, von dort Fußweg (20 Min.) oder Bus

Das Kloster

Der aus dem Mühlviertel stammende Priester Sebastian Schwarz erkannte die Not der Zeit und eröffnete 1842 mit zwei frommen Frauen eine »Kinderbewahranstalt«, die auf Standesunterschiede keine Rücksicht nahm. 1847 erwarb er das Haus eines Sockenstrickers in der Vöcklabrucker Hinterstadt, das so genannte »alte Mutterhaus«, in dem er ein Kloster unterbringen wollte. Bis 1905 entstanden dann auf Betreiben der Vöcklabrucker Schwestern mehrere Bildungsanstalten und ein neues Mutterhaus. Es ist heute Zentrale des Ordens, dem in Österreich, Deutschland, Nordamerika und Kasachstan über 300 Schwestern angehören.

Die Schwestern engagieren sich zusammen mit etwa 2000 weltlichen Mitarbeitern in Kindergärten, Schulen, Horten, Alten- und Pflegeheimen, Behinderteneinrichtungen, Krankenhäusern, in der Pastoral und der Betreuung von Frauen in Krisensituationen. Außerdem betreiben sie eine Landwirtschaft, eine Hostienbäckerei sowie das »Haus Lea« für Frauen in Krisensituationen.

Die Tagungs- und Gruppenräume des »Exerzitienhauses St. Klara« können für Veranstaltungen gemietet werden. Im »Geistlichen Zentrum«, das sich im Mutterhaus der Franziskanerinnen befindet, können Gäste jeder Konfession einige Tage nach eigener Gestaltung verbringen. Dafür stehen ein Meditationsraum, die Hauskapelle, ein Bewegungsraum, die Küche und der Aufenthaltsraum, der idyllische Garten und ein Kreativraum zur Verfügung. Wer möchte, kann jedoch die vielfältigen Exerzitienprogramme der Schwestern in Anspruch nehmen oder an

Meditationsabenden teilnehmen. Einzelgäste und kleine Gruppen sind eingeladen zur Teilnahme an der Liturgie, dem gemeinsamen Essen mit den Schwestern und dem Mitleben in der Gemeinschaft.

Als Gast im Kloster

Das geistliche Zentrum Vöcklabruck eignet sich vor allem für Gastaufenthalte mit spirituellem und kontemplativem Schwerpunkt. Wunderbar entspannen kann man im hübschen Garten und in der Wellness-Oase mit Hallenbad.

Rund um das Kloster

Dörflkirche Vöcklabruck

Das Ägidius- oder Dörflkirche genannte Barockjuwel der Stadt wurde von 1688 bis 1691 von Carlo Antonio Carlone erbaut. Sein Bruder Giovanni Battista war der Stuckateur. Die Altarbilder stammen vom berühmten Hofmaler des Stiftes Garsten, Johann Karl von Reslfeld. Der den 15 Rosenkranzgeheimnissen gewidmete, künstlerisch bedeutende Freskenzyklus der Ägidiuskirche ist das letzte Werk des 1690 in Vöcklabruck verstorbenen Carlo Antonio Bussi, der wegen seiner Fresken im Passauer Dom berühmt geworden ist.

Exerzitienhaus St. Klara

Hallenbad Vöcklabruck

Das Hallenbad im Freizeitpark bietet »Urlaub vor der Haustür« und ein umfassendes Angebot für indi-viduelle Freizeitaktivitäten. Die nach Süden orientierte Architektur sorgt für ein lichtdurchflutetes Ambiente und ist ebenso familienfreundlich wie behindertengerecht konzipiert. Hinein ins Spaßbecken mit Massagedüsen, Wasserfall, Bodensprudler, Unterwasserlautsprecher und Wasserrutsche! Im Wintergarten genießen Sie auch während der kalten Jahreszeit Erholung mit Panoramaaussicht auf die Parkanlage. Die Saunaanlage entspannt mit ihrer sachlichen Architektur. Nach einem Saunagang finden Sie Abkühlung im Tauchbecken.
Freizeitpark Vöcklabruck, Hausruckstr. 25, A-4840 Vöcklabruck;
Tel. 00 43/76 72/2 40 74

Service

Angebot für Gäste
Einkehr- und Besinnungstage
Einzelexerzitien
Fastenexerzitien
Kontemplative Exerzitien
Urlaub im Kloster
Kloster auf Zeit
Meditationsabende
Zeiten zum Kraftschöpfen

Gottesdienste
Wo 5.50 Uhr Laudes, 6.15 Uhr Eucharistiefeier, 18.40 Uhr Vesper
So 6.30 Uhr Laudes, 7 Uhr Eucharistiefeier, 18.30 Uhr Vesper

Unterkunft
Exerzitienhaus St. Klara, Tel. 00 43/76 72/27 73 22 80; Übernachtung inkl. Vollpension im Zimmer mit Dusche/WC ca. 42 €, Zimmer ohne Dusche/WC ca. 37 €
Geistliches Zentrum: Kosten für Übernachtung inkl. Vollpension höchstens 32,70 € (je nach Unterbringung und finanzieller Situation)

Reservierung
Geistliches Zentrum, Sr. Klara Diermaier, Salzburger Str. 18, A-4840 Vöcklabruck;
Tel. 00 43/76 72/72 66 71 48,
Fax 72 66 71 50; E-Mail:
sr.klara@franziskanerinnen.at

Kulinarisch

Benediktinerabtei Michaelbeuern

A-5152 Michaelbeuern 1
Tel. 00 43/62 74/81 16,
Fax 81 16 30 94
E-Mail:
abtei@abtei-michaelbeuern.at
Internet:
www.abtei-michaelbeuern.at

Mit dem Pkw: über die A1 Westautobahn bis Ausfahrt Salzburg-Nord, über Lengfelden und Berndorf nach Michaelbeuern

Mit der Bahn: vom Salzburger Hauptbahnhof bis Bahnhof Lamprechtshausen, weiter mit dem Taxi

Das Kloster

Die Benediktinerabtei mit dem Exerzitien- und Bildungshaus liegt sehr schön im nördlichen Salzburger Flachgau, 30 Kilometer von Salzburg entfernt. Bereits um 736 bestand hier eine Mönchszelle, die im Aachener Klosterverzeichnis als »Buria« bezeichnet wird. Nach der Neuweihe der romanischen Pfeilerbasilika 1072 durch einen Patriarchen und einen Erzbischof wurde Michaelbeuern als adeliges Doppelkloster geführt. Ende des 12. Jahrhunderts kam die heute unvollständige »Riesenbibel« in den Besitz der Abtei. Im 20. Jahrhundert wurde der ehemalige Ökonomietrakt des Klosters als Schul- und Bildungszentrum umgestaltet, die Stiftskirche restauriert und die Eisenbarth-Orgel aufgebaut. Ein Rundgang durch Kloster Michaelbeuern führt den Gast über den großen Abteihof in das mittelalterliche Refektorium, durch den Kreuzgang, die Abteikirche mit Marien- und Chorkapelle und dem Rottmayr-Guggenbichler-Altar bis in die barocke, zweistöckige Bibliothek mit Stuckdecke, den Sommerchor sowie in den Abteisaal, der von Franz Nikolaus Streicher mit Rokokofresken ausgestattet wurde. Nachmittags sitzt man schön im Pavillon des Klostergartens.

Gäste wohnen im »gotischen Trakt« in anheimelnden Zimmern mit viel Holz und sichtbaren Trägerbalken. Während der Sommermonate stehen zusätzliche Mehrbettzimmer des angeschlossenen Internats zur Verfügung. Von der Klosterküche werden Besucher mit Rindfleisch, Fisch und Kräutern aus der eigenen Landwirtschaft verköstigt. Gegenüber der Abtei, in der früheren Hoftaverne, serviert die Stiftskellnerei »zamglegte Knödel mit Bröselbutter auf Frühkrautsalat«; im Keller lagern hervorragende Qualitätsweine. Der schattige Gastgarten ist bei durstigen Radlern beliebt, die auf dem Radwanderweg Passau–Salzburg direkt vorbeikommen.

Exerzitien, Einkehrtage, »Tage der Stille« und »Wüstentage« dienen Gästen in Michaelbeuern zur Rückschau des eigenen Lebens. Auch für Erholungs- und Bildungsfahrten, Urlaubswochen und Chorwochen eignet sich die Abtei. Bei den »Tagen im Kloster« können junge Männer in der Klostergemeinschaft mitleben, -essen und -beten. Die Stiftsführung durch das Museum gibt einen interessanten Einblick in die Klostergeschichte, Kunstschätze und Architektur verschiedener Epochen. Jährlich werden besondere Kostbarkeiten aus der Klostersammlung in Sonderausstellungen präsentiert.

Als Gast im Kloster

Nicht nur die wunderschönen Zimmer, auch und vor allem die Atmosphäre von Michaelbeuern ist außerordentlich freundlich. Bröselknödel im schattigen Gartl essen und die Aussicht genießen.

Rund um das Kloster

Gaisberg Rundwanderweg

»Der Balkon der Stadt Salzburg« wird der Gaisberg gern genannt. Der gut fünf Kilometer lange Rundwanderweg verläuft in ca. 1000 Meter Seehöhe rund um den Hausberg der Salzburger und ist ideal für all jene, die der Stadtluft entfliehen wollen. Auf seinem Weg durch Wald und offenes Gelände hat man traumhafte Aussicht Richtung Wallersee und auf Salzburg, Wegbeginn beim Hotel Zistelalm. Gehzeit: ca. 1,5 Stunden.

Getreidegasse in Salzburg

Die Getreidegasse, Salzburgs wohl berühmteste Einkaufsstraße, erhält ihren Charme nicht nur durch hohe, schmale und eng aneinandergeschmiegte Häuser, verlockende Geschäfte und die schmiedeeisernen Zunftzeichen, sondern auch durch romantische Durchgänge und Innenhöfe. Prominentestes Haus der Straße: die Nr. 9, Mozarts Geburtshaus. In das reichhaltige Angebot der Geschäfte gehören u. a. Schmuck, Trachten, Mode, Antiquitäten, Papierwaren und Feinkost.

»Stille-Nacht-Museum«

Hier hat der Priester und Organist Joseph Mohr 1816 das Weihnachtslied »Stille Nacht« komponiert, das im nahe liegenden Oberndorf zum ersten Mal gesungen wurde.
Steingasse 9, A-5020 Salzburg;
Tel. 00 43/6 62/87 83 74

Service

Angebot für Gäste
Einkehrtage
Erholungstage für Senioren
Eheseminare
Exerzitien

Gottesdienste
Mo–Sa 7 Uhr Konventmesse
Sa 18.25 Uhr Rosenkranz, 19 Uhr Vorabendmesse
So 9 Uhr Konventamt, 17.45 Uhr gesungene Vesper

Unterkunft
34 Zimmer, alle mit Dusche/WC
Übernachtung inkl. Vollpension im DZ 40,60 €, im EZ 47,60 €
Internatszimmer (Mehrbettzimmer) mit Etagenduschen

Verpflegung
Restaurant Stiftskellnerei Michaelbeuern, Michaelbeuern 2, A-5152 Michaelbeuern; Tel. 00 43/62 74/83 20; Öffnungszeiten: Mi–So 10–24 Uhr

Reservierung
Exerzitien- und Bildungshaus der Benediktinerabtei Michaelbeuern,
A-5152 Michaelbeuern 1;
Tel. 00 43/62 74/81 16 30 34,
Fax 81 16 30 94

Kulinarisch

Zisterzienserstift Schlierbach

Klosterstr. 1
A-4553 Schlierbach 1
Tel. 00 43/75 82/83 01 30,
Fax 83 01 31 76
E-Mail: office@stift-schlierbach.at
Internet: www.stift-schlierbach.at

Mit dem Pkw: über die Autobahn A 9 Sattledt–Graz bis zur Ausfahrt Inzersdorf, weiter Richtung Kirchdorf bis Schlierbach

Mit der Bahn: auf der Linie Linz–Graz bis Bahnhof Schlierbach

Das Kloster

Durch eine moderne Glas-Stahlkonstruktion betreten Besucher den Empfangsbereich des alten Zisterzienserstifts, das 1355 südlich von Linz als Frauenkloster gegründet und 1620 von Mönchen neu besiedelt wurde. Hier erinnert noch nichts an die barocken Arbeiten der italienischen Künstlerfamilie Carlone im 17. Jahrhundert, die maßgeblich als Baumeister, Stuckateure und Freskomaler für das heutige Aussehen der Gebäude verantwortlich ist. Reiches Goldrankenwerk, üppige Stuckaturen und Bleifenster schmücken die pompöse Klosterkirche. Im Kreuzgang finden sich Darstellungen bedeutender Maria-Gnadenbilder bekannter Wallfahrtsorte und, in einer Nische verborgen, eine gotische Madonna aus dem 14. Jahrhundert. Barocke Juwele sind auch die Bibliothek und der Bernardisaal.

Seit 1884 betreibt das Stift eine kunsthandwerkliche Glasmalerei, die heute als moderne Manufaktur weltberühmt ist. Scheibe für Scheibe wird mundgeblasenes Glas geschnitten und zu einem Mosaik zusammengefügt, bis ein buntes Kirchenfenster oder ein Lampenschirm entstanden ist. In der Glasgalerie sind Beispiele ausgestellt. Hinter ganz anderen großen Glasscheiben können Gäste in der Schaukäserei bei der Käseherstellung zusehen und das eine oder andere Stück Bio-Almseer oder Limburger probieren. Die Stiftskäserei wurde im Jahr 1924 von Bruder Leonhard Kitzler gegründet, der die barocken Kellergewölbe als idealen Reifungsort erkannte. Das besondere Schlierbacher Schmankerl: »Roter Mönch mit Birne«, eine würzige Käsespezialität, die mit Birnencuvée-Edelbrand verfeinert wird. Ein zünftiger »Kremstaler Mostbraten« mit Semmelknödel, Kartoffeln und Stöckelkraut wird in den alten Gewölben des Stiftskellers zubereitet. Dort nehmen die Gäste des Bildungszentrums ihre Mahlzeiten ein. Die Gästezimmer und Seminarräume befinden sich im ehemaligen Meierhof des Stiftes, ebenso wie der Aufenthaltsraum »Kuchl«, in dem man gemütlich Kaffee trinken kann.

Das Bildungszentrum bietet ein reichhaltiges Kurssortiment an, z.B. Tai-Chi, Gesundheits- und Schönheitswochenenden, Theaterseminare, Schrift- und Kalligrafiekurse oder Ikonenmalen. Darüber hinaus gibt es Mundharmonikakurse, Weinseminare, Kabarett-Workshops und Fußreflexzonenmassagekurse. Handwerklich Geschickte können lernen, ihre Möbel selbst zu restaurieren oder sich vor Weihnachten eine eigene Krippe bauen.

Als Gast im Kloster

Schlierbach ist in jeder Hinsicht opulent: Barockkirche, Klosterkäse, Seminarangebot und Farbenpracht der Glasgemälde versprechen einen Schlemmer-Aufenthalt für alle Sinne. Wanderschuhe für alpine Verdauungsspaziergänge nicht vergessen!

Rund um das Kloster

Themenweg »Leben« zum besinnlichen Gehen

Seit 1868 pilgern die Schlierbacher jedes Jahr am ersten Sonntag im Juli zum Gnadenbild der «Mutter zum guten Ruf« auf die Burg Altpernstein. Neu belebt wird diese langjährige Tradition durch den Themenweg »Leben«, gestaltet von und mit Jugendlichen auf der Burg Altpernstein. Acht Stationen zum Thema Leben und Wachstum bilden den Gegenpol zu Leid und Tod im Kreuzweg.

Gehzeit ca. 2 1/2 Stunden durch abwechslungsreiches Gelände, ca. 350 Höhenmeter
Pilgerzentrum Kremstal, A-4553 Schlierbach 1; Tel. 00 43/75 82/8 30 28

Schlierbacher Torte

Das Original-Geheimrezept für diesen süßen Traum besteht aus Mandelmasse mit Schokoladensplittern, dazwischen eine Schicht Marillenmarmelade, zartes Marzipan und rundherum natürlich eine dicke Schokoladenglasur.

Café-Konditorei Bauer, A-4553 Schlierbach; Tel. 00 43/75 82/8 12 76;
Internet: www.cafe-bauer.at;
Öffnungszeiten: tgl. 8-19 Uhr,
Di geschl.

Service

Angebot für Gäste
Tai-Chi
Kräuter – Gesundheit und Schönheit
Theaterseminar
Schrift und Kalligrafie
Ikonenmalen
Mundharmonikakurs
Weinseminar
Restaurieren alter Möbel
Fußreflexzonenmassage
Kabarett-Workshop
Krippenbaukurs
Kochperformances im Genusszentrum

Gottesdienste
Wo 8 Uhr
So 8 Uhr, 9.30 Uhr, 19.30 Uhr

Unterkunft
Bildungszentrum 15 Zimmer mit Dusche/WC; Ü/VP im EZ mit Dusche/WC 37,40 €, im DZ mit Dusche/WC 32,90 €, Aufpreis bei nur einer Übernachtung 4 €

Verpflegung
Stiftskeller: A-4553 Schlierbach 2;
Tel. 00 43/75 82/8 12 89 (Do geschl.)

Einkaufsmöglichkeiten
Klosterladen, Käserei, Glasmalerei
Öffnungszeiten: Mo–Fr 8.30–17,
Sa 8.30–12, So 10.30–12 Uhr

Reservierung
Zisterzienserstift Schlierbach,
A-4553 Schlierbach 1; Tel. 00 43/75 82/8 30 13, Fax 83 01 31 76; E-Mail: bildungszentrum@oberoesterreich.at,
Internet: www.stift-schlierbach.at

Architektur & Baukunst

Benediktinerstift St. Blasius

A-8911 Admont
Tel. 00 43/36 13/2 31 20,
Fax 2 31 26 10
E-Mail: kultur@stiftadmont.at
Internet: www.stiftadmont.at

Mit dem Pkw: A 9 nach Graz, Ausfahrt Ardning/Admont, von hier ca. 13 km über Ardning nach Admont

Mit der Bahn: Bahnstation Admont auf der Strecke Bischofshofen–Selzthal–Amstetten–Wien

Das Kloster

Das älteste Kloster der Steiermark liegt kurz vor der Enge des »Gesäuses«, eines Durchbruchtals der Enns, »am Berg« (ad monte). Dem anreisenden Besucher bieten sich eingangs zwei anmutige Eindrücke: Erst spiegelt sich das helle, majestätische Gebäude in dem ihm zu Füßen liegenden großen Stiftsteich, dann umrundet im Klostergarten ein duftendes Rosarium den Springbrunnen. Im geometrisch gegliederten Kräutergarten am Teich betört der Duft des dunkelvioletten Lavendels.

Die Geschichte des Stifts reicht bis in das 11. Jahrhundert zurück, als es der Erzbischof von Salzburg als Stützpunkt seiner kirchlichen Erneuerung gründete. Ein verheerender Brand zerstörte 1865 die gesamte Anlage bis auf die spätbarocke Bibliothek, die bis heute der bedeutendste Anziehungspunkt des Stiftes ist. Der majestätische Saal in Hellblau und Weiß ist zweigeschossig aufgebaut und gilt als größter klösterlicher Büchersaal der Welt. Der Schatz der über 200 000 Bände umfassenden Universalbibliothek sind die wertvollen Pergamenthandschriften, die überwiegend dem klösterlichen Skriptorium entstammen. Die neugotische Stiftskirche mit ihren 70 Meter hohen Türmen ist ein weithin sichtbares Wahrzeichen der Region – ebenso bekannt wie die steinernen Karikaturbrunnen Kaiser Wilhelms II. und Otto von Bismarcks, die vor dem Langhaus Wasser speien.

Heute betreuen die Mönche 27 Pfarreien, die Wallfahrtskirche und ein Seniorenheim, unterrichten am stiftseigenen Gymnasium, leiten land- und forstwirtschaftliche Betriebe, die Stiftsgärtnerei, dazu mehrere Industrieunternehmungen (u.a. ein abteieigenes Elektrizitätswerk) und beschäftigen derzeit etwa 1000 weltliche Arbeiter und Angestellte.

Das Stift Admont ist somit einer der wichtigsten Arbeitgeber der Gegend.

Der traditionsreiche Stiftskeller bietet zahlreichen Gästen Platz und wird mit seiner steirischen Küche und monastischen Spezialitäten wie »Wallfahrersuppe«, »Prälatenschnitte« oder dem »Benediktinerteller« hohen kulinarischen Ansprüchen gerecht. Für Gastaufenthalte im Kloster ist Admont nicht speziell gerüstet. In wenigen Ausnahmefällen ist »Kloster auf Zeit« für Männer möglich. Auch im Bildungshaus Frauenberg bei Admont können Gäste unterkommen und durch den asiatisch angehauchten Meditationsgarten flanieren. Qi-Gong-Seminare finden im Garten vor der Bergkulisse statt. In der sommerlichen »Museumswerkstatt« werden mit der Feder selbst Urkunden gestaltet, Farben gemischt, Initialen entworfen und verschiedene Schriftarten ausprobiert. Im neu eingerichteten Museum werden zahlreiche Kunstschätze Admonts gezeigt, darunter barocke Gemälde, Skulpturen und mittelalterliche Handschriften. Zu den Kostbarkeiten gehören der Admonter Tragaltar von 1375 und die »Gebhard-Mitra« (spätes 14. Jahrhundert). Das naturhistorische Museum beherbergt die umfangreiche Insektensammlung des Admonter Biologen P. Gabriel Strobl.

Der Kräutergarten

Beim Seminar »Buchbinden«

Als Gast im Kloster

Admont ist kein eigentliches »Urlaubskloster«, bietet aber externe Seminare und Workshops an. Um möglichst viel von der beeindruckenden Klosteranlage zu sehen, sollte man mindestens ein »Besichtigungspaket« buchen!

Extratipp

Schloss Trautenfels Markant überragt der imposante Bau von Schloss Trautenfels aus dem 13. Jahrhundert den Talboden. Darin stellen zwölf Räume Themen aus der Natur- und Kulturgeschichte der Region vor: »Wald und Holz« präsentiert die Vielfalt vom Menschen erzeugter Holzgegenstände. »Zwischen Berg und Tal« beschäftigt sich mit den naturräumlichen Gegebenheiten des Ennstales. »Vom wahren Glauben« greift den Religionskonflikt auf, ehe im »Wirtshaus« vom geselligen Leben erzählt wird. »Von den Kleidern« stellt die Aspekte Schutz und Schmuck von Kleidung vor. In der Sonderausstellung »Auf der Alm« werden anhand der Klischees vom »paradiesischen Ort« und der »schönen Sennerin« unkonventionelle Wege auf die Alm gebahnt.

A-8951 Trautenfels 1; Tel. 00 43/36 82/2 22 33; Internet: www.museumtrautenfels.at

Rund um das Kloster

Das Gesäuse

Das Gesäuse erhielt seinen Namen vom Fluss Enns, der im Norden der Steiermark durch eine 16 Kilometer lange Felsschlucht fließt und dabei ein Sausen, ein »Gesäuse«, erzeugt. Dieser außergewöhnliche Naturraum mit seinen bizarren Felsformationen ist eine Attraktion zu jeder Jahreszeit. Glücklicherweise hat man in dieser Region den Massentourismus nie angestrebt, weshalb das Gesäuse auch heute noch ein Ort für Individualisten und Erholungssuchende geblieben ist. Spektakuläre Kulisse für unvergessliche Wanderungen.

Internet: www.nationalpark.co.at

Floßfahrt auf der Enns

Genießen Sie die einzigartige und beschauliche Fahrt im Großraum der Nationalparkgemeinde Großraming. Die urigen Holzflöße bieten Platz für Gruppen von 20 bis 120 Personen, die auch bei schlechtem Wetter im Trockenen bleiben. Musikanten und geprüfte Floßführer sind um das Wohl der Gäste bemüht.

Für Kinder wird eine Besonderheit geboten: Gemeinsam mit den Kleinen baut der Veranstalter ein Mini-floß. Nach getaner Arbeit werden alle mit dem Zertifikat »Floßbaumeister« belohnt.

Tel. 00 43/36 32/73 45; E-Mail: a.dirninger@floss.at

Hüttenwandern und Bergsteigen

Steigen Sie auf zum Grabneralmhaus in 1391 Meter Höhe. Die Hütte ist von Juni bis Oktober durchgehend bewirtschaftet, im Frühjahr und Spätherbst nur an Wochenenden und Feiertagen. Der Zugang vom Buchauersattel dauert ca. 1,5 Stunden. Beim Übergang zum Admonterhaus muss mit etwa 1 Stunde direkt oder über den Blumenberg Grabnerstein mit Klettersteig (nur für Geübte!) mit etwa 2 Stunden gerechnet werden. Gipfel Grabnerstein (Blumenberg) in 1847 Meter Höhe (Gehzeit ungefähr 1,5 Stunden), Natterriegel 2065 Meter (Gehzeit ca. 2 Stunden), Hexenturm (Bärenkarmauer nur für Geübte) 2172 Meter (Gehzeit 3 Stunden).

Pächter der Hütte: Günter Kienreich; Tel. 00 43/664/9 03 89 39

Service

Angebot für Gäste

»Kloster auf Zeit« für Männer
Lehrkräutergarten
Museumswerkstatt im Stift Admont
Biologische Aktionstage am Stiftsteich
Verschiedene Besichtigungspakete, z. B. »Kultur & Wallfahrt«, »Stift Admont & Schloss Trautenfels«, »Wanderspaß & Kunstgenuss«), Info: Tel. 00 43/36 13/2 31 26 01

Gottesdienste

Wo 7 Uhr Konventmesse, 18.20 Uhr Vesper
So 6.20 Uhr Morgenhore, 10 Uhr Pfarrmesse, 12.20 Uhr Mittagshore, 17.30 Uhr lat. Choralvesper in der Stiftskirche

Unterkunft

Wenige Gästezimmer nach Absprache
Bildungshaus Frauenberg in Ardning bei Admont; Tel. 00 43/36 13/75 77
Gasthof Admonter Hof: Bahnhofstr. 161, A-8911 Admont; Tel. 00 43/36 13/23 23; E-Mail: gasthof.admonterhof@aon.at; DZ inkl. Halbpension 60 €

Verpflegung

Stiftskeller Admont
Tel. 00 43/36 13/33 54; Öffnungszeiten: Nov.–März 9–20 Uhr, Mo geschl., April–Okt. tgl. 8–21 Uhr

Einkaufsmöglichkeit

Klosterladen: Produkte aus stiftseigenen Betrieben

Reservierung

Kulturressort; Tel. 00 43/36 13/2 31 26 01, Fax 2 31 26 01; E-Mail: kultur@stiftadmont.at, Internet: www.stiftadmont.at

Toplage

Exerzitienhaus Maria Hilf

Lindenallee 13
A-6330 Kufstein-Kleinholz
Tel. 00 43/53 72/6 26 20, Fax 6 42 20
E-Mail: hasenburgercpps@aol.com
Internet:
www.maria-hilf-kufstein.org

Mit dem Pkw: Ausfahrt Kufstein-Nord, weiter Richtung Felbertauern

Mit der Bahn: 15 Min. Fußweg vom Bahnhof Kufstein

Das Kloster

Träger des Exerzitienhauses am Rand der Stadt Kufstein sind die Missionare vom Kostbaren Blut. Um 1670 errichtete der Bäckermeister Hans Schiestl eine Kapelle, an deren Innenseite ein Fresko, das Gnadenbild »Mariahilf«, angebracht wurde. Im Exerzitienhaus befinden sich eine Hauskapelle, ein Vortragssaal und ein Meditationsraum, der mit Wolldecken und bequemen Sitzmöbeln ausgestattet ist. Einzelexerzitien sind nach Absprache fast das ganze Jahr über möglich. Im Juli und August können Gäste hier »Urlaub für Leib und Seele« machen. Die Patres begleiten Einzelexerzitien und Einkehrtage mit Fasten und Schweigen. Die Panoramabahn »Maximilian« fährt zur Festung Kufstein hinauf, dem Juwel im Tiroler Unterland. Guten Heurigen trinkt man im legendären Weinhaus »Auracher Löchl« in der Römerhofgasse.

Als Gast im Kloster

In Kufstein am Wilden Kaiser machen Gäste im Sommer naturnahen »Urlaub für Leib und Seele«. Entspannung garantiert!

Service

Angebot für Gäste
»Urlaub für Leib und Seele« im Sommer
Exerzitien

Gottesdienste
Mo, Mi, Fr 19 Uhr, Di, Do, Sa 7 Uhr Messe
So 9 Messe, 19 Uhr Abendlob

Unterkunft
24 Zimmer
Ü/VP im EZ 36 €, im DZ 33 €

Reservierung
Exerzitienhaus Maria Hilf, Pater Andreas Hasenburger, Lindenallee 13, A-6330 Kufstein-Kleinholz; Tel. 00 43/53 72/6 26 20 14, Fax 6 42 20; E-Mail: hasenburgercpps@aol.com

Kulinarisch

Benediktinerabtei Seckau

A-8732 Seckau 1
Tel. 00 43/35 14/5 23 40,
Fax 5 23 41 05
E-Mail:
verwaltung@abtei-seckau.at
Internet: www.abtei-seckau.at

Mit dem Pkw: auf der Murtalschnellstraße bis Ausfahrt Knittelfeld-Ost, weiter auf L 517 bis Kobenz, dort der Beschilderung nach Seckau folgen

Mit der Bahn: auf der Linie Wien–Klagenfurt bis Bahnhof Knittelfeld, weiter mit dem Bus oder Taxi bis Seckau

Das Kloster

Angeregt durch den Erzbischof von Salzburg stiftete der hochfreie Adalram von Waldeck 1140 bei seiner Eigenkirche das erste steirische Chorherrenstift. Schon zwei Jahre später wurde es nach Seckau verlegt, weil der bisherige Standort »für die Stille des Klosterlebens keine Ruhe bot«. Aus dem dort befindlichen Sandsteinbruch gewann man das Baumaterial für die romanische Säulenbasilika. Die zwei vorderen Joche ihres Seitenschiffs sind zum Mausoleum Karls II. umgebaut; es zählt zu den bedeutendsten Schöpfungen italienischer Renaissance bzw. des Frühbarock nördlich der Alpen. Im 16. und 17. Jahrhundert wurde der kolossale Renaissancebau des Stiftes errichtet. Von der ehemaligen romanischen und gotischen Anlage des Klosters ist bis auf einige Spuren des romanischen Kreuzgangs nichts erhalten. Als Ort der Ruhe und Erholung wurde der Klostergarten als »Abbild des Paradieses« konzipiert, den Mönche und Gäste auch zur Meditation nutzen können.

In der Gold- und Silberschmiede der Abtei fertigte Br. Bernward den Kelch, den Papst Johannes Paul II. bei seinen Österreich-Besuchen verwendete. Altüberlieferte Techniken und lange gelagertes Holz ermöglichen in der Kunst-, Möbel- und Antiquitätentischlerei originalgetreue Restaurationen. Aus den Früchten des Klostergartens und -waldes werden im Keller des Westflügels steirischer Schafnasenbrand, Enzianlikör und Klosterschnaps hergestellt. Bei einem Schaubrennen oder einer Führung mit anschließender Verkostung erhält der Besucher Einblicke in die klösterliche Schnapsbrennkunst und Trinkkultur.

Ausgeschenkt werden die Schnäpse der Geistlichen in der klostereigenen Gaststätte »Hofwirt«, die seit 1603 im alten, von Kastanien umgebenen »Steinhaus« residiert. Als »Grundlage« für die hochprozentigen Getränke wird folgendes Menü empfohlen: zunächst ein steirischer Backhendlsalat mit Bauernkernöl, gefolgt vom »Seckauer Pfandl« mit Schweinefilet und Käsespätzle in Schwammerlsauce und schließlich zum Dessert eine Kürbiskernmousse mit Weichseln.

Für männliche Einzelgäste, die religiöse Einkehr suchen, stehen innerhalb der Abtei einige Einzelzimmer zur Verfügung. Ansonsten wohnt man ausnehmend stilvoll in den stuck- und freskengeschmückten Rokokozimmern des »Hofwirts« direkt im Anschluss an das Kloster. Neben Weinverkostungen und handwerklichen Hobbykursen in der Tischlerei finden in Seckau jährlich Meditationstage zu bestimmten Themen statt. Gäste können zudem die Ostertage im Kloster verbringen. Während der »Seckauer Kulturwoche« um Pfingsten gibt es in den Räumen der Abtei Ausstellungen, geistliche Chor- und Orchesterkonzerte, Kammermusik, Jazz, Kabarett, Theater und Literaturveranstaltungen.

Als Gast im Kloster

Allein für die Kürbiskernmousse im »Hofwirt« lohnt sich bereits die Reise nach Seckau. Wer dazu noch gerne schreinert oder neugierig ist, wie ein Maiwipferllikör schmeckt, kommt hier auf seine Kosten.

Rund um das Kloster

Heubad im Hacknerhof

Das Heubad dient der Entgiftung, Entschlackung und Nervenberuhigung. Durch die Wärme können die Aromen und Wirkstoffe des biologischen, duftenden Heus wirken. Es werden auch Teilkörper-Heu- und Getreidepackungen angeboten.

Bio & Gesundheitsbauernhof Offenbacher, Hart 11, A-8732 Seckau; Tel. 00 43/35 14/58 24; E-Mail: offenbacher@utanet.at

Service

Angebot für Gäste
Ostern in Seckau
Meditationstage (4 Tage)
Weinverkostungen
Kurse in der Tischlerei
»Seckau Kultur«-Programm

Gottesdienste
Wo 5.30 Uhr Vigil und Laudes, 7 Uhr Frühmesse, 9 Uhr Terz und Eucharistiefeier, 12 Uhr Mittagshore, Sext und Non, 18 Uhr Vesper, 20 Uhr Komplet
So 5.30 Uhr Vigil und Laudes, 9 Uhr Eucharistiefeier, 12 Uhr Sext und Non, 18 Uhr Vesper, 19 Uhr Abendmesse, 20 Uhr Komplet

Unterkunft
Für Männer einige EZ im Kloster
Hotel-Restaurant Hofwirt, A-8732 Seckau 3; Tel. 00 43/35 14/5 42 22, Fax 56 45 15; E-Mail: hotel@hofwirt.at, Internet: www.hofwirt.at
Rokokosuite 73 € pro Person inkl. Vollpension, Standardzimmer 63 € pro Person inkl. Vollpension

Verpflegung
Hofwirt: steirische Spezialitäten

Einkaufsmöglichkeiten
Klosterladen: Klostertee, Klosterzwieback mit Mandeln, Klosterhonig, Kräuternudeln, Literatur aus Theologie, Weltliteratur und Kunst, Devotionalien, Kerzen, Schmuck und Papierwaren, CD »Seckauer Weihnacht«, Seckauer Kalender
Öffnungszeiten: Wo 9–12 und 13.30–17 Uhr, Sa und So 9–12 und 13.30–16 Uhr

Reservierung
Gastbruder Br. Seraphim Fragner, Benediktinerabtei Seckau, A-8732 Seckau 1; Tel. 00 43/35 14/5 23 43 02, Fax 5 23 41 05; E-Mail: verwaltung@abtei-seckau.at, Internet: www.abtei-seckau.at

Architektur & Baukunst

Zisterzienserstift Rein

A-8103 Rein
Tel. 00 43/31 24/5 16 21 23,
Fax 5 16 21 34
E-Mail: verwaltung@stift-rein.at
Internet: www.stift-rein.at

Mit dem Pkw: über die Autobahn A 9 (Linz – Graz) bis Ausfahrt Gratkorn Nord über Gratwein nach Rein

Mit der Bahn: über Graz bis Bahnhof Gratwein, von dort 3 km mit dem Taxi oder Bus zum Stift

Das Kloster

Markgraf Leopold der Starke besiedelte 1129 das Kloster Rein mit bayerischen Zisterziensermönchen aus Ebrach. Seit 1147 gehört die Wallfahrtskirche Maria Strassengel zum Stift Rein, ein Denkmal der Hochgotik, dessen Turm wegen seiner Ähnlichkeit mit dem des Wiener Stephansdoms »Steirischer Steffl« genannt wird. Vier Töchterklöster rief das Stift Rein im Laufe von fünf Jahrhunderten ins Leben und erwarb bald hohes Ansehen weit über Graz und die Steiermark hinaus. Dies verdankte sich dem ansehnlichen Grundbesitz mit 2000 Hektar Wald, vor allem aber der regen Historiographie, der sich die Mönche im Skriptorium widmeten. Dort entstanden unter anderem die 288 Pergamentblätter des kunstreich illustrierten »Wolfgangsmessbuchs« von 1493. Heute zählen 100 000 Bände und 300 Inkunabeln und Handschriften zur beeindruckenden Sammlung der von Josef Amonte gestalteten Stiftsbibliothek. Mitte des 18. Jahrhunderts bekam Rein im Zuge verschiedener Erneuerungen seine barocke Prägung. Die romanische Basilika wurde zur barocken Wandpfeilerkirche umgebaut und erhielt einen mächtigen Glockenturm, die Klostergebäude wurden in barocker Vierersymmetrie gestaltet. Um der Klosteraufhebung unter Kaiser Joseph II. zu entgehen, musste der Konvent sich ganz auf die Seelsorge konzentrieren, die heute noch zu den Hauptaufgaben der Zisterzienser gehört. 1941 beschlagnahmten die Nationalsozialisten das Stift; erst fünf Jahre später konnten die Mönche in ihre Gebäude zurückkehren. Papst Johannes Paul II. erhob 1979 die einschiffige Prunkkirche des Stifts zur »Basilica minor«.

Einige historische Räume des Stifts sind besonders bemerkenswert, etwa das stattliche Sommerrefektorium mit direktem Zugang zum Stiftsgarten, der für Ausstellungen adaptierte ehemalige Gewölbeweinkeller sowie die aneinandergrenzenden Prachtsäle »Huldigungs-« und »Steinerner Saal« mit Schachbrettfliesen, Deckenfresken und Stuckatur. Sehenswert sind auch die Sammlung von Funden aus der Kupfer-, Bronze- und Römerzeit sowie die mittelalterliche Latrine, die bei den letzten Renovierungsarbeiten ausgegraben wurde. Im Konvent stehen einige Zimmer Gästen zur Verfügung, die sich für das Klosterleben interessieren oder Einkehrtage im Stift verbringen möchten. Je nach Belegung gibt es weitere Zimmer in direkter Umgebung des Klosters, etwa in der Pension »Zur Linde«.

Mit den Mönchen essen, beten und leben können Gäste im »Kloster auf Zeit«. Pater August Janisch führt Wanderlustige ein bis mehrere Stunden durch den weiträumigen Stiftswald. Im Zuge einer Ausstellung entstand auf der Teichwiese vor dem Kloster ein Kalkbrennofen, in dem Besucher nach alter Tradition Branntkalk zum Mauerbau herstellen können. Im Cellarium stellen regelmäßig junge Künstler aus Österreich und dem Alpen-Adria-Raum ihre Werke aus. In der Basilika und im Sommerrefektorium findet jährlich das Steirische Kammermusikfestival statt.

Als Gast im Kloster

Bildende Kunst, Konzerte, Lesungen und Geschichte zum Anfassen – das Stift Rein bietet Kulturinteressierten reichlich Programm. Alle anderen können im ausgedehnten Stiftswald nach Leberblümchen, Holunderbüschen und Kuckucksrufen Ausschau halten.

Rund um das Kloster

Freilichtmuseum Stübing

Auf einem Areal von 50 Hektar sind rund 90 authentische alte Bauernhöfe und Gebäude aufgestellt. In zwei bis drei Stunden besichtigt man auf einem Rundgang die unterschiedlichen Hofformen aller österreichischen Bundesländer, angefangen beim burgenländischen Berglerhaus bis zur Almhütte aus dem Bregenzerwald. Besonders geglückt ist die Einbettung in die umgebende

Bauernhaus in Stübing

Extratipp

Steirische Ölspur 30 Kilometer südwestlich von Graz führt die »Steirische Ölspur« durch die Weststeiermark. Aus den Kernen der steirischen Kürbisse wird das berühmte Kürbiskernöl hergestellt. Für Feinschmecker sind die »Kürbinarischen Wochen«, während derer die Ölspur-Wirte das Beste einer jahrhundertealten Kochtradition mit »kürbinarischer« Kreativität kombinieren, der kulinarische Saison-Höhepunkt. Am »Ölspur Standl« in Rassach erhalten Sie die kunstvolle »Kernöl Edition«, bestehend aus sechs Flaschen Kürbiskernöl mit Zitaten und handsigniert von Reinhard P. Gruber oder den »Ölspur-Schokoriegel« von Zotter mit Kürbiskrokant und Marzipan.
Gemeinde Rassach, A-8522 Lasselsdorf; Tel. 00 43/34 64/4 06 00; E-Mail: steirische@oelspur.at, Internet: www.oelspur.net

Landschaft mit Gärten und zahlreichen Blumen. Ende September finden Erlebnistage mit Vorführungen zum bäuerlichen Handwerk statt.
Österreichisches Freilichtmuseum, A-8114 Stübing; Tel. 00 43/31 24/ 5 37 00; Internet: www.freilicht museum.at; Öffnungszeiten: April–Okt. 9–17 Uhr, Mo geschl.

Lurgrotte
Die Lurgrotte ist ein natürlich entstandenes Höhlensystem, das den Semriacher Talkessel mit dem Murboden in Peggau verbindet. Mit ihren faszinierenden Tropfsteinbildungen, unterirdischen Bachläufen und Klammen ist die Lurgrotte die größte Schauhöhle der Steiermark. Im Höhleninneren beträgt die Temperatur rund um das Jahr konstant 10 °C. Vom Eingang Peggau wandert man den ersten Kilometer bei elektrischer Beleuchtung entlang der Tropfstein-

»Drei Zinnen« in der Lurgrotte

Formationen. Für den zweiten Kilometer auf den Blocksberg hoch werden Lampen benötigt, wodurch die märchenhafte Atmosphäre der Höhle besonders zur Geltung kommt. Die Lurgrotte mit ihrem Jahrmillionen alten Tropfsteinschmuck ist ein geschütztes Naturdenkmal.

Lurgrottenstr. 1/2, A-8120 Peggau; Tel. 00 43/31 27 25 80; Internet: www.lurgrotte.com; Führungen von April–Okt. tgl. von 9–16 Uhr, in den Wintermonaten nur nach telefonischer Voranmeldung

Service

Angebot für Gäste
Kloster auf Zeit
Führungen durch das Kloster, die Kirche und Ausstellungen
Erlebniswanderungen im Stiftswald
Kunst- und Geschichtsausstellungen
Musikkonzerte
Exerzitien

Gottesdienste
5.45 Uhr Vigil und Laudes, 12 Uhr Mittagshore, 17.30 Uhr Vesper und Komplet
So 8, 10 Uhr Messe, 17.30 Uhr Vesper; während der Woche Messe um 6.30 Uhr

Unterkunft
Im Kloster nur für Männer Ü/VP: EZ mit Dusche/WC 40 €
Gasthof-Pension »Zur Linde«, Hörgas 1, A-8103 Rein; Tel. 00 43/31 24/ 5 10 69; frisch renovierte Zimmer Übernachtung/Frühstücksbuffet pro Person ca. 30 €

Verpflegung
Stiftstaverne Rein; Tel. 00 43/31 24/ 5 16 23
»Romantik Dinner for Two« im Gasthof zur Linde
Küchenöffnungszeiten: Mi–Fr 11.30–15, 18–21.30 Uhr, Sa, So, Feiertag 11.30–21.30 Uhr

Einkaufsmöglichkeiten
Klosterladen: Bücher, Andenken, Weine des stifteigenen Weinguts
Öffnungszeiten: tgl. 8–12.30 und 13.30–17 Uhr, So erst ab 10 Uhr

Reservierung
»Kloster auf Zeit«: Gastpater Stephan, Zisterzienserstift Rein, A-8103 Rein; Tel. 00 43/31 24/5 16 21 23; E-Mail: august.janisch@stift-rein.at, Internet: www.stift-rein.at

Toplage/Garten

Benediktinerstift St. Lambrecht

Hauptstr. 1
A-8813 St. Lambrecht
Tel. 00 43/35 85/23 05 22,
Fax 2 34 54
E-Mail:
klosterpforte@stift-stlambrecht.at
Internet: www.stift-stlambrecht.at

Mit dem Pkw: von Innsbruck aus über die A 10 durch den Tauerntunnel nach Tamsweg, Murau, nach dem Bahnhof links nach St. Lambrecht

Mit der Bahn: Strecke Wien–Villach bis Bahnhof Mariahof-St. Lambrecht, weiter mit Bus oder Taxi (ca. 8 km)

Das Kloster

Die ersten Mönche berief Graf Marquard von Eppenstein 1076 nach St. Lambrecht in der Steiermark, wo 1066 erstmals eine »Kirche des hl. Lambert im Walde« erwähnt ist. Während der 900-jährigen Klostergeschichte mussten die Mönche zweimal fliehen: um 1800 aufgrund der Auflösung des Stifts durch Kaiser Joseph II. und von 1938 bis 1946, als das Stift vom nationalsozialistischen Regime beschlagnahmt wurde. Viele Kunstschätze aus der Blütezeit der ersten Jahrhunderte sind noch erhalten: die gotische Stiftskirche und die Peterskirche von 1424 mit drei Flügelaltären, der romanische Karner, der barocke Kaisersaal, Statuen und Heiligenbilder. Im festlich stuckierten Prälatensaal sind Bilder aller St. Lambrechter Äbte ausgestellt. Die Kunsthistorische und Volkskundliche Sammlung mit Krippenfiguren und Gegenständen aus dem bäuerlichen Leben sowie die 600 Exponate des Vogelmuseums bezeugen die Aktivitäten der Lambrechter Mönche. Heute widmen sie sich der Pflege von Kunst und Kultur durch Festgottesdienste, Konzerte, das interdisziplinäre Symposion »Künstlerbegegnung« und die »Lambrechter Diskurse«, die sich mit aktuellen Zeitfragen auseinandersetzen. Land- und forstwirtschaftliche Betriebe dienen als ökonomische Grundlage ihres Wirkens. Das Informationsbüro des Verbandes »Naturpark Grebenzen«, der sich für den Erhalt des Landschaftsschutzgebiets einsetzt, ist an der Klosterpforte untergebracht.

Im sozialen Arbeitsprojekt »domenico«, das zurzeit acht Teilnehmern einen Arbeitsplatz bietet, wird der Stiftsgarten in Anlehnung an seine

Grasluppteich im Naturpark

ursprüngliche, den vier Elementen Wasser, Erde, Feuer und Luft gewidmete Gestalt wiederhergestellt. Es entstanden Gemüse-, Obst- und Kräutergärten, Schau- und Erlebnisgärten und eine Haselnussallee, der barocke Pavillon im Zentrum wurde saniert. Zusammen mit Hans Hoffer entwarf der Konvent die »Schule des DaSeins«, ein Umgestaltungskonzept, infolgedessen St. Lambrecht seine kulturellen, touristischen und räumlichen Möglichkeiten optimiert: Durch Erlebnis- und Kreativbereiche, die Neuerschließung des Schlossareals und den Aufbau eines Begegnungszentrums öffnet sich das Stift der modernen Gesellschaft noch ausdrücklicher.

Im »Kloster auf Zeit« können Männer und Frauen einige Zeit in der Klostergemeinschaft verbringen, um das Mönchsleben kennen zu lernen. Weiterhin angeboten werden Filmexerzitien, Fastenwochen, Einkehrtage und die kontemplativen Exerzitien »Habitare secum« mit Haltungsübungen, Meditation, manueller Arbeit und meditativem Tanz. Ein besonderes Glanzlicht des Kursangebots sind die berühmten St. Lambrechter Ikonenmalkurse, in denen Malen mit kreativer Meditation verbunden wird.

Als Gast im Kloster

Weltoffenes, sympathisches Kloster mit hohem sozialen Engagement. Berühmt für seine Ikonenmalkurse, beliebt u.a. wegen der fulminanten Lage im Naturpark Grebenzen. Gästen, die im Kloster wohnen, wird empfohlen, eine Taschenlampe mitzubringen. Klosterhof und -gänge sind nachts nicht beleuchtet.

Rund um das Kloster

Sommerrodelbahn St. Lambrecht Grebenzen

Nach der bequemen Auffahrt mit der Sesselbahn besteigt man seinen schnittigen Schlitten. Auf der modernen Schienenbahn rodelt man über kleine Brücken und Schanzen die 1700 Meter bergab bis fast vor die Tür des Stifts St. Lambrecht. Mit einem Steuerknüppel bestimmen Sie selbst, wie rasant Sie sich in die Kurven legen möchten. Angefeuert wer-

Rodelspaß für Groß und Klein

den die Rodler durch die Glocken grasender Kuhherden zu beiden Seiten der Schlittenbahn.

Grebenzen, Papstin 4, A-8813 St. Lambrecht; Tel. 00 43/35 85/24 55; Internet: www.grebenzen.at; Öffnungszeiten: Mai–Sept. tgl. außer Mo 10–17 Uhr, Juli/Aug. kein Ruhetag

Steirische Holzstraße

Die Steirische Holzstraße verbindet viele historische und moderne Holzobjekte, Bildhauerwerkstätten und sakrale Holzbaukunst der Region. Die Objekte und Bauten sind mit einem speziellen Symbol gekennzeichnet. Das Holzmuseum St. Ruprecht präsentiert den Roh- und Werkstoff Holz in seiner ganzen Vielfalt. Alte Arbeitsgeräte, moderne Möbelstücke, Fassbinderwerkstätten, ein Arboretum mit seltenen heimischen Baumarten und Skulpturen heimischer Bildhauer sind zu sehen. Besucher haben die Möglichkeit, Holz zu verarbeiten, zu zersägen und damit zu kegeln.

Steirisches Holzmuseum; A-8862 St. Ruprecht ob Murau; Infotelefon: 00 43/35 34/22 02; Öffnungszeiten: April–Okt. 10–16, Mai und Juni 9–17 Uhr

Vivarium Was(s)erleben

Hier werden in einer einzigartigen Mischung aus Natur, Wissen, Erlebnis und Wellness der Lebensraum der heimischen Fischwelt und das Reich des Amazonas gegenübergestellt. Die Wasserwelt erschließt in naturnah angelegten Bachläufen, Themenaquarien und dem Regenwaldhaus mit Glastunnel durch Europas größte Piranhas-Anlage ein buntes Spektrum von Kleinstlebewesen bis zu speziellen tropischen Fischarten. Relaxen kann man im »Wellness by Fish«-Bereich: Erlebnispool und Saunalandschaft ermöglichten Blickkontakt zu Boas, Krokodilen und Schildkröten. Der Regenwald mit Krokodilen, Giftfröschen, Spinnen, Weißbüscheläffchen und Vogelarten vermittelt dem Besucher das Gefühl, die Flora und Fauna der »Neuen Welt« zu erforschen.

Vivarium Betriebs-GmbH, A-8812 Mariahof, Stadtlob 500, Tel. 00 43/35 84/4 05 00; Öffnungszeiten: »Wasserwelten« 9–18 Uhr, »Wellness by Fish« 9–21 Uhr, Nov. geschl.

Service

Angebot für Gäste

Ikonenmalkurs
Fastenwoche
Habitare Secum
Meditatives Arbeiten mit Ton
Filmexerzitien
Seminar lösungsfokussiertes Management
Küchenkräuter neu entdecken
Meditative Wanderwochen
Exerzitien für Führungskräfte
Qi Gong

Gottesdienste

Wo 18 Uhr Vesper und Messe
Sa 18.30 Uhr Vorabendmesse
So 10 Uhr Gottesdienst

Unterkunft

EZ inkl. Vollpension 31-35 €,
DZ inkl. Vollpension 29-33 €
Weitere Übernachtungsmöglichkeiten in Klosternähe ab ca. 35 € (Naturpark Grebenzen)

Verpflegung

Rotwild aus den Revieren des Stifts, Obst und Gemüse aus dem Klostergarten

Einkaufsmöglichkeiten

Klosterladen:
Ansichtskarten, Bücher (z. B. St. Lambrechter Kochbuch, »Wenn Steine sprechen« – meditativer Rundgang durchs Kloster), CDs, Videos über Klosterleben, Produkte aus dem Kräutergarten der Abtei, Vogelbeer- und Hollerbrände, Kräuterliköre, Magenbitter, Hirschwurst, Hirschschinken sowie Welschriesling und Weißburgunder aus dem südsteirischen Stiftsweingut
Öffnungszeiten: Mo–Fr 9–12.30 und 14–17.30 Uhr; Juli und Aug. Sa 10–12 und 14–16, So und Feiertage 11–12 und 14–16 Uhr

Reservierung

Pater Gerwig Romirer;
Tel. 00 43/35 85/23 05 22; E-Mail: gastmeister@stift-stlambrecht.at
Schule des Daseins,
Tel. 00 43/35 85/23 05 10;
Internet: www.schuledesdaseins.at

Kulinarisch

Benediktinerstift St. Paul im Lavanttal

Hauptstraße 1
A-9470 St. Paul i. Lav.
Tel. 00 43/43 57/20 19 22,
Fax 20 19 23
E-Mail: stiftspfarre@stift-stpaul.at
Internet: www.stift-stpaul.at

Mit dem Pkw: über die Südautobahn A 2 bis zur Ausfahrt St. Andrä

Mit der Bahn: über Wien und Zeltweg bis Bahnhof St. Paul

Das Kloster

Hoch über der Talsohle des unteren Lavanttales erhebt sich das stattliche Stift St. Paul, das 1091 von den Spanheimern gegründet wurde. Herz des barocken Ensembles ist die massige romanische Basilika aus dem 12. Jahrhundert.

Im Stift wird »Kloster auf Zeit« sowie zu bestimmten Terminen »Klostertage« und Exerzitien für Einzelgäste angeboten. Die Vinothek von St. Paul bietet edle Weine an, die Besucher verkosten dürfen. Für die Besichtigung der stiftseigenen und allesamt wirklich sehenswerten Museen und Galerien sollten Gäste extra Zeit einplanen.

Spannend für Kunstinteressierte ist die wertvolle Gemäldegalerie mit Werken von Rubens, Van Dyck und Leonardo da Vinci, außerdem die Sammlung chinesischer Kunst.

Das Lavanttal zählt zu den reizvollsten Tälern Südösterreichs, vor allem, wenn die Almrauschblüte die Bergweiden in leuchtend rote Teppiche verwandelt. Beliebt sind Lavanttaler »Bananenapfel« und Most, das Nationalgetränk der Kärntner.

Service

Angebot für Gäste
Kloster auf Zeit
Exerzitien
Klostertage
Tage der Stille

Gottesdienste
6.30 Uhr Morgenlob, Wo 7.15 Uhr, So 8 und 10 Uhr Eucharistiefeier, 12 Uhr Mittagshore, So 18 Uhr Vesper, Wo 18 Uhr Vesper und Komplet

Unterkunft
Gästezimmer im Kloster
Preise nach Absprache

Verpflegung
»Café zum Stiftshäfn« im Stift
»Ritterabende« im Stiftsrestaurant Atrium

Servitenkloster Maria Luggau

A-9655 Maria Luggau
Tel. 00 43/47 16/6 01, Fax 6 01 17

Mit dem Pkw: über Kötschach-Mauthen

Mit der Bahn: bis Bahnhof Sillian oder Kötschach-Mauthen, weiter mit dem Bus

Das Kloster

Das Servitenkloster liegt auf 1170 Meter Höhe im Kärntner Lesachtal, der naturbelassensten Landschaft Österreichs. Es ist umgeben von alten Mühlen und Bergbauernhöfen, die sich an steile Wiesen klammern. Der Grundstein zur heutigen Klosteranlage wurde im 18. Jahrhundert gelegt.

Das Kloster wird von einem terrassenförmig angelegten Garten umgeben. Innen stehen Gästen ein Meditationsraum, Gruppen- und Aufenthaltsräume, eine Bibliothek sowie der Theatersaal zur Verfügung. Unterkunft findet man in hübschen Klosterzimmern. Im Speisesaal gibt es Kärntner Spezialitäten mit Zutaten aus dem klostereigenen Garten. In Maria Luggau können Gäste an Exerzitien, Musik- und Einkehrtagen sowie Weiterbildungsveranstaltungen teilnehmen. Entspannen kann man im warmen Mineralwasserbad »Tuffbad«. Nahe gelegen ist das schöne Ebnertal mit Blick auf die Lienzer Dolomiten.

Als Gast im Kloster

Das Servitenkloster macht wenig Aufhebens von sich, verbirgt jedoch mit seiner bedeutenden Basilika, seinen prachtvollen Sälen und feinster Küche Juwelen hinter seinen Mauern.

Service

Angebot für Gäste
Exerzitien
Weiterbildung
Erholungswochen
Qi-Gong-Wochen (externer Veranstalter)

Gottesdienste
Mo–Sa 7.15, So 7, 9, 10.30, 13.30 Uhr

Unterkunft
Ü/HP im DZ mit Dusche/WC im Sommer 31 €, im Winter 35 €

Reservierung
Bildungshaus Maria Luggau, A-9655 Maria Luggau; Tel. 00 43/47 16/66 01, Fax 6 01 17, E-Mail: bildungshaus.luggau@aon.at

Die schönsten Klöster in der Schweiz

Schweiz wie aus dem Bilderbuch: Kloster St. Peter und Paul in Cazis

Stille & Rückzug

Retraitenhaus Sonnenhof der Schwestern von Grandchamp

CH-4460 Gelterkinden/Baselland
Tel. 00 41/61/9 81 11 12,
Fax 9 83 95 55
E-Mail:
sonnenhof@grandchamp.org
Internet: www.grandchamp.org

Mit dem Pkw: über die Autobahn A 2 bis zur Ausfahrt Sissach, weiter in Richtung Frick/Aarau

Mit der Bahn: auf der Linie Basel–Olten bis Bahnhof Gelterkinden, weiter mit dem Taxi (Tel. 00 41/61/8 41 16 16) oder steiler Fußweg von ca. 20 Min.

Das Kloster

Die evangelische Kommunität der Schwestern von Grandchamp lebt heute nach der Regel der Bruderschaft von Taizé. Das Mutterhaus liegt in der französisch sprechenden Schweiz, die Sprache im Sonnenhof ist Deutsch. Umschlossen von einem großen Garten und hohen Bäumen liegen die zwei ländlichen Gebäude des Sonnenhofes. In dem einen befinden sich die Gästezimmer, der Speisesaal, die Bibliothek und der Aufenthaltsraum, im anderen, kleineren Haus ist die Kapelle und ein großer Saal. Einzelgäste haben die Möglichkeit zu einem persönlichen Gespräch mit einer Schwester und können sich zu Exerzitien zurückziehen. Junge Menschen, die das Gebet und die Arbeit mit den Schwestern teilen möchten, sind auch für längere Zeit im Sonnenhof willkommen.

Als Gast im Kloster

Für Gäste, die wirklichen Rückzug suchen, ist das abgelegene Haus am Hang ein geeigneter Ort.

Service

Angebot für Gäste
Retraiten für Frauen und Männer zu speziellen Themen
Ikonenmalen
Kontemplative Exerzitien
Wander-Einkehrtage

Gottesdienste
Do 18.30, So 7.30 Uhr Eucharistiefeier
7.15, 12.10, 18.30, 20.30 Uhr Tageszeitengebete

Unterkunft
Einfache Einzelzimmer
Im Januar und August/September ist das Haus geschlossen.

Benediktinerkloster Mariastein

CH-4115 Mariastein/Solothurn
Tel. 00 41/61/7 35 11 11,
Fax 7 35 11 03
E-Mail:
info@kloster-mariastein.ch
Internet: www.kloster-mariastein.ch

Mit dem Pkw: von Basel Autobahn-Stumpen Richtung Delémont bis zum Autobahnende in Aesch, von dort Beschilderung Richtung Mariastein über Ettingen-Flüh

Mit der Bahn: von Basel mit der Straßenbahn bis Flüh, weiter mit dem Bus oder zu Fuß (30 Min.)

Das Kloster

Der Wallfahrtsort Mariastein liegt auf einem malerischen Hochplateau des Schweizer Juras zwischen Basel und dem Elsass. Seine Gründungssage geht auf die Rettung eines Kindes aus einer Höhle durch die Muttergottes zurück, welches danach in einer Einsiedlerklause in der Nähe gelebt haben soll. 1648 zogen Mönche von Beinwil in den Wallfahrtsort »im Stein« und eröffneten eine Schule. Bis 1655 hatten sie ein Kloster und eine gotische Kirche errichtet, die um 1900 im neubarocken Stil mit drei Toren umgebildet wurde. Die Turmfassade und der weite Klosterplatz davor behielten ihr klassizistisches Aussehen. Durch einen unterirdischen Gang erreicht man die Gnadenkapelle in einer natürlichen Felshöhle. Dort befindet sich auch das Bild der wundertätigen Madonna.

Zum Haus der Stille St. Gertrud aus dem 17./18. Jahrhundert mit eigenem Eingang gehört ein Gästespeisesaal, ein kleiner Garten, eine Teeküche sowie ein Aufenthaltsraum mit kleiner Handbibliothek. Weitere Unterkunftsmöglichkeiten gibt es in den sonnigen Gästezimmern des »Kurhauses Kreuz« in Mariastein, in dessen hübschem Gärtchen Heilpflanzen und Gewürze angepflanzt werden. Diese werden für Gäste, die zum Heilfasten herkommen, zu Tees und unterstützenden Tinkturen verarbeitet. Neben Exerzitien und Einkehrtagen veranstaltet das Kurhaus Kreuz regelmäßig besinnliche Wanderwochen. Im Haus der Stille St. Gertrud können Gäste Tage und Wochen verbringen und am Stundengebet der Mönchsgemeinschaft teilnehmen. Zusätzlich gibt es für Männer die Möglichkeit, das Klosterleben eine Zeit lang zu erproben. Einzel-

und Gruppenexerzitien können mit dem Gastpater vereinbart werden. Darüber hinaus sind die wechselnden Ausstellungen im Kreuzgang des Klosters sehenswert. Über dem Eingang zur Gnadenkapelle ist eine Ausstellung zur Gebetsschnur des Rosenkranzes zu sehen.

Rund um das Kloster

Laufen

Laufen liegt mitten in einem der schönsten Erholungsräume der Nordwestschweiz, umgeben von schattigen Wäldern, romantischen Burgruinen und weitem Ackerland. Ein »Planetenweg« mit maßstabsgetreuen Modellen beginnt in Laufen und führt dem Spaziergänger die Größenverhältnisse des Sonnensystems vor Augen. Die Route soll aber auch zu einer ca. vierstündigen Wanderung durch einen ausnehmend schönen Teil des Juras verleiten.

Im Kulturzentrum »Alts Schlachthuus« finden Ausstellungen, Theater, Kabarett, Kino und Musikdarbietungen statt, festliche Konzerte gibt es in der barocken Katharinenkirche. Schließlich ist das Markttreiben jeden ersten Dienstag im Monat beliebt, an dem sich die Bauern der Umgebung mit Städtern und Marktfahrern zu einem nostalgischen Gewimmel mischen.

Saint Ursanne

Saint Ursanne ist eine der wenigen Städte der Schweiz, die man nur durch ein Stadttor betreten kann. Das mittelalterliche Städtchen ist sehr gut erhalten und eine absolute Augenweide für seine Besucher. Neben der Stiftskirche ist die steinerne Bogenbrücke von 1729 sein Wahrzeichen. Alle zwei Jahre findet in Saint Ursanne ein mittelalterliches Fest mit über 600 Maskierten statt. Alte Handwerksberufe werden ausgeübt, man wird auf der Straße angebettelt, weicht einem Ritter aus oder beobachtet die Waschweiber am Brunnen – und fühlt sich tatsächlich um Jahrhunderte zurückversetzt. Doch auch außerhalb der »närrischen Zeit« ist dieses unbekannte Schweizer Mittelalterjuwel einen Besuch wert.

Service

Angebot für Gäste

Haus der Stille St. Gertrud:
Kloster auf Zeit
Stille Wochenenden
Einzel- und Gruppenexerzitien
Kurhaus Kreuz:
Exerzitien
Fastenkurse
Pflanzenheilkunde
Wanderwochen
Wellness-Bereich

Gottesdienste

Wo 5.30 Uhr Mette und Laudes, 6.30, 8 und 9 Uhr Eucharistiefeier, 12.15 Uhr Sext, 15 Uhr Non, 18 Uhr Vesper, 20 Uhr Komplet
So 5.30 Uhr Laudes, 6.30, 8, 9.30 und 11.15 Uhr Eucharistiefeier, 12.15 Uhr Sext, 15 Uhr Vesper, 20 Uhr Komplet

Unterkunft

Haus der Stille St. Gertrud: 12 Zimmer mit Dusche/WC; Übernachtung inkl. Vollpension 75–85 sfr. Ermäßigung für Jugendliche/Studierende möglich.
Kurhaus Kreuz: DZ inkl. Vollpension ab 120 sfr pro Person, EZ ab 128 sfr
Kurhaus Kreuz, Paradiesweg 1, CH-4115 Mariastein; Tel. 00 41/61/ 7 35 12 12, Fax 7 35 12 13; E-Mail: info@kurhauskreuz.ch

Einkaufsmöglichkeiten

Pilgerlaube: Musik-CD mit dem Mariasteiner Chorgebet, Keramik, Vasen, Bücher, Lebensmittel, Kerzen
Öffnungszeiten: Sa 7.30–12 und 14–17 Uhr, So 8.30–17 Uhr, Di–Fr 7.30–12 und 14–17.30 Uhr

Reservierung

Benediktinerkloster Mariastein, CH-4115 Mariastein; Tel. 00 41/61/ 7 35 11 80, Fax 7 35 11 03; E-Mail: info@kloster-mariastein.ch

Benediktinergemeinschaft Fischingen

CH-8376 Fischingen/Thurgau
Tel. 00 41/71/9 78 72 20,
Fax 9 78 72 15
E-Mail: bildungshaus@klosterfischingen.ch
Internet: www.klosterfischingen.ch

Mit dem Pkw: Autobahn A 1 Zürich–St. Gallen bis zur Ausfahrt Münchwil/Sirnach, weiter Richtung Dussnang bis Fischingen

Mit der Bahn: bis Bahnhof Will/St. Gallen, weiter mit dem Bus nach Dussnang/Fischingen

Das Kloster

Eingebettet in die Wälder des Hinterthurgaus und das Hörnligebirge bietet das Kloster eine herrliche Aussicht auf die Alpen und hinunter zum Bodensee. Die »klösterliche Gemeinschaft im Tannenwald« wurde 1138 von Bischof Ulrich II. von Konstanz gegründet. Im 18. Jahrhundert erhielt die symmetrisch konzipierte Klosteranlage ihre heutige barocke Gestalt, 1718 entstand das Kleinod der Klosteranlage, die Idda-Kapelle. Nachdem die Abtei 1848 der allgemeinen Klosteraufhebung zum Opfer gefallen war, erwarb der Verein St. Iddazell – bis heute Eigentümer des Klosters – 1879 die umfangreichen Bauten und richtete darin eine Waisenanstalt ein. 1943 übernahmen zwei Patres die Führung des Kinderheimes, doch erst 1977 begann das benediktinische Ordenslebens in Fischingen erneut. Das Bildungshaus entstand 1982 im Osttrakt des Klosters.

Das Äußere der Klosterkirche ist durch eine schlichte Giebelfront mit Kuppelturm bestimmt. Innen unterstreichen Arkaden in dem spätgotischen Saalbau die Bedeutung des Altarraums. Im Orgelchor korrespondiert hellblauer und gelber Stuck farblich mit der Bildausstattung. Das Dach der Idda-Kapelle, ein Zentralbau auf achteckigem Grundriss, ist von einer Idda-Figur gekrönt. Die heilige Idda führte der Legende nach im 12. Jahrhundert ein gottgeweihtes Leben als Asketin (Reklusin) und Trösterin des Volkes und liegt in der Wallfahrtskapelle begraben.

Im vorspringenden Mitteltrakt der Klosteranlage befindet sich der Gästespeisesaal mit Deckenstuck und Biedermeiertapete. Die Gänge aller Stockwerke ziehen sich um den Innenhof. Vom Kreuzgang mit Zwillingsgewölbe, in dem Künstler der

Region ihre Werke ausstellen, gelangt man ins Wappenzimmer, einem heraldischen Juwel. Sehenswert ist auch die Abtskapelle mit Rokokostuck, Kassettenmusterparkett und einer kleinen Sakristei im Alkoven. Der Bibliotheksbau beherbergt die Klosterschenke und den Tagungsraum Iddasaal. Im ehemaligen Kapitelsaal mit wertvollen Stuckaturen von Melchior Modler und einem Schmuckboden aus Tannenholz wird heute meditiert. Über anderthalb Stockwerke erstrecken sich im Bibliothekssaal die Bücherschränke mit diskreten Gittertüren bis zum Muldengewölbe der Decke.

Die ehemaligen Mönchszellen wurden zu angenehmen und hellen Gästezimmern umgestaltet. Lichte Klostergänge, freundliche Gemeinschaftsräume und eine gepflegte Küche, die das beliebte Früchtebrot und erlesene Weine serviert, runden das Bild der Gastfreundschaft ab. Die Gäste haben Gelegenheit, am Chorgebet der Mönche teilzunehmen. Männer können sich zum »Kloster auf Zeit« nach Fischingen zurückziehen. Einzel- und Feriengäste werden je nach Kapazität aufgenommen. Regelmäßig finden klassische Konzerte in der Klosterkirche und in der Bibliothek statt, auch Führungen durch die Kirche und das Kloster bieten die Mönche gerne an.

Hauptaltar der Idda-Kapelle

Als Gast im Kloster

Wegen der herrlichen Berglage und der Nähe zu St. Gallen, Zürich und Winterthur vor allem für Wanderer, Naturliebhaber und Freunde der guten Schweizer Küche interessant. Für Ausflüge ist die Anreise mit dem eigenen Pkw empfehlenswert.

Rund um das Kloster

Confiserie Park Café

Feinste Schweizer Schokoladespezialitäten, Trüffel, Pralinen, Torten und Patisserie erwirbt man im Park Café unweit des Klosters.

Sandor Gera, Haushaldenstr. 11,
CH-8374 Dussnang;
Tel. 00 41/71/9 77 16 22;
E-Mail: park.cafe@bluewin.ch

Extratipp

Technorama Science Center Winterthur Das Technorama ist ein interaktives Wissenschaftszentrum in der Schweizer Hightech-Hochburg Winterthur. Statt »Berühren verboten« gilt hier »Anfassen erwünscht«: In über 500 Experimentierstationen bringt das Technorama der sinnlichen Wahrnehmung besondere Aufmerksamkeit entgegen. Der eigenhändige Umgang mit den Objekten ermöglicht ein unmittelbares Verständnis naturwissenschaftlicher Phänomene. So veranschaulicht etwa der »Chaotische Brunnen« im Wassersektor emblematisch den berühmten »Schmetterlings-Effekt«.

Technoramastr. 1, CH-8404 Winterthur; Tel. 00 41/52/2 44 08 44; Internet: www.technorama.ch; Öffnungszeiten: Di–So 10–17 Uhr

Historisches Museum St. Gallen

Das Historische Museum besitzt die bedeutendste kulturgeschichtliche Sammlung der Nordostschweiz. In der Abteilung St. Galler Stadtgeschichte wird die Entwicklung der Stadt St. Gallen von den Anfängen im 7. Jahrhundert bis ins 19. Jahrhundert dargestellt. Den Mittelpunkt des Stadtgeschichts-Saales bildet das große Modell des spätmittelalterlichen St. Gallens. Eingebaute Repräsentations- und Wohnräume mit reicher Möbelausstattung bringen den Besuchern die Welt der bürgerlichen Oberschicht des 15. bis 19. Jahrhunderts näher. Der prachtvollste Raum ist jener des Fürstabtes Joachim Opser von 1580 aus seiner Residenz im Hof zu Wil. Besonders sehenswert sind die zahlreichen altschweizerischen Kabinettscheiben aus der Zeit vom 15. bis 18. Jahrhundert im Glasgemälde-Kabinett und im ganzen Haus.

Museumstr. 50, CH-9000 St.Gallen; Tel. 00 41/71/2 42 06 42; Internet: www.hmsg.ch; Öffnungszeiten: Di–So 10–17 Uhr

Kneipp Hof

Das Kurhotel für Erholungskuren und Ferienaufenthalte liegt in 600 Metern Höhe, umgeben von einem weitläufigen, üppig grünem Park. 1890 wurde es als Wasserheilanstalt von Pfarrer Eugster erbaut. Zu seinen Spezialitäten gehören Velo- und Wanderwochen, Kneippwochen und Schönheits- beziehungsweise Fastenaufenthalte. Nach einer erfrischenden Kneippanwendung in der Saunarena und einem Spaziergang durch die idyllische Gartenanlage gibt es ein köstliches Abendessen im Hotelrestaurant »Tannzapfe«, das neben gutbürgerlicher Küche auch auf diverse Diäten eingestellt ist.

Kurhausstr. 34, CH-8374 Dussnang; Tel. 00 41/71/9 78 63 63; Internet: www.kneipphof.ch

Rösslifahrt und Brunch auf dem Bauernhof

Gönnen Sie sich nach einer ausgedehnten Rösslifahrt ein herzhaftes »Zvieri«, die traditionelle schweizerische Brotzeit. Dazu gehören verschiedenes »Gräuchts«, Trockenfleisch, Hobelkäse und Hobelspeck, Rohschinken und Bündnerfleisch.

Familie Egli, Bachacker-Anwil, CH-8372 Wiezikon; Tel. 00 41/71/9 77 21 80

Rösslifahrten Jakob Maute, Unterschönau, CH-9533 Kirchberg; Tel. 00 41/71/9 77 14 54

Service

Angebot für Gäste
Besinnungstage
Ferienaufenthalt für Einzelgäste
Time Out

Gottesdienste
Eucharistiefeier: an Werktagen 7 Uhr, Do Abendmesse 19.30 Uhr, So 9.30 Uhr
Chorgebete:
So 6 Uhr Matutin, 11.45 Uhr Mittagshore, 17.30 Uhr Vesper, 19.30 Uhr Komplet
Wo 5.30 Uhr Matutin, 11.45 Uhr Mittagshore, 17.45 Uhr Vesper, 19.30 Uhr (Do 19 Uhr) Komplet

Unterkunft
Übernachtung inkl. Vollpension je nach Komfort 106–158 sfr. Ganzjährig geöffnet außer Oster- und Weihnachtszeit, 2 Wochen Betriebsferien im Juli/Aug.; DZ als EZ, alle ohne Telefon, TV; 25 Zimmer (21 mit Dusche/WC).

Verpflegung
Cheminée-Hütte und Klosterschänke für gemütlichen Ausklang. Gehobene Küche. Vegetarische Verpflegung möglich. Spezialität des Hauses: Früchtebrot

Reservierung
Bildungshaus Kloster Fischingen, CH-8376 Fischingen; Tel. 00 41/71/978 72 20; E-Mail: bildungshaus@klosterfischingen.ch

Toplage

Benediktinerabtei St. Otmarsberg

CH-8730 Uznach
Tel. 00 41/55/2 85 81 11,
Fax 2 85 81 00
E-Mail:
st.otmarsberg@abtei-uznach.ch
Internet: www.abtei-uznach.ch

Mit dem Pkw: auf der Autobahn A 3 (Chur–Zürich). Ausfahrt Reichenburg, dann A 16 bis Ortsschild Tuggen, weiter bis Uznach

Mit der Bahn: bis Bahnhof Uznach. Fußweg vom Bahnhof 20 Min. oder Bus nach Rieden, Haltestelle St. Otmarsberg

Das Kloster

Die Abtei St. Otmarsberg liegt nur wenige Kilometer vom Ende des oberen Zürichsees entfernt. 1919 wurde dort das »Benediktusheim« gegründet, von wo aus die Benediktiner um Hilfe für ihre Missionsstationen in Ostafrika warben. Aus Platzmangel entstand 1963 ein neues Kloster, das 1982 zur Abtei erhoben wurde.

Für Klostergäste sind in der Abtei einige einfache Zimmer eingerichtet. Das Essen wird in einem eigenen, freundlich mit roten Tischdecken und Blumenschmuck ausgestatteten Speisesaal eingenommen. Es besteht die Möglichkeit, dort eine »Zeit der Stille und der Neuorientierung« zu verbringen. Nach Absprache leiten die Benediktiner Einzel- und Gruppenexerzitien.

Von Uznach aus gibt es vielfältige Wanderwege mit grandiosen Aussichten auf den Zürichsee und die Alpen. Sehenswert sind auch die schöne Strandpromenade und die imposante, über der Stadt thronende Schlossanlage von Rapperswil aus dem 13. Jahrhundert.

Service

Angebot für Gäste
Zeit der Stille
Einzel- und Gruppenexerzitien

Gottesdienste
Wo 5.30 Uhr Vigil und Laudes, 6.45 Uhr Messe, 11.40 Uhr Sext und Terz, 13.50 Uhr Non, 18 Uhr Vesper, 20.00 Uhr Komplet
So 6 Uhr Vigil und Laudes, 9 Uhr Choralamt, 11.40 Uhr Sext und Non, 16.30 Uhr Vesper, 18 Uhr Komplet, 19.30 Uhr Abendmesse

Unterkunft
Im Gästeflügel der Abtei für Männer
Ü/VP ca. 50 sfr

Lassalle Haus Bad Schönbrunn

CH-6313 Edlibach
Tel. 00 41/41/757 14 14,
Fax 757 14 13
E-Mail: info@lassalle-haus.org
Internet: www.lassalle-haus.org

Mit dem Pkw: auf der Strecke Zürich–Luzern bis Sihlbrugg, weiter Richtung Neuheim bis Edlibach

Mit der Bahn: bis zum Bahnhof Zug, weiter mit dem Bus Nr. 2 Richtung Menzingen bis Bad Schönbrunn

Das Kloster

Zehn Minuten von Zug entfernt in der Nähe der Innerschweizer Alpen liegt die Bildungsstätte, deren hügelige Umgebung wegen der zahlreichen Quellen schon im Mittelalter »Zum schönen Brunnen« genannt wurde. Seit 1858 gibt es unterhalb der Bergkapelle ein Kurhaus, das die Schweizer Jesuiten 1929 übernahmen. Seinen Namen verdankt es dem Jesuitenpater Hugo Enomiya-Lassalle, einem Zen-Lehrer und Experten für christliche Spiritualität, der zwischen abend- und morgenländischem Denken vermittelte. Das 1970 entstandene Bildungszentrum ist jedoch nicht nur im Geist modern, sondern auch in seiner Architektur. Fächerförmig hat es der Schweizer Architekt André Studer im Sinne der reduzierten Formen des Zen entworfen. Im Park am Lassalle-Haus wurde ein klassisch-kretisches Labyrinth mit nur einem einzigen verschlungenen Weg zum Zentrum und wieder hinaus angelegt.

Alle Gästezimmer sind als Wohn- und Arbeitsräume freundlich eingerichtet. Gästen stehen ferner eine große Meditationshalle (Zendo) und gemütliche Sitzgruppen in den Wandelhallen und im Leseraum zur Verfügung. Im Jugendhaus »Alte Villa«, die vom ursprünglichen Kurshaus übrig geblieben ist, werden regelmäßig Veranstaltungen für junge Leute organisiert. Die Cafeteria des Bildungszentrums hält Getränke und Snacks bereit; dort empfiehlt Küchenchef Theodor Laesser spezielle Gourmet-Menüs, z.B. im Sommer Gurkenkaltschale mit Kefir, gefolgt von Kartoffel Ramequin, und zum Dessert Mascarpone-Calvados-Eis.

Jeden Monat finden in Schönbrunn Zen-Einführungskurse zur Tiefenentspannung statt, bei denen statt synthetischen, bunten Trainingsanzügen dunkelblaue oder schwarze Naturfaser und Wollsocke getragen werden sollten. Ruhiges Sitzen, Versenkungsmeditation und Schweigen weckt im »Kontemplation und Sadhana«-Seminar neue Kräfte; ebenso wie die »Schönbrunner Fastenwochen«. In komplizierten Entscheidungssituationen helfen die jesuitischen »Ignatianischen Exerzitien«, Malen, Yoga, Eutonie und Meditation oder Seminare zur Traumarbeit, die Gedanken zu ordnen. Bei Zen- und Kontemplationskursen gehört zum Übungsprogramm täglich eine Stunde Mitarbeit im Haus. Im Lassalle Haus besteht die Möglichkeit, für längere Zeit (ab etwa drei Monaten) in der Hausgruppe mitzuleben. Der Tagesablauf sieht die Mitarbeit im Garten, in der Hotellerie oder in der Administration sowie die Teilnahme an den Gebets- und Meditationszeiten der Mönche vor.

Asiatische Anklänge im Meditationsraum

Als Gast im Kloster

Dieses Begegnungszentrum der Kulturen und Andersdenkenden ist ein Ort der meditativen Toleranz im Geiste des Zen. Trauen Sie sich ruhig ins Labyrinth – es gibt nur einen Weg nach draußen! Inspirierende, vorzügliche Küche.

Rund um das Kloster

Höllgrotten Baar

Inmitten des wild-romantischen Lorzentobels befinden sich Höhlen, die

In den Höllgrotten

vielfältige Tropfsteinformationen schmücken. Kleine Seen, Stalagmiten und Stalaktiten in den unterschiedlichsten Farbnuancen geben jeder Höhle ihren eigenen Charakter. Im Laufe der Jahrtausende von kalkhaltigen Quellen gebildet, wurden die Höllgrotten Baar Ende des 19. Jahrhunderts beim Abbau von Tuffstein entdeckt. Das unterirdische Zauberreich ist heute elektrisch beleuchtet, und gute Weganlagen verbinden die Höhlen untereinander. Besichtigungen dauern etwa 45 Minuten. Zu Fuß sind die Höhlen ab Bahnhof Baar in ca. einer Stunde und ab Bushaltestelle Lorzentobelbrücke (Linie 2 Menzingen) in ca. 25 Minuten zu erreichen.

Tel. 00 41/4 17 61 83 70
(Restaurant: 00 41/4 17 61 66 05);
Internet: www.hoellgrotten.ch;
Öffnungszeiten: April–Okt. 9–12 und 13–17.30 Uhr, So durchgehend

Johanna-Spyri-Museum in Hirzel

Die unvergessliche Heidi-Geschichte wird am Geburtsort von Johanna Spyri lebendig. Die berühmteste Schweizer Jugendbuch-Schriftstellerin verbrachte den größten Teil ihrer Jugend hier, und die einzigartige Landschaft beeinflusste ihr Schreiben nachhaltig. Im »Alten Schulhaus« von Hirzel, wo heute das Spyri-Museum untergebracht ist, drückte die Autorin selbst und sogar schon

ihre Mutter die Schulbank. Das Geburtshaus Spyris befindet sich in unmittelbarer Nähe und kann von außen besichtigt werden. In 50 Sprachen übersetzt und in ebenso vielen Millionen Exemplaren gedruckt, visuell umgesetzt in Dokumentar-, Spiel- oder Trickfilmen, ist die Geschichte von Heidi inzwischen ein Klassiker der Kinderliteratur. Die unsterblichen Figuren Heidi, Alm-Öhi und Geißenpeter erobern auch heute noch Kinderherzen.
Im alten Schulhaus, Dorfstr. 48, CH-8816 Hirzel; Tel. 00 41/1/7 29 95 66; Internet: www.johanna-spyri-museum.ch; Öffnungszeiten: So 14–16 Uhr, ansonsten Führungen auf Voranmeldung unter Tel. 00 41/1/7 29 95 66

Ausflug durch die Moränenlandschaft

Die recht unbekannte Autoroute verläuft über Menzingen-Hütten-Schönenberg-Hirzel-Sihlbrugg durch eine ausgeprägte, einmalige Moränen-Landschaft – charakteristisch wie nur wenige Gebiete im schweizerischen Mittelland mit den typischen Hügelzügen, welche der Linthgletscher während der letzten Eiszeit hinterlassen hat und auf denen häufig eine Linde steht. Die vielen Aussichtspunkte eröffnen eine herrliche Aussicht auf Zürich- und Zugersee, auf die Alpenkette, unberührte Hochmoore und das wildromantische Tal der Sihl mit Galerien und Sihlsprung. Reine Fahrzeit 30 Minuten für die Rundtour ohne Halt.

Restaurant Edlibacherhof

Im geraniengeschmückten «Edlibacherhof» bewirten Serviertöchter in weißen Blusen ihre Gäste mit klassischer Schweizer Küche. Je nach Saison wird die Speisekarte von den Gastwirten Edit und Hanspeter Hegglin ergänzt. Bei sonnigem Wetter sitzt man herrlich auf der Gartenterrasse, die inmitten eines grandiosen Alpingartens liegt. Ein großes Sonnendach spendet bei hohen Temperaturen angenehmen Schatten.
Hotel-Restaurant Edlibacherhof, CH-6313 Edlibach; Tel. 00 41/41/7 55 16 77

Ausflug auf dem Zürichsee

Service

Angebot für Gäste
Zen-Meditation
Kontemplation und Sadhana
Ignatianische Exerzitien
Schönbrunner Fastenwochen
Begegnung der Religionen

Gottesdienste
Mo–Fr 17.40 Uhr, So 8.30 Uhr Eucharistiefeier

Unterkunft
69 Zimmer im Bildungszentrum
Vollpension im Zimmer ohne Dusche/WC EZ 109 sfr, DZ 104 sfr
Vollpension im Zimmer mit Dusche/WC EZ 139 sfr, DZ 134 sfr
Jugendhaus »Alte Villa«: Schlafsackunterkunft ohne Verpflegung 24 sfr

Verpflegung
Im Bildungszentrum
Cafeteria
In der »Alten Villa«: Selbstversorgung

Reservierung
Lassalle Haus Bad Schönbrunn, CH-6313 Edlibach; Tel. 00 41/41/7 57 14 14, Fax 7 57 14 13;
E-Mail: info@lassalle-haus.org,
Internet: www.lassalle-haus.org

Toplage

Kloster Baldegg

Sonnhaldenstr. 2
CH-6283 Baldegg
Tel. 00 41/41/9 14 18 00,
Fax 9 14 18 18
E-Mail:
info@baldeggerschwestern.ch
Internet:
www.baldeggerschwestern.ch

Mit dem Pkw: auf der Autobahn A1 Zürich–Bern über Luzern nach Baldegg

Mit der Bahn: bis Bahnhof Luzern

Das Kloster

Die Eröffnung einer Mädchenschule im ländlichen Luzerner Seetal war der Beginn der Ordensgemeinschaft der Baldegger Schwestern. Das alte Schloss von Baldegg wurde für die wachsende Gemeinschaft bald zu klein. Es entstanden verschiedene Gebäude für Schule und Gemeinschaft, für die Landwirtschaft und die Gärtnerei. 1968 wurde der Bauhaus-Architekt Marcel Breuer mit dem Bau des neuen Mutterhauses »Sonnhalde« beauftragt. Dieses verwirklicht mit seinem zweckbetonten Stil und Material die Einheit von Kunst und Funktion. Neben einigen Missionsstationen in Tansania, Äthiopien und Papua-Neuguinea führen die Baldegger Schwestern drei Kurhäuser in der Schweiz. Besonders idyllisch liegt das Chalet »Bethania« im Höhenkurort Montana (Wallis).

Gästen, die z.B. eine schwierige Entscheidung treffen oder sich konzentrieren möchten, bietet das Gästehaus Baldegg ein wunderschön gelegenes »Exil« abseits von Hektik und Betriebsamkeit. Zudem leiten die Schwestern bereits seit 1916 das Bildungshaus »Stella Matutina« in Hertenstein, ca. 35 Kilometer von Baldegg entfernt. Zum »Gelben Haus« auf einer Halbinsel im Vierwaldstätter See gelangt man mit dem Schiff von Luzern oder mit dem Auto über Küssnacht. Von den Zimmern des modernen Bildungshauses hat man eine schöne Aussicht auf weite Wasserflächen mitten in einer alpinen Landschaft völlig ohne Lärm. Bildungszentrum und Gästehaus sind von 100 alten Eichen umgeben und liegen in einem Vogelparadies, vor dem Eingang grast eine Schafherde neben einem sardischen Esel. Den Gästen stehen die Kirche, für sportliche Betätigungen eine Turnhalle und das Badehaus am See zur Verfügung.

Während man im Mutterhaus »Sonnhalde« in Baldegg vor allem bei Gebeten und meditativen Zeiten zur Ruhe kommen kann, bietet das Bildungshaus »Stella Matutina« ein umfassendes Kursprogramm. Berühmt sind die Kochkurse, in denen Gäste in die Geheimnisse der Schweizer Küche eingeweiht werden. Für Bastler gibt es Töpfer- und Ikebanakurse, Kreative versuchen sich in den literarischen Schreibwerkstätten. Theoretische Tipps zur Vermeidung des »Burnout-Syndroms« werden durch Wanderungen und Meditationen praktisch ergänzt.

Als Gast im Kloster

Beide Gästehäuser der Baldegger Schwestern zeichnen sich durch ihre hinreißend schöne Lage und Architektur aus. Baldegg selbst eignet sich eher für besinnliche Aufenthalte, während Gäste in Herstein ein buntes Kursprogramm erwartet.

Rund um das Kloster

Chnusper-Land

Während eines Besuchs in Malters bei der Firma Hug können Besucher ihre Nase in die Produktion der »chnusprigen« Köstlichkeiten stecken. Verfolgen Sie, wie die Chäs-Chüechli aus dem Backofen kommen oder Mini-Pizzetten belegt werden.
HUG AG, ChnusperLand, Hellbühlstr., CH-6102 Malters/Luzern

Fahrradtour um den Vierwaldstätter See

Direkt vor dem Alpenpanorama radelt man durch eine mediterran anmutende Landschaft. Startpunkt ist Luzern mit seiner mittelalterlichen Altstadt. Am nördlichen Seeufer geht es über Meggen in Richtung Küssnacht. Leicht ansteigend führt eine Landzunge weiter nach Weggis. Auf der schönen Küstenstraße erreicht man Vitznau. Danach bietet sich ein herrlicher Blick auf die Halbinsel Bürgenstock. Von Gersau aus setzt eine Fähre nach Beckenried über. Durch ein flaches Tal gelangt man nach Buochs und weiter durch Stans. Die Strecke passiert den Zufluss des Alpnacher Sees. Um eine idyllische Halbinsel herum erreicht man schließlich wieder Luzern.
Fahrzeit: ca.5 Stunden, 345 Höhenmeter

Service

Angebot für Gäste

Kloster Baldegg:
Mitfeiern des Stundengebets
Besinnungszeiten und -tage für Frauen
Wochenenden im Kloster
Sommertage auf der Halbinsel
Bildungshaus »Stella Matutina«:
Töpfertage
Kochen für Gäste
Ikebana-Grundkurs
Heilkraft Musik
Zur Mitte finden
Heiterkeit im Alter
Geheimnis zufriedener Paare
Exerzitien »Unterwegs auf der Halbinsel«
»Burn-out muss nicht sein«

Gottesdienste

6.30 Uhr Eucharistiefeier, 7 Uhr Laudes, 11.45 Uhr Sext, 18 Uhr Vesper, 19.15 Uhr Komplet

Unterkunft

Gästehaus Baldegg: Preise nach Vereinbarung
Gästehaus »Stella Matutina«: 89–120 sfr für Urlauber, 75–120 für Kursteilnehmer inkl. VP, Zuschlag bei nur einer Übernachtung 7 sfr
Alle Zimmer mit Seeblick

Reservierung

Gästehaus Baldegg: Info Centre, Kloster, CH-6283 Baldegg;
Tel. 00 41/41/9 14 18 09; E-Mail: info@baldeggerschwestern.ch
Bildungshaus »Stella Matutina«, Zinnenstr. 7, CH-6353 Hertenstein;
Tel. 00 41/41/3 90 11 57, Fax 3 90 16 01;
E-Mail: stellamatutina@baldegger schwestern.ch

Architektur & Baukunst

Benediktinerabtei Einsiedeln

CH-8840 Einsiedeln/Schwyz
Tel. 00 41/55/4 18 61 11,
Fax 4 18 61 12
E-Mail:
kloster@kloster-einsiedeln.ch
Internet: www.kloster-einsiedeln.ch

Mit dem Pkw: (von Zürich kommend) über A 3, Abfahrt Wollerau, Staatsstraße 8 in Richtung Biberbrugg, von hier 6 km bis Einsiedeln

Mit der Bahn: Bahnstation Einsiedeln, von Zürich oder Luzern aus in 1 Stunde zu erreichen

Das Kloster

In einem Hochtal des Kantons Schwyz liegt über dem Sihlsee das Benediktinerkloster Maria Einsiedeln. Der Kontrast der riesigen Barockabtei zu der urwüchsigen Berglandschaft der Umgebung wirkt äußerst charmant. Im 9. Jahrhundert zog sich der Benediktinermönch Meinrad der Legende nach in die Abgeschiedenheit zurück und errichtete eine Einsiedlerklause. 861 wurde er von Landstreichern erschlagen. Eine blutrünstige Tat stand also am Anfang einer heute prächtigen Barockabtei, die weit über die Schweizer Grenzen hinaus bekannt ist. Die Zelle des heiligen Meinrad wurde zu einer klassizistischen Gnadenkapelle, der »Marienkapelle« im Mittelschiff der Abteikirche – die »Schwarze Madonna« darin macht Einsiedeln zu einem der meistbesuchten Marienwallfahrtsorte.

Heute leben und arbeiten dort 120 Benediktinermönche, überwiegend in der Pfarr- und Pilgerseelsorge und in der Auslandsmission. Sie unterrichten an einer theologischen Schule und am Stiftsgymnasium, verwalten ein riesiges land- und forstwirtschaftliches Areal, arbeiten wissenschaftlich, leiten die abteieigene Druckerei und Buchbinderei und betreuen die jährlich bis zu 700 000 Pilger und Touristen. Die Abtei ist auch ein florierender Wirtschaftsbetrieb. Im Klosterladen gibt es z.B. Weine aus Trauben der klösterlichen Rebhänge am Zürichsee. Seit mehr als 1000 Jahren züchtet man in Einsiedeln bereits Pferde, so dass der Marstall des Klosters das älteste Gestüt Europas beherbergt.

Die ankommenden Gäste beeindruckt der Blick auf die gewaltige Westfassade des Klosters mit dem stufenförmigen Vorplatz und der ausladenden Mitteltreppe. In der Krypta verbirgt sich in einer Mauervertiefung eine der bedeutendsten Kostbarkeiten der Abtei: ein kleines geschnitztes und bemaltes Vesperbild. Besichtigen kann man überdies die doppelgeschossige Stiftsbibliothek von 934, in der die älteren Bestände der über 170 000 Bände umfassenden, äußerst wertvollen Sammlung verwahrt werden.

In Kloster Einsiedeln werden überwiegend männliche Einzelgäste und Pilger aufgenommen. Die Gäste, größtenteils Ordensleute und Studenten, nehmen an den Gebetszeiten und Mahlzeiten der Mönche teil. Die Abtei bietet keine eigenen Kurse oder Seminare an, heißt aber Männer, die einige Tage der Besinnung dort verbringen möchten, willkommen. Es besteht die Möglichkeit, Ausritte in die wunderschöne Umgebung des Klosters zu unternehmen, sobald Sie sich mit einem der Vierbeiner angefreundet haben. Von Mai bis Oktober wird im Vortragssaal der Alten Mühle täglich um 14 Uhr eine Tonbildschau über das Kloster, seine Geschichte und seine heutigen Aufgaben gezeigt.

Als Gast im Kloster

Einsiedeln ist vorwiegend ein Wallfahrtskloster, das von Touristen besucht wird. Ein Aufenthalt innerhalb der Klausur bietet sich für Männer mit Mut zur Stille an, die sich für ernsthafte Kontemplation interessieren und wenige Ansprüche an Komfort stellen.

Rund um das Kloster

Schaukäserei Schwyz

In der Schaukäserei erleben Besucher, wie einst in der Alphütte und wie heute mit modernster Molkereitechnologie Käse hergestellt wird. Milchstraße 5, CH-6423 Seewen; Tel. 00 41/4 18 19 82 82; Internet: www.milchstrasse.ch

Region Einsiedeln

Die Fasnacht mit Umzug und Spektakel, ein Dixiefestival oder das Seenachtsfest ziehen Besucher an.

Service

Angebot für Gäste

Führungen durch Klosterkirche, Großen Saal und Bibliothek
Reitstunden im Marstall
Reitlager für Kinder und Jugendliche
Tage im Kloster für Männer

Gottesdienste

Wo 6.15, 8.30, 9.30, 17.30 Uhr Kapellmesse, 11.15 Uhr Konventmesse
So 6.15, 8, 17.30 Uhr Kapellmesse, 9.30 Uhr Konventmesse

Unterkunft

Einfache Zimmer ohne Dusche/WC inkl. Verpflegung ca. 50 sfr pro Person/Tag
Anfragen um Unterkunft an das Verkehrsbüro Einsiedeln, Tel. 00 41/55/4 18 44 88, Fax 4 18 44 80, E-Mail: info@einsiedeln.ch

Verpflegung

Für Hausgäste und Wallfahrer im Gastspeiseraum des Klosters
Restaurant Klostergarten, Am Klosterplatz, CH-8840 Einsiedeln; Tel. 00 41/55/4 12 11 77
Gasthaus Meinradsberg, Jlgenweidstraße 3, CH-8840 Einsiedeln; Tel. 00 41/55/4 18 81 97

Einkaufsmöglichkeit

Klosterladen: Weine, Traubenlikör, Roggenbrot, CDs, Bücher, Kerzen, Kreuze, Videos über das Kloster, Karten, Medaillons, Kopie der schwarzen Muttergottes, Öffnungszeiten: Wo 10–12 und 14–17.30 Uhr, So 10.45–12 und 14–17.30 Uhr
Klostergärtnerei: Gemüsesetzlinge (Ende April bis Mitte Mai), Geranien und andere Balkonpflanzen, Sommersetzlinge, Dünger und Erdmischungen

Reservierung

Kloster Einsiedeln, Gastpater P. Urban Federer; Tel. 00 41/55/4 18 62 40, Fax 4 18 62 39; E-Mail: gast@kloster-einsiedeln.ch

Stille & Rückzug

Franziskanerkloster Mariaburg

Klosterweg 10
CH-8752 Näfels/Glarus
Tel. 00 41/55/6 12 28 18,
Fax 6 12 28 27
E-Mail:
patrick.schaer@franziskaner.ch

Mit dem Pkw: Autobahn A 3 Zürich–Sargans–Chur, Ausfahrt Niederurnen/Näfels/Glarus

Mit der Bahn: bis Bahnhof Näfels-Mollis

Das Kloster

Mitten im Rautidorf Näfels thront auf dem so genannten »Burgstock« das Franziskanerkloster Mariaburg. Es liegt im ältesten Teil des Ortes und wurde 1675 als Kapuzinerkloster gegründet. Seit es der Kapuzinerorden 1986 den Franziskanern als Geschenk überließ, dient es als Noviziats- und Weiterbildungshaus. Aus Anlass des 700-jährigen Bestehens der Schweiz wurde der »Jubiläumskreuzweg« am alten Bergweg zum Obersee gestaltet.

Das Kloster öffnet seine Türen für Männer und Frauen, die sich für eine Weile aus Alltagsstress und Hektik zurückziehen möchten. Gäste sollten an den Gebetszeiten teilnehmen und bei alltäglichen Arbeiten mithelfen. Außerdem werden geistliche Übungen, Kreuzwegmeditationen und Bibelgespräche angeboten. In Näfels steht das bedeutendste Baudenkmal des Glarner Landes, der Freulerpalast mit prunkvollen Renaissanceportalen und frühbarockem Interieur.

Als Gast im Kloster

Zurückgezogenes Kloster in hinreißender Landschaft. Für klösterliche Ernsthaftigkeit geeignet.

Service

Angebot für Gäste
Mitleben in der Hausgemeinschaft
Geistliche Einzelgespräche
Einkehrtage

Gottesdienste
Wo 6.30 Uhr Laudes, 12 Uhr Sext, 18 Uhr Vesper; Mi 7 Uhr Laudes, 18.45 Uhr Vesper, 19.30 Uhr Abendgottesdienst
So 7.30 Uhr Laudes, 8 Uhr Messe, 19 Uhr Vesper

Unterkunft
Im Gästetrakt: Ü/VP 50 sfr.
Zu bestimmten Terminen keine Gästeaufnahme

Toplage

Haus Bethanien der Dominikanerinnen

CH-6066 St. Niklausen
Tel. 00 41/41/6 66 02 00,
Fax 6 66 02 01
E-Mail: info@haus-bethanien.ch
Internet: www.haus-bethanien.ch

Mit dem Pkw: über die A 6 Luzern–Interlaken bis zur Ausfahrt Sarnen/Kerns, weiter nach St. Niklausen

Mit der Bahn: auf der Linie Luzern–Interlaken bis Bahnhof Sarnen, weiter mit dem Postauto nach St. Niklausen, Haltestelle »Post«

Das Kloster

Dieser Satz aus dem Prospekt stimmt: »Haus Bethanien *liegt* auf einer Sonnenterrasse«. Nicht etwa *hat* eine Sonnenterrasse. Von der Aussicht ganz zu schweigen, denn ausgestreckt im Liegestuhl blickt man über das Sarneraatal, auf Blumenwiesen und Berggipfel.

Das Gästehaus ist architektonisch an das Urbild »Bethanien« angelehnt, wie das Rad einer Mühle treffen Konventgebäude und Gästetrakt in der zentralen Kapelle aufeinander. Den Gästen steht eine große Gymnastikhalle, ein Hallenbad, ein Tischtennisraum und eine Bibliothek zur Verfügung. Bei der Zimmerwahl kann man nur gewinnen: entweder fällt der Blick auf die atemberaubende Bergkette oder auf den blauschimmernden See.

Die »herbstlichen Kurzexerzitien« dienen der Neuorientierung und dem Rückblick auf das Jahr. Gäste können sich an den »stillen Samstagen« eine erholsame Pause vom Alltag gönnen.

Service

Angebot für Gäste
Einkehrtage
Meditationskurse
Aqua Fit & Nordic Walking
Entspannungsseminare

Gottesdienste
Wo 7 Uhr Laudes, 7.25 Uhr Eucharistiefeier, 17.30 Uhr Vesper, 20.15 Uhr (Sommer 20.30 Uhr) Komplet
So 8.35 Uhr Laudes, 9 Uhr Eucharistiefeier, 17.30 Uhr Vesper, 20.15 Uhr (Sommer 20.30 Uhr) Komplet

Unterkunft
Ü/VP ca. 120 sfr

Verpflegung
Frühstück 8 Uhr, Mittagessen 12 Uhr, Abendessen 18.30 Uhr

Stille & Rückzug

Allerheiligenkloster der Kapuziner

Kapuzinerweg 22
CH-6460 Altdorf/Uri
Tel. 00 41/41/8 74 07 30,
Fax 8 74 07 39
E-Mail: altdorf@kapuziner.org

Mit dem Pkw: auf der Autobahn A 2 über Luzern oder auf der Axenstraße über Zürich

Mit der Bahn: bis Bahnhof Flüelen, weiter mit dem Bus bis Station »Altdorf Telldenkmal«. Steiler Fußweg ca. 7 Min. zum Kloster (oder Abholdienst)

Das Kloster

Kloster Altdorf, gegründet 1581 von Mailänder Kapuzinern, ist die älteste Niederlassung des Ordens auf der Alpennordseite. Nach einem verheerenden Dorfbrand wurde es 1806 in italienischem Stil wieder aufgebaut. Kirche und Konventgebäude sind durch einen modernen Kreuzweg verbunden, den der Luzerner Künstler August Bläsi entworfen hat. Vom Kloster aus hat man einen umwerfenden Ausblick auf das alpine Panorama und über den gesamten Talkessel. Am Hang unterhalb des Klosters werden Reben für Altdorfer Wein gepflanzt. Das »Haus der Stille« ist offen für Männer ab 20 Jahren, die bis zu vier Wochen das franziskanische Leben teilen möchten. Alle Gäste nehmen an den Gebetszeiten und den Mahlzeiten teil.

Ein wunderbarer Ausflugsort ist die Hochgebirgs-Sonnenterrasse Eggbergen. Im Winter wird ein Skilift betrieben.

Als Gast im Kloster

Verstecktes Bergkloster mit atemberaubender Aussicht, das sich für Gäste mit Bedürfnis nach völliger Abgeschiedenheit und Stille eignet. Bequeme Kleidung für die Sitzmeditation mitbringen!

Service

Angebot für Gäste
Begleitende Gespräche
Tage im Kloster (für Männer)

Gottesdienste
7 Uhr Eucharistiefeier, 11.45 Uhr Mittagsgebet, 19 Uhr Abendlob, 19.30 Uhr Abendmesse oder Meditation

Unterkunft
Haus der Stille: Ü/VP 50–100 sfr
(je nach Einkommen)

Toplage

Dominikanerinnenkloster Ilanz

Haus der Begegnung
Klosterweg 16
CH-7130 Ilanz
Tel. 00 41/81/9 26 95 40,
Fax 9 26 95 41
E-Mail: klosterilanz@bluewin.ch
Internet: www.kloster-ilanz.ch

Mit dem Pkw: Chur – Flims – Ilanz, Abzweigung Ruschein – Ladir, bis Wegweiser: Dominikanerinnen-kloster. Straße Chur-Disentis, in Richtung Chur links abbiegen nach Ilanz

Mit der Bahn: Strecke Chur–Disentis, Bahnhof Ilanz, weiter mit dem Postauto Richtung Ladir, Haltestelle Albertushof

Das Kloster

Die »Gesellschaft von der göttlichen Liebe« am Fuß des Piz Mundaun wurde 1865 vom Bündner Priester Dr. Johann Fidel Depuoz im Bündner Oberland gegründet. Die Surselva, »das Land oberhalb des Waldes«, umfasst das Gebiet zwischen dem Flimser Wald und dem Piz Badus, wo der Rhein entspringt. Zunächst entstand ein Krankenhaus und eine Schule. Erst 1894 schloss sich die kleine Gruppe dem Orden der Dominikanerinnen an. Im Herbst 1931 wurde neben dem bereits seit Jahren geführten Institut St. Josef mit Primar- und Sekundarschule und Internat in Ilanz eine ländliche Haushaltungsschule, die Bündner Bäuerinnenschule, eröffnet. Das funktionalistisch-moderne Klostergebäude des Architekten Walter Moser aus Zürich wurde 1970 bezogen und 1988 das Haus der Begegnung eingeweiht. Die Schwestern leiten das traditionsreiche Ferien- und Erholungshaus St. Joseph in Davos (Internet: www.st-josephshaus-davos.ch), die Handelsschule »Scola Vinavon« (frühere Bäuerinnenschule) und die Bündner Fachschule für Pflegerinnen. Im Gebäudekomplex sind alle Räume und Bauten untergebracht, die die Schwesterngemeinschaft zum Beten, Arbeiten, Essen, Wohnen, Schlafen und für die Aufnahme von Gästen braucht. In das Mutterhaus integriert ist ein Kranken- und Altersheim. Die später angebaute Internatsschule beherbergt 150 Schülerinnen. Gästen stehen im Haus der Begegnung Meditations- und Aufenthaltsräume, ein schöner Innenhof mit Springbrunnen, eine Aula mit

Bühne und zu bestimmten Zeiten das Schwimmbad im Untergeschoss zur Verfügung. Von den einfach ausgestatteten Zimmern und der Aussichtsterrasse hat man eine wunderbare Aussicht auf das Bündner Oberland.

Das Angebot der Ilanzer Schwestern umfasst meditative Kreistänze, Körpersprache- und Kommunikationskurse, Fastenwochen und Meditation. Sie können ein einführendes Klosterwochenende mit Grundbegriffen der Liturgie, Klostergeschichte und einem geführten Rundgang erleben sowie an den Gebeten teilnehmen. Die »Ilanzer Märchentage« interpretieren alte Texte neu durch Lesung, Tanz und Gespräch. Jin Shin Jyutsu-Ferien sorgen mit zwei Behandlungen täglich, Zeit zum Ausruhen und Spazierengehen für mehr Energie. Regelmäßig finden im Kloster Ilanz Ausstellungen und Konzerte statt. Für junge Frauen besteht die Option einer Gebets-, Tisch- und Arbeitsgemeinschaft mit den Dominikanerinnen im »Kloster auf Zeit«.

Als Gast im Kloster

Die originelle, mediterran inspirierte Architektur der Klostergebäude, die üppige Gartengestaltung mit Zypressen und die Bergkulisse schaffen beste Urlaubsstimmung. Hier schmecken Capuns am besten!

Rund um das Kloster

Stiva Veglia

Das alte Bauernhaus Stiva Veglia steht in der richtigen Umgebung, um die berühmten Spezialitäten der Region Surselva zu genießen. Die Capuns, Maluns oder Pizochels des Schweizer Gildekochs Toni Darms lässt man sich auf der Terrasse mit Blick über Wiesen und Berge schmecken.

Stiva Veglia, Fam. Imelde und Toni Darms-Hutter, CH-7130 Schnaus; Tel. 00 41/81/9 25 41 21; E-Mail: info@stiva-veglia.ch

Trottinett Fahren

Die klassischen Schweizer Trottinetts – zeitgenössisch ausgestattet mit Vorder- und Hinterradbremsen und einer Federgabel – können bequem am RhB-Bahnschalter gemietet werden.

Tour Talfahrt Triel - Vella – Ilanz, Dauer etwa 1 1/4 Stunden, Höhenunterschied 900 m, Gesamtlänge der Tour 12 km. Ab Talstation Piz Mundaun, Vella, Val Lumnezia; Tel. Bahnhof Ilanz 00 41/81/2 88 43 16; Mietgebühr inkl. Transport mit der RhB pro Tag Erwachsene 18 sfr

Service

Angebot für Gäste

Klosterwochenende
Gesund wohnen
Qi Gong
Ikebana
Angstbewältigung
Time-Out
Jin Shin Jyutsu-Ferien
Ilanzer Märchentage
Fastenwochen, Meditationskurse, Kloster auf Zeit

Gottesdienste

Wo 6 Uhr Laudes und Eucharistiefeier, 17.55 Uhr Vesper
So 7.30 Uhr Laudes, 9.30 Uhr Eucharistiefeier, 17.55 Uhr Vesper

Unterkunft

Übernachtung inkl. Vollpension: Zimmer mit Etagendusche/WC 85 sfr, Zimmer mit Bad/WC 100 sfr. Ermäßigung für Kinder und Jugendliche

Verpflegung

Zwei Cafeterias. Essenszeiten im Speisesaal: Frühstück 7.30 Uhr, Mittagessen 12 Uhr, Abendessen 18.30 Uhr

Reservierung

Ilanzer Dominikanerinnen, Haus der Begegnung, Sekretariat, Klosterweg 16, CH-7130 Ilanz; Tel. 00 41/81/9 26 95 40, Fax 9 26 95 41; E-Mail: hausderbegegnung@bluewin.ch, Internet: www.kloster-ilanz.ch

Benediktinerabtei Disentis

CH-7180 Disentis/Mustér
Tel. 00 41/81/9 29 69 20,
Fax 9 29 69 01
E-Mail:
gastbruder@kloster-disentis.ch
Internet: www.kloster-disentis.ch

Mit dem Pkw: über Chur

Mit der Bahn: auf der Linie Chur–Disentis bis Bahnhof Disentis

Das Kloster

Kloster Disentis wurde um 720 gegründet, als Wandermönche in der unbewohnten Gegend der »Desertina« auf 1100 Meter Höhe eine Einsiedelei errichteten. Die barocke Klosterkirche wurde um 1700 im Stil der Vorarlberger Bauschule errichtet. Von der Immaculata-Kapelle führt eine Stiege zum Heiligtum des Klosters, der Marienkirche. Hier befand sich die erste Kapelle des hl. Sigisbert, des Gründers des Klosters.

Einzelgäste können am Mönchsleben teilnehmen und erholsame Tage in Disentis mit eigenem Programm verbringen. Während der »Disentiser Klosterwoche« jährlich im August finden Orgelkonzerte, meditative Übungen, geführte Wanderungen und Exkursionen sowie Gottesdienste statt. Abt Daniel Schönbächler vermittelt in seinen »Seminaren zur Persönlichkeitsentwicklung« Methoden, um die eigene Persönlichkeitsstruktur zu erkennen und Blockaden abzubauen. Ilanz und Disentis sind Haltestellen des Glacier Express.

Als Gast im Kloster

Verschwiegenes Kloster ohne eigentlichen Gästebetrieb, dafür in hervorragender Lage mitten in den Graubündner Bergen.

Service

Angebot für Gäste
Kloster auf Zeit für Männer
Klostermuseum
Seminare zur Persönlichkeitsentwicklung

Gottesdienste
Wo 5.30 Uhr Morgenhore, 7.30 Uhr Konventamt, 18 Uhr Vesper, 20 Uhr Komplet
So 8 Uhr Morgenhore, 10.30 Uhr Konventamt, 17.50 Uhr Vesper, 20 Uhr Komplet

Unterkunft
Nur für Männer; Preis nach Vereinbarung

Stille & Rückzug

Dominikanerinnenkloster Cazis

Oberdorf
CH-7408 Cazis
Tel. 00 41/81/6 51 14 32,
Fax 6 51 14 44
E-Mail: info@kloster-cazis.ch
Internet: www.kloster-cazis.ch

Mit dem Pkw: Anfahrt auf der Autobahn A13 nach Chur, weiter auf der A13/E43 Richtung San Bernardino, Ausfahrt Rothenbrunnen/Cazis oder Thusis-Nord

Mit der Bahn: Strecke Chur-Thusis, von Thusis mit dem Bus bis Cazis. Ca. 10 Minuten Fußweg zum Kloster

Das Kloster

Kloster Cazis am Fuß des Heinzenberges wurde um 700 durch den Churer Bischof Viktor II. als erstes Frauenstift in Rätien gegründet. Bis ins 12. Jahrhundert bewohnten Chorfrauen ohne Gelübde das Kloster. Wenige von ihnen waren laut Urkunde bereit, Augustinerinnen zu werden und sich auf jene strengere Lebensweise zu verpflichten. 1570, nach dem Tod der letzten Augustinerin, wurde das Kloster aufgehoben und verfiel. Ab 1647 begann das Ordensleben einer kleinen Gruppe von Dominikanerinnen unter schwierigen wirtschaftlichen Bedingungen, 1768 trieb ein Brand das Kloster sogar beinahe in den Ruin. 1919 traten die Schwestern in den dritten Orden über und konnten so ihren Wirkungskreis außerhalb der Klausur entfalten. Die Schule St. Catharina, die 1866 eine kurze Blütezeit erlebt hat, wurde neu ins Leben gerufen. So konnte die Gründungsabsicht des Bischofs Johann VI. verwirklicht werden, einen Ort für Mädchenbildung in Graubünden zu schaffen. Diesem Anliegen entspricht heute die Lehrtätigkeit der Schwestern in den verschiedenen Gemeinden. Sie führen eine Schule, einen Kindergarten sowie ein Altersheim. Außerdem betreiben sie eine eigene Imkerei, eigene Weinherstellung und eine Klosterbackstube.

Gäste, die Stress ablegen, neue Energien tanken und sich ausruhen möchten, wohnen im gemütlichen Gästehaus in Zimmern mit Balkon, die eine herrliche Aussicht auf die Berglandschaft bieten. Angeboten werden Schweigewochen, Gruppenexerzitien und Seminare zu bestimmten Themen, »Innehalten« mit Mitarbeit, Teilnahme an Liturgieund

Gespräche; außerdem Familienferien mit Programm und Kinderbetreuung. Interessierten jungen Frauen wird ein Aufenthalt im Kloster auf Zeit gewährt.

Als Gast im Kloster

Die Atmosphäre des Caziser Klosters ist von großer Freundlichkeit und Entgegenkommen geprägt. In der »geistigen Auftankstelle« tun Schwestern, Panoramablick und Bienenvolk alles dafür, dass sich die Gäste wohl fühlen!

Rund um das Kloster

Rösti im Hotel Reich

Über 15 verschiedene knusprige Röstispezialitäten serviert das Hotel Reich am Fuß des Heinzenbergs. Ob mit Bündner Alpkäse und geräuchertem Speck oder doch lieber mit Spargelspitzen und Tomatenscheibchen – für jeden Geschmack ist etwas dabei.

Hotel Reich, CH-7421 Summaprada; Tel. 00 41/81/6 50 01 01; Öffnungszeiten: Mo–Sa 7–23, So 8–21 Uhr

Schatzsuche

Am Kiosk neben dem Eingang zur Via-Mala-Schlucht erhält man seine Schatzsucherausrüstung, bestehend aus Tasche, Karte, Feldstecher, Papier und Kugelschreiber. Mit dem Schatzplan puzzelt man sich detektivisch durch die verschiedenen Stationen in der Via-Mala-Schlucht. Allmählich vervollständigt sich die Zahlenreihe im Schatzplan. Nach der letzten Station weiter Richtung Zillis gehen und das Fragezeichen am Geländer suchen, mit dem Feldstecher den zugehörigen Ort ausfindig machen und die Anfangsbuchstaben notieren. Wer alles richtig ausfüllt, erhält bei Rückgabe der Ausrüstung seinen Via-Mala-Schatz aus der Schatztruhe. Im Dorf Zillis oberhalb der Via Mala gibt es in der Kirche St. Martin eine einzigartige romanische Bilderdecke zu bewundern, die nahezu ohne Übermalung erhalten ist.

Öffnungszeiten: April–Nov. tgl. 8–19 Uhr ohne Anmeldung. Schatzsuche inkl. Eintritt zur Schlucht 8 sfr; Informationen im Internet unter: www.thusis-viamala.ch

Service

Angebot für Gäste
Schweigewoche
Besinnungtage
Einzelgespräche
Begleitung Schwerkranker und Sterbender
Umgang mit Trauer
Begleitung von depressiven Menschen
Mitleben im Kloster für junge Frauen
Gruppenexerzitien
»Innehalten« für Frauen bis 50
»Auftanken«
Familienferien
Seminare: »Sinn«, Kommunikationstraining, Englisch, Informatik

Gottesdienste
Wo 5.30 Uhr Laudes, 6.40 Uhr Terz, 19.15 Uhr Vesper/Komplet
Sa und So 6.30 Uhr Laudes, 7.40 Uhr Terz, 11.45 Uhr Lesehore, 17 Uhr Vesper, 18.45 Uhr Komplet
Eucharistiefeier Sa, So 7 Uhr, Mo–Fr 6 Uhr

Unterkunft
Zimmer mit fließendem Wasser, Dusche und Bad auf dem Gang. Übernachtung inkl. Vollpension im DZ 61 sfr, im EZ 63 sfr (Kurtaxe im Preis enthalten).
Zuschlag für Aufenthalt bis 4 Nächte: 5 sfr/Tag

Einkaufsmöglichkeiten
Kunstkarten, Kalender, Musik aus dem Kloster Cazis, Bündner Bienenhonig von den Klosterbienen, Klosterbrot

Reservierung
Gästehaus, Dominikanerinnenkloster, CH-7408 Cazis; E-Mail: info@kloster-cazis.ch

SCHWEIZ

Architektur & Baukunst

Benediktinerinnenpriorat Müstair

Kloster St. Johann
CH-7537 Müstair
Tel. 00 41/81/8 51 62 23,
Fax 8 51 62 21
E-Mail: info@muestair.ch
Internet: www.muestair.ch

Mit dem Pkw: über die A 95 München–Garmisch bis Landeck über den Reschenpass und Mals nach Müstair

Mit der Bahn: auf den Strecken Basel–Zürich oder München–Zürich (umsteigen in St. Margrethen), dann Richtung Chur. Umsteigen in Landquart auf die RhB Richtung Scuol, umsteigen in Sagliains (Richtung Pontresina) bis Zernez. Mit dem Postauto über den Ofenpass nach Müstair

Das Kloster

Um 1900 entdeckten Kunsthistoriker hinter Heiligenbildern und weißgrauem Putz einer Kirche im Graubündner Münstertal einen Freskenzyklus aus karolingischer Zeit. Was Archäologen jetzt bestätigen, erzählen die Menschen im Münstertal schon seit langem: Karl der Große war der Gründer des Klosters im Südost-Zipfel der Schweiz. Für den Bischof von Chur und das fränkische Reich bildete das Kloster einen wichtigen politischen, wirtschaftlichen und kirchlichen Stützpunkt.

Im Planta-Turm, einem über tausendjährigen Wohn- und Fluchtturm und »Kloster im Kloster«, wird gebetet, gegessen und geschlafen. Errichtet wurde er auf den Fundamenten eines Wohn- und Wehrturms von 958. Die Klosteranlage ist einem riesigen Baukasten vergleichbar, bestehend aus verschiedenen Gebäudeteilen aus über 1200 Jahren. Jedes Zeitalter hat mit Malereien, Stuckaturen, Gewölben und Gegenständen des Alltags und des religiösen Lebens seine Spuren hinterlassen. Das Kloster Müstair wurde 1983 in die Welterbeliste der UNESCO aufgenommen.

Als weltoffene »Frauen aus einem anderen Jahrhundert» beherbergen die Benediktinerinnen Gäste, arbeiten im Dorfkindergarten, in der Klosterbibliothek, im ökologisch gepflegten Klostergarten und sind kunsthandwerklich tätig. In der Klausur befinden sich die Produktionsstätten für den täglichen Bedarf: Klosterküche, Vorratsräume und Arbeitsräume der Schwestern. In benediktinischer Gastfreundschaft werden im Gästehaus Besucher aufgenommen, die sich aus der Hektik des Alltags zurückziehen und sich ein paar Tage der Einkehr gönnen möchten. Im Gästehaus gibt es neun Zimmer für Einzelpersonen und Ehepaare. Die Mahlzeiten aus frischen biologischen Zutaten aus dem Klostergarten werden im Speisesaal zusammen mit den anderen Gästen eingenommen. Im Frühjahr und Herbst bieten die Benediktinerinnen professionell geleitete Fastenwochen mit Meditations- und Yogaübungen an. Die Klosterkirche und die Gnadenkapelle stehen Besuchern für das individuelle Gebet offen. Gäste und Touristen dürfen im hauseigenen Museum im Planta-Turm einen Blick hinter die Klostermauern werfen. Dort tritt man eine Zeitreise durch 1200 Jahre Kloster- und Baugeschichte an.

Karolingische Wandmalerei

Als Gast im Kloster

Umwerfend schönes mittelalterliches Kloster in atemberaubender hochalpiner Lage. Für die Wanderschuhe ein zweites Paar Sohlen einpacken, das Val Müstair und der Schweizer Nationalpark sind zu attraktiv, um die Füße hochzulegen!

Rund um das Kloster

Schweizer Nationalpark mit Murmeltierausstellung

Die Gründung des Schweizerischen Nationalparks 1914 war ein Meilenstein in der Naturschutzgeschichte. Er war der erste Nationalpark der Alpen und Mitteleuropas. Im Nationalpark werden keine Tiere gejagt, keine Bäume geschlagen, keine Wiesen gemäht. Im Nationalpark herrschen Zustände, wie sie vor dem Eintreffen des Menschen vor 5000 Jahren überall geherrscht haben. Die Murmeltierausstellung mit begehbaren Gängen macht die verborgene Wohnung der Murmeltiere, die die Hänge zahlreich bevölkern, erlebbar und erlaubt auch einen Blick in ihre weich gepolsterte Winterschlafkammer. Auf verschlungenen Wegen führt ein Gang an die sommerliche Oberfläche, wo die Besucher weitere Überraschungen erwarten. Außerhalb des Baus beleuchten reich illustrierte Informationen das geheimnisvolle Leben der Murmeltiere.

Nationalparkhaus, CH-7530 Zernez; Tel. 00 41/81/8 56 13 78; Öffnungszeiten: Mai–Okt. tgl. 8.30–18 Uhr

Extratipp

Hotel-Restaurant Chasa Chalavaina, Müstair

Ein traditionsreiches Haus, das von Jon Fasser geführt wird. Die Gaststube ist aus Arvenholz, noch heute steht angrenzend eine alte mittelalterliche Küche, rabenschwarz vom Ruß, die man beim Einbau einer zeitgemäßen Küche bewahrte. Das 800 bis 1000 Jahre alte Haus steht unter Denkmalschutz. Gute Schweizer Küche zu vernünftigen Preisen. Überaus freundliche Bedienung!

CH-7537 Müstair; Tel. 00 41/81/8 58 54 68; tgl. geöffnet

Murmeltierausstellung

Handweberei Tessanda, Sta. Maria
Fantasie, Kampf für soziale Verbesserungen und Verantwortungsgefühl führten vor 70 Jahren zur Gründung der Handweberei »Tessanda«: Die Stifter wollten jungen Frauen im entlegenen Bergtal zu einer Berufsausbildung und einer Verdienstmöglichkeit verhelfen, dabei das Kunsthandwerk fördern und zur Erhaltung traditioneller Stoffmuster ermuntern. Die »Tessanda« arbeitet heute ohne Profit. Ihr Ziel ist es, das kunsthandwerkliche Handweben in der Industriegesellschaft als kulturelles Gut zu bewahren. Im Verkaufsgeschäft in Sta. Maria finden Besucher eine große Auswahl handgewobener Gebrauchs- und Geschenkartikel. Modernes Design kombiniert mit traditioneller Handwebkunst bringt originelle Textilien hervor. In Kontrast dazu stehen die bäuerlichen Webmuster, die als »Bündner Ethno-Stil« neue Aktualität gewinnen.
Handwebatelier und Verkaufsgeschäft, CH-7536 Sta. Maria/Val Müstair;
Tel. 00 41/81/8 58 51 26
Öffnungszeiten: Mo–Fr 8–12 und 13.30–17.30 Uhr, Sa 9–12 und 14–16 Uhr

Valchava
Das schöne Bergdorf mit seinem barocken Kirchturm aus dem 15. Jahrhundert ist sehr charmant gelegen. Sein »magischer Ort« ist das Talmuseum »Chasa Jaura«, eines der schönsten Häuser im Val Müstair. In den behutsam restaurierten Räumen wird Besuchern die einstige bäuerliche und handwerkliche Lebensweise der »Jauer« (Münstertaler) mit Originalmöbeln und Geräten demonstriert. Im Keller ist eine vollständig erhaltene Hammerschmiede zu sehen. Der aus der Frühzeit des Tales stammende und mit großem Aufwand restaurierte Kalkbrennofen ist eine weitere Sehenswürdigkeit Valchavas. Das imposante Gemeindegebiet erstreckt sich im Norden über den Valpaschun und die Alp Tabladatsch bis zum Gipfel des Piz Terza. Daher eignet sich Valchava auch hervorragend als Ausgangspunkt für Wanderungen.
Chasa Jaura; Tel. 00 41/81/8 58 53 17;
Öffnungszeiten: Mitte Juni–Mitte Okt. Mi–Fr 10–12 und 14–17 Uhr, Sa und So 15–18 Uhr

Sommerskifahren Stelvio (Italien)
Abwechslung bringt auch das Sommerskifahren auf dem Stelvio – ein attraktives Skigebiet mit Liftanlagen und Schwebebahnen. Nebst dem Skifahren können Sie hier oben auch andere Attraktionen miterleben, wie Schneebrettfahren, Flüge mit dem Hängegleiter usw. Das Stilfserjoch (Stelvio) ist auch ein beliebtes Ausflugsziel für Wanderer und solche, die gerne die Berggegend genießen möchten mit Blick auf die umliegenden Alpen und den Ortler. Genießen Sie den Sonnenschein und die vielen Verpflegungsmöglichkeiten.

Bormio Thermalbäder (Italien)
Das Wasser der Bäder und Thermen von Bormio sind schwach radioaktiv und haben einen hohen Eisengehalt. Gegen diverse Unpässlichkeiten wird das Thermalwasser in Form von Fangobädern, Saunaaufgüssen, Dampfmassagen und Trinkkuren eingesetzt. In Bormio selbst können Gäste Thermalbäder besuchen, an die Kurhäuser und Warmwasserbäder

angeschlossen sind. Die natürliche Grotte mit Thermalwässern zwischen 37 und 43 °C wird aus Quellen gespeist, die bereits von Cassiodor im 6. Jahrhundert erwähnt werden. Das Wohlfühlprogramm wird von einem erfrischenden Spaziergang im Park von Bormio abgerundet.

Glorenza/Glurns (Italien)
In Glurns, der kleinen Stadt mit großer Vergangenheit, scheint die Zeit stillzustehen. Da spazieren schon einmal ein paar Steinböcke neben den Touristen über das Kopfsteinpflaster der Gässchen – die einen auf Erkundungstour, die anderen unterwegs zum heimatlichen Stall. Zum ersten mal wird die Stadt Glurns im Vinschgau 1304 erwähnt. Heute ist sie mit 850 Einwohnern die kleinste Stadt Tirols und Italiens und ein verträumtes architektonisches Juwel. Die komplett erhaltene Ringmauer mit drei massigen Türmen und eine Reihe von Wehrtürmen umschließt anmutige Gassen, Bürgerhäuser aus dem 16. Jahrhundert und verwinkelte Kolonnaden. Während des Krieges war Glurns ein obligatorischer Durchgangsort für den Handel von gesalzenen Mandeln zwischen Deutschland, Österreich und der Lombardei. Reisen Sie zurück ins Mittelalter nach Glurns.

Livigno (Italien)
Besucher tauchen bereits bei Anreise tief in die berückende Atmosphäre der grünen Berge ein, die den Ort umgeben, die kristallklaren Wasser und die erfrischende Luft, aber auch in die unvergleichbare Schönheit des Tales. Zu entdecken gibt es allerhand: charakteristische Kirchen, alte Traditionen und Sitten der Region, die typische Küche, Livignos Legenden und den einzigartigen Dialekt der Einwohner. Speziell in Sprichwörtern wurden über Jahrhunderte »Weisheiten« des täglichen Lebens von Generation zu Generation weitergegeben. Für Besucher sind vor allem die Hinweise zur Wettervorhersage bedeutsam: »Se la végn de Valècia, l'e una brùta acquècia«, so eine alte Bauernregel, die erläutert, dass Regen aus südlicher Richtung heftig und andauernd ausfällt. Jedes Jahr im Juli findet die internationale Landart-Ausstellung »Pietrarte« statt. Zahlreiche Künstler arbeiten unter freiem Himmel an ihren Skulpturen, die dann den ganzen Sommer über im fantastischen Rahmen des »Valle dello Spol« betrachtet werden können.

Service

Angebot für Gäste
Teilnahme am Chorgebet
Mitleben in der Gemeinschaft
Stille Tage im Kloster
Fastenwochen zweimal jährlich mit Meditation und Yoga

Gottesdienste
Wo 5.30 Uhr Vigil, 7.05 Uhr Laudes, 7.30 Uhr Konventmesse, 11.30 Uhr Mittagshore, 17.10 Uhr Rosenkranz, 17.40 Uhr Vesper, 19.30 Uhr Komplet
So 5.55 Uhr Vigil, 7.30 Uhr Laudes, 9.15 Uhr Pfarreigottesdienst, 10.40 Uhr Mittagshore, 17.30 Uhr Vesper, 19.30 Uhr Komplet

Unterkunft
Im Gästehaus: EZ/VP 80–100 sfr, DZ/VP 80–90 sfr; Zuschlag für Aufenthalt bis 2 Nächte: 10 sfr

Verpflegung
Speisesaal des Gästehauses

Einkaufsmöglichkeiten
Klosterladen: Karten, Bücher, regionale Spezialitäten, Klosterlikör, hausgemachte Torten, Stickereien, Devotionalien, Kunsthandwerk, Repliken, Gebrauchs- und Zierobjekte

Reservierung
Kloster St. Johann, CH-7537 Müstair; Tel. 00 41/81/8 51 62 23; E-Mail: info@muestair.ch, Internet: www.muestair.ch/kloster.php

Glossar

Abt von aramäisch »aba« (Vater); Klostervorsteher

Abtei selbstständiges Kloster

Altar eigentlich erhöhte Opferstätte; Ort der Nähe Gottes, an dem der Priester die Messe feiert

Apsis halbkreisförmiger Abschluss des Mittelschiffs mit dem Hauptaltar, Nebenapsiden mit Seitenaltären möglich

Arkaden Reihe von Bögen auf Säulen oder Pfeilern

Askese Weg zur christlichen Vollkommenheit durch bewussten Verzicht und strenge Enthaltsamkeit

Augustiner eine der ältesten Ordensgemeinschaften, die nach der Augustinerregel aus dem 4. Jahrhundert leben

Barmherzige Brüder/Schwestern Gruppe von Orden, die sich der Pflege von Alten und Kranken widmen

Basilica minor liturgisch privilegierte Kirche; päpstliche Basilika

Basilika drei- bis fünfschiffige Kirche mit erhöhtem Mittelschiff und meist durch Arkaden abgetrennte Seitenschiffe

Benediktiner ältester Mönchsorden des Abendlandes. Wahlspruch: »Ora et labora« (Bete und arbeite)

Bettelorden Orden ohne feste Einkünfte; leben von Almosen. Zum Beispiel Kapuziner, Dominikaner

Brüder nichtpriesterliche Mönche

Cellerar Klosterverwalter, der für das Finanz- und Rechnungswesen im Kloster zuständig ist

Chor Kirchenraum für die Sänger; Ort des Chorgebets

Dominikaner Predigerorden; der Theologie verpflichtet

Dormitorium Schlafraum der Mönche bzw. Klostertrakt, in dem die Zellen liegen

Eremit einsam lebender Mensch, der sein Leben Gott geweiht hat

Eucharistie Danksagung; Sakrament des Abendmahls

Evangelische Räte Keuschheit, Armut, Gehorsam (Ordensgelübde)

Exerzitien geistliche Übungen; Reduktion der Sinneseindrücke, Gebet und Betrachtungen

Fasten zeitweiliger Nahrungsverzicht zur Reinigung und Sühne

Franziskaner Bettelorden. Kennzeichen: weißer Strickgürtel zum Habit

Fresko Wandmalerei, bei der die Pigmente auf den frischen (ital. »fresco«) Putz aufgetragen werden, sehr haltbar

Gelübde feierliches Versprechen mit begrenzter oder ewiger Bindung

Gregorianischer Gesang einstimmiger liturgischer Gesang

Habit Ordenstracht der Mönche: Tunika, Gürtel, Kapuze, Schulterkleid und Übergewand

Hochamt feierliche Messform der katholischen Liturgie

Horen sieben Gebetszeiten der Mönche

Ikone nach strikten Regeln gefertigtes Heiligenbild

Inkunabeln Wiegendrucke

Jesuiten intellektueller Klerikerorden

Kapitelsaal Versammlungsraum des Klosters; zum Empfang hoher Gäste

Kapuziner selbstständiger Zweig des Ersten Ordens von Franz von Assisi

Karmeliten kontemplativer Orden; nach dem Berg Karmel benannt

Kartäuser kontemplativer Schweigeorden; lebt in Vereinzelung

Klausur von »claudere« (schließen); Gebäudeteil, den nur Mönche bzw. Nonnen betreten dürfen

Kloster von »claustrum; abgeschlossener Ort, an dem von der Außenwelt abgeschiedene Gemeinschaften leben

Kloster auf Zeit begrenzter Aufenthalt eines Laien im Kloster ohne Bindungsverpflichtung

Kommunität Klostergemeinschaft

Komplet Nachtgebet

Kontemplation spirituelle Übung; innere Schau

Konvent Mitglieder eines Klosters

Kreuzgang überdachter Wandelgang um den Innenhof des Klosters; Ort der Kreuzprozessionen

Krypta Grabkammer unter dem Altar

Laudes morgendliche Lobgesänge

Lettner hohe Schranke zwischen Mittelschiff und Chor, die den Blick auf den Altar erlaubt

Liturgie geregelte Form des Gottesdienstes

Matutin frühes Morgengebet

Messe Eucharistiefeier

Mönch von »monachós« (abgesondert Lebender); in der Gemeinschaft nach Gott Suchender, Mitglied eines religiösen Ordens

Mutterhaus Hauptsitz eines Frauenordens

Necessarium Latrinenanlage eines Klosters

Non Gebet zur 9. Tagesstunde

Nonne Ordensschwester

Noviziat Probezeit vor Ablegen der ewigen Gelübde

Orden Klostergenossenschaft mit geregelter Lebensweise, zu der sich die Mitglieder verpflichten

Orthodoxe Kirche Kirche des Ostens; entstanden 1054 in Byzanz nach der Trennung von der lateinischen Kirche in Rom

Paramente liturgische Gewänder

Patrozinium Schutzherrschaft eines Heiligen über die ihm geweihte Kirche

Paulaner strenger Orden mit Fastengelübde

Pietà ital. Mitleid, Darstellung der trauernden Maria mit ihrem toten Sohn auf dem Schoß

Prälat Inhaber höherer geistlicher Ämter

Prämonstratenser strenger Seelsorge-Orden mit Armuts- und Schweigegelübde

Prior zweithöchster Rang im Kloster nach dem Abt

Profess offizielles Ablegen der Gelübde

Refektorium Speisesaal des Klosters, in dem Mahlzeiten meist schweigend eingenommen werden

Ritterorden während der Kreuzzüge gegründete Rittergemeinschaften mit Gelübden

Ritus Kult, der die liturgischen Handlungen bestimmt

Rosenkranz Sühne- und Bittgebet

Sakristei Umkleideraum für Messzelebranten und Aufbewahrungsort für liturgische Geräte und Kleider

Säkularisation Enteignung des Kirchenbesitzes Anfang des 19. Jahrhunderts

Salesianer Orden, der sich der Jugendbildung widmet

Sext Mittagsgebet

Stift Kloster, das mit Grundvermögen ausgestattet wird; die Mitglieder heißen Stiftsherren

Tabernakel lat. Hütte, Hostienschrein in Form eines Gehäuses oder eine verschließbare Wandnische

Terz Vormittagsgebet

Triptychon dreiteiliges Tafel- oder Altarbild

Tympanon Bogenfeld über dem Türsturz von Portalen, meist mit Reliefs oder Statuen geschmückt

Vierung Kreuzung von Mittelschiff und Querhaus einer Kirche auf meist quadratischem Grundriss

Vesper liturgischer Abendgottesdienst

Vigil Nachtgebet

Wallfahrt Fahrt oder Wanderung zu einer heiligen Stätte oder einem Wunderort zur Verehrung von Reliquien, für Bitten und Sühne

Zelle einfach eingerichteter Wohnraum der Mönche und Nonnen

Zisterzienser Reformorden, der die Benediktiner wieder auf striktere Armut verpflichten wollte

Zölibat Verpflichtung zur Keuschheit und zum Eheverzicht; für katholische Priester bindend

Klosterknigge

• Gäste sollten dezente, angemessene Kleidung tragen. Beim Packen auch im Sommer Wärmeres nicht vergessen. Für Mitarbeit im Garten, Wanderungen oder Yogakurse an Spezialbekleidung denken.

• Der Klosteralltag ist von Stille geprägt. Daher Radios, CD-Spieler u.ä. zu Hause lassen. Manche Klöster verbieten sie ausdrücklich. Musikinstrumente sind hingegen in den Gemeinschaftsräumen zumeist gern gesehen.

• Viele Klöster schließen abends relativ früh ihre Pforte. Von den Gästen wird erwartet, dass sie zu dieser Zeit im Kloster sind und es für die Nacht nicht mehr verlassen.

• Da zum Teil von den Gästen weniger Geld verlangt wird, als diese den Konvent kosten, ist eine freiwillige Spende – je nach finanzieller Situation des Gastes – überall willkommen. Auch für kleinste Beträge sind die Mönche und Nonnen dankbar.

• Klöster sind keine Hotels. Besucher sollten sich daher als Gäste verstehen, nicht als Kunden eines Serviceunternehmens. Bieten Sie ungefragt Ihre Mithilfe in der Küche und im Garten an, verlangen Sie kein bezogenes Bett und kein speziell zubereitetes Mittagessen.

• Gäste sollten sich nach den Klostergepflogenheiten erkundigen und sie respektieren. Gebetszeiten, Zeiten des Schweigens (z.B. während des Essens) und die Klausurgrenzen müssen beachtet werden. Beim »Kloster auf Zeit« wird oft erwartet, dass an den Stundengebeten teilgenommen wird. Willkommen sind Gäste dazu immer.

• Der vorliegende Führer bietet einen sehr guten Überblick, das wechselnde Kursprogramm jedes Klosters erfordert jedoch aktuelle Information. Zwar steht nicht unbedingt der Glaube der Gäste im Mittelpunkt, aber man sollte sich bewusst sein, dass es sich um einen Aufenthaltsort der besonderen Art handelt. Ein Kloster ist kein Event.

Register

Wichtige Adressen

Verzeichnis gastfreundlicher Klöster in Deutschland

Die Broschüre ATEM HOLEN können Interessierte gegen Voreinsendung von Briefmarken im Wert von 1,44 € schriftlich bestellen bei:

Haus der Orden
Postfach 1601,
53006 Bonn

Verband gastfreundlicher Klöster Österreichs

Der illustrierte Prospekt »KLÖSTERREICH« ist kostenlos erhältlich; Interessierte können ihn bestellen bei:

Klösterreich, c/o ITA Hermann Paschinger
Prof. Kaserer Weg 333,
A-3491 Straß;
Tel. 00 43/27 35/5 53 50,
Fax 55 35 14;
E-mail: info@kloesterreich.at,
Internet: www.kloesterreich.at

Infos zu gastfreundlichen Klöstern in der Schweiz

Internet:
www.kath.ch/kloster_auf_zeit/

Infos zu gastfreundlichen evangelischen Kommunitäten in Deutschland

Internet: www.ekd.de/kloster/

Infos zu Kursen und Exerzitienangeboten in Klöstern

Arbeitsgemeinschaft Deutscher Diözesan-Exerzitien-Sekretariate
Kaiserstr. 161, 53129 Bonn
Tel. 02 28/10 32 57
Internet: www.exerzitien.info

ARGE Arbeitsgemeinschaft Österreichischer Diözesan-Exerzitien-Referate
Stephansplatz 6/6/43, A-1010 Wien
Tel. 00 43/1/5 15 52 33 70,
Fax 5 15 52 23 71
Internet: www.exerzitien.at